Die Sprachen der Vergangenheiten

Öffentliches Gedenken in österreichischen und deutschen Medien

Ruth Wodak
Florian Menz
Richard Mitten
Frank Stern

Suhrkamp

Die Deutsche Bibliothek – CIP-Einheitsaufnahme
Die Sprachen der Vergangenheiten :
öffentliches Gedenken in
österreichischen und deutschen Medien /
Ruth Wodak ... –
1. Aufl. –
Frankfurt am Main :
Suhrkamp, 1994
(Suhrkamp-Taschenbuch Wissenschaft ; 1133)
ISBN 3-518-28733-8
NE: Wodak, Ruth; GT

suhrkamp taschenbuch wissenschaft 1133
Erste Auflage 1994

Satz und Druck: Wagner GmbH, Nördlingen
Printed in Germany
Umschlag nach Entwürfen von
Willy Fleckhaus und Rolf Staudt

1 2 3 4 5 – 98 97 96 95 94

suhrkamp taschenbuch
wissenschaft 1133

Die Sprachen der Vergangenheiten analysieren das offizielle Gedenken im Jahr 1988 – fünfzig Jahre nach dem »Anschluß« Österreichs an Hitlerdeutschland und fünfzig Jahre nach der Reichspogromnacht.
Als Schwerpunkte der Untersuchung wurden vier symbolische Verdichtungen ausgewählt: die Übergabe des sogenannten Historikerberichts zu Waldheims Kriegsvergangenheit, die Gedenkveranstaltungen zum »Anschlußtag«, die Errichtung eines »Mahnmals gegen den Krieg und Faschismus« sowie das Gedenken an den Novemberpogrom 1938. An diesen vier Fällen wird in einer interdisziplinären sozio- und textlinguistischen Studie der Umgang des offiziellen Österreichs mit seiner jüngsten Vergangenheit analysiert. Die Analyse macht Kontinuitäten und Brüche sichtbar: Kontinuitäten eines Rechtfertigungsdiskurses, der ein Geschichtsbild vertritt, in dem Österreich ausschließlich als erstes Opfer NS-Deutschlands gesehen wird: Brüche in der Präsentation der unterschiedlichen und zum Teil inkompatiblen Geschichtsbilder, die sowohl durch die Parteien als auch durch die Einstellungen zu »Vergangenheitsbewältigung« symbolisiert werden. Die Studie macht auch die Gemeinsamkeiten und Unterschiede des öffentlichen Gedenkens in Österreich und in der Bundesrepublik deutlich.

Von Ruth Wodak u. a. liegt in der stw bereits vor: *»Wir sind alle unschuldige Täter!«. Diskurshistorische Studien zum Nachkriegsantisemitismus* (stw 881).

Inhalt

Unseren Kindern
Cordelia, Jakob, Mira und Tamara
gewidmet

Vorwort

1988, ein Jahr der Erinnerungen, der Aufarbeitung, des Gedenkens und der Legitimation. Man konnte als Beobachter/in der deutschen, aber besonders der österreichischen politischen Szene und der schriftlichen wie akustischen und visuellen Medien leicht den Eindruck gewinnen, 365 Muttertage reihten sich aneinander. Kaum ein Tag verging ohne Reden oder Feierstunden für ein vergangenes Ereignis, das in Österreich mit dem Ende der staatlichen Unabhängigkeit und dem Beginn der nationalsozialistischen Ära zusammenhing. Zum einen fanden die »Anschlußfeierlichkeiten« (wie paradoxerweise zu lesen war) statt, zum anderen wurde der Arisierungen, des Ausschlusses und der Vertreibung der Juden wie auch des Novemberpogroms gedacht.
»Muttertage« waren es v. a. für die Opfer der NS-Zeit und deren Nachkommen, für die Juden, slawischen Minderheiten, Zigeuner (Roma, Sinti), Widerstandskämpfer und damals politisch Verfolgten. Plötzlich wurde dokumentiert, erzählt, recherchiert, Zeitzeugen wurden aufgespürt und interviewt. Filme zum Thema wurden gezeigt, Schulstunden zu diesen Ereignissen abgehalten und eine Flut an Schriften (Analysen, Biographien usw.) publiziert. Tagungen zu allen möglichen Bereichen jüdischen Lebens, in allen Epochen, wurden veranstaltet. Die eine Nation schien sich an die Brust zu klopfen, während die andere lächelnd zusah, denn eine solche Beschäftigung mit der NS-Vergangenheit war in Österreich erstmalig in dieser Intensität und Totalität zu bemerken, nicht zufällig nach der »Waldheim-Affäre«.
Was führte zu dieser symbolhaften Hervorhebung des Jahres 1988 in Österreich? Wessen wurde in welcher Form von wem gedacht? Welche Sprachen kennt die österreichische Vergangenheitsbewältigung? Und wie unterscheiden sich diese von jenen in anderen Ländern, etwa in Deutschland? Diese und andere Fragestellungen bildeten die Grundlage eines zweijährigen Forschungsprojektes, das großzügig vom Fonds zur Förderung der Wissenschaft und Forschung (Wien) finanziert wurde. Der Projektendbericht wurde zum Ausgangspunkt des vorliegenden Buches. Besonders danken wir daher dem damaligen Generalsekretär des Fonds, Hofrat Dr. Raoul Kneucker, für seinen Einsatz. Weiters wollen

wir Doz. Dr. Gertraud Diem-Wille danken, die uns bei der Bearbeitung der Videobänder des Club 2 als Konsulentin zur Seite stand. Dr. Rudolf de Cillia danken wir für die Überarbeitung wichtiger Teile. Mag. Bernd Matouschek und Karin Wetschanow haben uns bei der Recherche und Dokumentation des Zeitungsmaterials ausdauernd geholfen, und Dr. Maria Menz-Dachsberger, Elisabeth Wendt und Angelika Mayer haben die vielen visuellen und akustischen Materialien wunderbar transliteriert. Den SeminarteilnehmerInnen des interdisziplinären Seminars »Vergangenheitsbewältigung« an der Universität Wien (Sommersemester 1989) sind wir ebenfalls für wertvolle Diskussion zu Dank verpflichtet. Nicht zuletzt stehen wir bei Frau Anne Willke in tiefer Schuld, die hingebungsvoll unser Manuskript lektoriert hat.

Wien, im August 1993

Ruth Wodak, Florian Menz, Richard Mitten, Frank Stern

1. Sprache und »Vergangenheiten«

1.1. Einleitung

Im Jahr 1988 jährten sich sowohl der 50. Jahrestag der Annexion Österreichs durch das Deutsche Reich am 12. März als auch die Reichspogromnacht im November 1938. Dieses Jahr wurde in Österreich als Gedenkjahr ausgerufen, in dem auch die nationalsozialistische Vergangenheit der damaligen »Ostmark« aufgearbeitet und reflektiert werden sollte. Unterschiedlichste Kristallisationspunkte und »runde Daten« ergaben sich in diesem Jahr, wie etwa am 8. Februar 1988 die – ursprünglich nicht absehbare – Übergabe des Berichtes einer internationalen Historikerkommission über die Kriegsvergangenheit des österreichischen Bundespräsidenten Kurt Waldheim, wie der 12. März als Anlaß des gesamten Gedenkjahres oder der 9. November 1988, der 50. Jahrestag der »Reichskristallnacht«. Aber auch die Errichtung eines Mahnmals als Erinnerung an die Opfer des Faschismus oder die Uraufführung eines Theaterstückes am Burgtheater über das Schicksal eines remigrierten Juden bildeten Anlässe, sich mit Österreichs *Vergangenheiten* in der einen oder anderen Form auseinanderzusetzen. Analog zu den Ereignissen in Österreich ragte in der Bundesrepublik Deutschland der Skandal um die Rede des damaligen Bundestagspräsidenten Philipp Jenninger aus Anlaß des 9. November aus den politischen Ereignissen des Jahres heraus.

Das vorliegende Buch enthält die Ergebnisse eines zweijährigen Forschungsprojektes über die »Sprachen der Vergangenheiten«. Bis 1986 wurden die Ereignisse der Jahre 1938-1945 oft – angesichts der aus der Moskauer Erklärung von 1943 abgeleiteten These, Österreich sei nur das Opfer der nationalsozialistischen Eroberungs- und Vernichtungspolitik gewesen – eher verdrängt und/oder geleugnet. Die (unterschiedlichen) »Sprachen der Vergangenheiten« in der Zeit von 1938 bis 1945 wurden aber beim Bundespräsidentschaftswahlkampf 1986 virulent, da in aller Öffentlichkeit sowohl in Österreich selbst als auch in der ausländischen Presse über den Umgang des Kandidaten und späteren Wahlsiegers Kurt Waldheim mit seiner und auch Österreichs nationalsozialistischer Vergangenheit diskutiert wurde.

Die Entstehung eines antisemitischen Diskurses in engem Zusammenhang mit der Auseinandersetzung über Waldheims und Österreichs jüngere Vergangenheit weist auf die thematische Kontinuität zwischen der »Waldheim-Affäre« und dem »Gedenkjahr« hin. Äußerungen antijüdischer Vorurteile nach 1945 hingen stark mit einer historischen Rechtfertigung Österreichs als Opfer Nazi-Deutschlands zusammen. »Judenfeindlichkeit im Nachkriegsösterreich ist v. a. durch den Umgang mit vermeintlicher oder echter Schuld, mit vermeintlichen oder tatsächlichen Vorwürfen im Zusammenhang zu sehen. ... Die Äußerungsformen sind sehr unterschiedlich, manifest oder latent, explizit oder sehr indirekt. Allesamt jedoch muten sie als Rechtfertigungsdiskurse an (bzw. als Varianten von Rechtfertigung und Verteidigung)« (Wodak et al. 1990, S. 22). Die ideologische Wirksamkeit dieses Rechtfertigungsdiskurses beruht hauptsächlich darauf, daß eine Art kollektiver Erinnerung von Österreich als Opfer Nazi-Deutschlands eine Bestätigung für die in diesem Diskurs enthaltenen Wertvorstellungen bot. In engem Zusammenhang mit diesen spezifischen Diskursen über Österreichs Vergangenheit etablierte sich gleichzeitig eine spezifische österreichische Identität, die stark zwischen einer oder einigen bestimmten »Wir«-Gruppe(n) (den [anständigen] Österreichern) und »den anderen« (im In- und Ausland, den »Unruhestiftern«) usw. unterschied.

Im Jahre 1986 ging es bei der Auseinandersetzung um die Vergangenheit um die Einzelperson Waldheim (die allerdings eine stellvertretende Funktion für Österreich schlechthin anstrebte und dies zum Teil auch erreichte), während die von seinen Anhängern vertretenen Geschichtsbilder teilweise eindeutig parteipolitisch eingesetzt wurden. Die internationale Breite und politische Brisanz dieser Auseinandersetzung wirkten sich natürlich auf die Gedenkveranstaltungen 1988 aus. Diese stellte das negative Beispiel für das dar, was von dem durch die staatstragenden Parteien unterstützten öffentlichen Gedenken überwunden werden sollte. Die Diskurse aus dem Jahr 1986 konnten daher nur als Auftakt und Vorbedingung jener konsensmäßigen und öffentlichkeitswirksamen Erinnerung im Jahre 1988 dienen. Um das Image im Ausland zu verbessern, war man bemüht, möglichst viel inhaltliche Distanz zu 1986 zu zeigen. Trotzdem tauchten im öffentlichen Gedenken immer wieder Elemente der Rechtfertigung, Abgrenzung (»Wir-Diskurs«) und des antisemitischen Sprachgebrauchs auf.

Der Gegenstand dieses Buches ist jenes offizielle Gedenken im Jahre 1988 und dessen mediales Umfeld. Wir nehmen an, daß staatliches Gedenken das öffentliche Herausstellen von Inhalten historischen Bewußtseins bedeutet, die von einem Konsens der politischen Kultur und ihrer Hauptträger unterstützt werden können. Diese offiziellen konsensfähigen Geschichtsbilder stehen aber auch in einer Wechselbeziehung mit jenen nichtoffiziellen Stellen (also etwa den Medien), die der breiten Bevölkerung ihre Geschichtsbilder vermitteln oder deren Geschichtsbilder zum Ausdruck bringen. Die Medien fördern auch gemeinsame Inhalte historischen Bewußtseins, selbst wenn diese Inhalte (aus unterschiedlichen Gründen) mit jenen offizieller Stellen nicht völlig übereinstimmen.

Angesichts dieser Annahmen soll im folgenden der begriffliche und methodologische Rahmen dargestellt werden, der dieser Studie zugrunde liegt. Zuerst wollen wir – durch eine Auseinandersetzung mit dem Begriff »Vergangenheitsbewältigung« – die Hindernisse historischer Erkenntnisse näher darlegen. Wir behaupten sogar, daß es »*die* Vergangenheit« nicht geben kann. Wir bieten daher eine Erklärung dafür an, wie bestimmte Inhalte historischen Bewußtseins zu jenen Inhalten werden können, aus denen das öffentliche Gedenken besteht. Die Geschichtsbilder, die in den unterschiedlichen Medien verbreitet werden, spielen in diesem Zusammenhang eine große Rolle: unsere Analyse versucht u.a. sowohl festzustellen, ob und inwieweit jene medialen Geschichtsbilder von denjenigen der offiziellen Stellen abweichen, als auch etwaige Gründe dafür nahezulegen.

Wenn die Barrieren zum historischen Wissen also ausschließen, daß die Inhalte eines öffentlichen Gedenkens »*die* Vergangenheit« darstellen können, handelt es sich folglich um miteinander konkurrierende Geschichtsbilder, die in unterschiedlicher Weise bestimmte historische Ereignisse oder Tatsachen in einen kausalen Zusammenhang bringen, der dann ein konsensfähiges Gedenk-Geschichtsbild darstellt. Wir führen daher im weiteren einige Aspekte österreichischer Geschichte aus bzw. umreißen einige historiographische Kontroversen, die den äußeren Rahmen möglicher Geschichtsbilder für das Gedenken 1988 über den »Anschluß« oder über den Novemberpogrom (»Reichskristallnacht«) bildeten.

1.2. Der Begriff »Vergangenheitsbewältigung«

Während und wegen der Bundespräsidentenwahl 1986 in Österreich und der Gedenkveranstaltungen im Jahr 1988 hat der Begriff »Vergangenheitsbewältigung« tatsächlich viel an diskursiver Bedeutung gewonnen. Gleichzeitig ist ein Unbehagen am Begriff Vergangenheitsbewältigung festzustellen, selbst wenn die jeweiligen Gründe, ihn abzulehnen, unterschiedlich sind. Das Zögern, den Begriff »Vergangenheitsbewältigung« zu verwenden, hängt oft mit dem Widerstand gegen das zusammen, was in der Vergangenheit zu »bewältigen« wäre. Andererseits müßte die Beziehung zwischen Widerstand und »Vergangenheitsbewältigung« nicht unbedingt eine einander ausschließende sein. Denn dieser Widerstand führt normalerweise nicht dazu, eine »Bewältigung« der Vergangenheit abzulehnen, sondern umgekehrt dazu, »die Vergangenheit« sehr wohl zu »bewältigen«. Die Vergangenheit also, wie immer sie verstanden wird, wird ständig bewältigt, verarbeitet oder überwunden, indem sie offenkundigen politischen Zielen zur Bestätigung dient, eine bestimmte genealogische oder teleologische Darstellung der Geschichte unterstützt oder einfach die gemeinsamen Voraussetzungen einer herrschenden politischen Kultur verstärkt.

Die Behauptung, daß die Vergangenheit ständig bewältigt, verarbeitet oder überwunden wird, führt uns zu einer neuen Frage, allerdings auf einer anderen Ebene. Es mag widersprüchlich klingen, aber es ist festzustellen, daß »die Vergangenheit« nicht bewältigt werden kann, wenn die Vergangenheit tatsächlich bewältigt wird. Denn es gibt nicht *die* Vergangenheit, die man einfach nicht zu leugnen braucht, um sie unproblematisch aufzuarbeiten, sondern es gibt tatsächlich mehrere mögliche Vergangenheiten, von denen nur jeweils eine »bewältigt« werden kann, wenn »die Vergangenheit« bewältigt wird. Jede Bewältigung der Vergangenheit ist darüber hinaus gleichzeitig eine Bewältigung der Gegenwart. Genauso wie jeder Versuch, etwas in der gegenwärtigen Politik zu bewältigen, gleichzeitig einen Versuch voraussetzt, mit einer bestimmten Vergangenheit fertig zu werden.

Wenn wir von Vergangenheit sprechen, müssen wir eigentlich auch von Geschichte reden, denn in einem wichtigen Sinne sind Vergangenheit und Geschichte synonym. Der Begriff Geschichte umfaßt zwei zwar miteinander eng verbundene, aber analytisch

voneinander unabhängige Momente. Erstens meint Geschichte im herkömmlichen Sprachgebrauch das, was sich in der Vergangenheit ereignet hat: die Geschehnisse, die Ereignisse eines bestimmten geographischen oder kulturellen Bereichs innerhalb eines begrenzten Zeitraums. Die andere Bedeutung des Wortes Geschichte, die mit der ersten unentwirrbar verbunden ist, meint das, was über die Vergangenheit geschrieben oder gesagt wird. Ob es sich um Geschichtsbücher allgemein oder um ein bestimmtes historisches Werk handelt: wenn Geschichte in diesem zweiten Sinn verwendet wird, handelt es sich um Geschichtsschreibung.
Wir können aber über die Vergangenheit oder die Geschichte im ersten Sinn nur das »wissen«, was über sie geschrieben oder gesagt wurde, das heißt, das, was uns als die Geschichte in dem zweiten Sinn vermittelt wird. Wir haben nur einen mittelbaren Zugang zu dieser Vergangenheit, und zwar durch das, was an uns als Geschichte weitergegeben wird. Anders gesagt, zur Vergangenheit im ersten Sinn, die wir nicht unmittelbar erleben, können wir nur einen indirekten Zugang haben, und zwar nur mittels der Geschichte im zweiten Sinn, das heißt der Geschichtsschreibung, durch Erzählungen von anderen und durch das, was wir von den verschiedenen Medien rezipieren. Da es aber »die Vergangenheit« nicht gibt und da die Vergangenheit oder die Geschichte nur als etwas Gelerntes, das heißt, Gehörtes, Gelesenes oder Gesehenes erfaßt werden kann, sind alle Geschichtsdarstellungen notwendigerweise verschieden. Die Unterschiede beruhen auf der Praxis der Geschichtsforschung und auf unterschiedlichen Interessen.
Nur die allereinfachsten Tatsachen sind unproblematisch als »historische Tatsachen« anzunehmen. Alle anderen haben ihre Bedeutung nur dann, wenn sie einen Teil einer kausalen Erklärung bilden, einer Erklärung, die aber nur aus einer Auswahl als echt geltender historischer Tatsachen bestehen kann. Die Tatsachen sprechen nie »für sich selbst«: man muß sie befragen. Die Fragen, die man den Quellen stellt, müssen sich in der Praxis der Geschichtsforschung ständig ändern, weil man in dieser Praxis ununterbrochen in Widerspruch zu den eigenen Vorstellungen, vorläufigen Formulierungen und Hypothesen gerät. Wenn das nicht der Fall wäre, wäre alle historische Forschung überflüssig.
Wenn wir behaupten, daß nicht alle historischen Erklärungen gleich sind, müssen wir auch anerkennen, daß es nie eine definitive

Darstellung der Geschichte geben kann. Und das aus zwei Gründen: Erstens besteht immer die Möglichkeit, daß neue Quellen gefunden werden, die eine neue Perspektive auf die bisherige Geschichte eröffnen. Zweitens, und das ist wichtiger: Gesellschaften und Kulturen entwickeln, vermischen und ändern sich. HistorikerInnen führen also einen Dialog mit ihren Quellen, in dem sich die Fragen naturgemäß verändern. Aber die Antworten, mit denen man zufrieden sein kann, hängen nicht nur von der Ehrlichkeit der Historikerin oder des Historikers und der Vollständigkeit der Quellen ab, sondern auch von der Erziehung, von den politischen Intentionen und von den moralischen Prinzipien dieser HistorikerInnen. Die Antworten hängen daher nicht nur davon ab, wie sorglos oder sorgfältig man mit der Wahrheit umgeht, sondern auch davon, was man unter Wahrheit schlechthin versteht; nicht nur davon, ob man »Beweise« für jedes beliebige Vorurteil finden kann, sondern wie sorgfältig oder nachlässig man die Quellen untersucht, wie rücksichtslos oder tolerant man einer bewußten Teilinterpretation gegenübersteht.
Allgemein betrachtet, kann man eine schlicht tendenziöse von einer wissenschaftlich kompetenten Geschichtsdarstellung nur durch eine ständig konsequente und rücksichtslos ehrliche, gründliche Kritik unterscheiden. Für praktizierende HistorikerInnen kann diese Aufforderung nur heißen, daß sie sich möglichst viele ihrer eigenen Voraussetzungen und ihrer politischen, moralischen, ideologischen und auch wissenschaftlichen Ansichten bewußtmachen.
Wenn nun nur eine ununterbrochene kritische Auseinandersetzung mit den Quellen, mit den HistorikerInnen und ihren geistigen Voraussetzungen vorzuschlagen ist, sieht es so aus, als gäbe es wirklich keinen archimedischen Punkt, auf den man sich bei historischer Arbeit verlassen könnte. Dieser Schluß ergibt sich unumgänglich aus der Logik der Praxis der Geschichte und der Logik der historischen Erklärung. Bei dem Streit um Vergangenheitsbewältigung geht es also nicht um die Vergangenheit, die man nur entweder anerkennt oder verleugnet, verdrängt oder vergißt, sondern darum, welche Vergangenheiten vorhanden sind und wie eine von ihnen zu *der* Vergangenheit wird.
Genauso wie bestimmte Darstellungen der Vergangenheit spezifische politische Ziele in sich schließen, setzen politische Entscheidungen zudem eine bestimmte genetische Darstellung der Ge-

schichte voraus. Es ist natürlich keine welterschütternde Entdekkung, daß Regierungen und deren Apologeten eine selektive Wahrnehmung von Geschichte zu ihrem Vorteil nützen. Diese Instrumentalisierung findet notwendigerweise statt, weil alle politischen Entscheidungen eine historische Denkart voraussetzen, wie unvollständig und tendenziös diese Geschichtsdarstellung auch immer sein mag. Diese Art wechselseitiger Auslese beeinflußt nicht nur den Diskurs, in dem politische, wirtschaftliche oder kulturelle Themen diskutiert werden, sondern auch den Umfang des möglichen Denkens. Dies muß nicht als totalitärer Alptraum verstanden werden, sondern dies ist etwas, was jede stabile und dauerhafte Gesellschaft kennzeichnet.
Eine angemessene Metapher, die der vierschichtigen »Mozartkugel«, kann die Macht- und Informationskonstellationen in der Gesellschaft im allgemeinen bildlich darstellen, die gewisse Interpretationen der Politik und der Geschichte begünstigen und die auch Barrieren gegen eine diesem Machtsystem gegenüber subversive Kritik errichten. Die Pistaziencreme im Zentrum stellt hier historische Quellen dar. Dokumentarische Beweismaterialien sind weder selbstverständlich noch vollständig. Daß irgendeine Untersuchung dieser Quellen eine Geschichte, »wie es eigentlich gewesen« war (Ranke), darstellen könnte, ist daher zweifelhaft. Die Marzipanschicht repräsentiert die Fachleute, also HistorikerInnen. Diese untersuchen die Pistaziencreme (die historischen Quellen). Sie besitzen eine Vielfalt von Interessen, ideologischen Standpunkten, persönlichen Geschichten, verschiedenen Graden an intellektueller Ehrlichkeit und wissenschaftlichen Begabungen. Man wird insofern von ihnen eine Reihe von verschiedenen Geschichtsdarstellungen zur Kenntnis nehmen müssen. Erinnern wir uns aber an die Institutionen, die die Verbreitung einer Historiographie bestimmen, und auch an die politischen und informellen Beziehungen, die diese institutionalisierten Mächte an den Staat oder zumindest an die Voraussetzungen der allgemeinen politischen Kultur binden. Es ist daher nicht schwierig nachzuvollziehen, daß sich am ehesten eine Historiographie, die den von den institutionalisierten Mächten bevorzugten gesellschaftlichen Werten entspricht, durchsetzen kann. Über der Marzipanschicht liegt die Nougatcreme, die in unserer Metapher die nichtspezialisierte Intelligenz darstellen soll. Es ist hauptsächlich jene Intelligenz, von der die Bevölkerung ihre Geschichte lernt. Und woher haben

diese Intellektuellen ihre Geschichtsbilder? Wenn sie sich mit Geschichte als solcher beschäftigen, müssen diese LehrerInnen, JournalistInnen, SchriftstellerInnen und WissenschaftlerInnen auf die Bücher zurückgreifen, die von den SpezialistInnen geschrieben werden. Wir haben aber schon gesehen, wie weit entfernt ausgerechnet die professionellen HistorikerInnen von irgendeiner »Objektivität« sind. Diese Intelligenz ist darüber hinaus auch der Vielfalt der Ideologien, Interessen, Machtkonstellationen und den Werten der politischen Kultur unterworfen. All dies läßt wiederum erahnen, wie leicht sich das historische Verständnis dieser Intelligenz an die Voraussetzungen einer konsensfähigen Historiographie anzupassen beginnt. Zuletzt treffen wir auf die Schokolade, die hier die Bevölkerung im allgemeinen darstellen soll. Ihre Begriffe und ihr Wissen von Geschichte bezieht sie fast ausschließlich aus Erzählungen über die Vergangenheit von Verwandten und Bekannten, aus der Schule, aus den Zeitungen und elektronischen Medien und aus Büchern.

Erinnert man sich aber daran, wie alle anderen Schichten der Mozartkugel in irgendeiner Form den herrschenden politischen und kulturellen Voraussetzungen unterworfen sind, wie abhängig die Intelligenz von den HistorikerInnen bezüglich ihrer detaillierten Kenntnisse über Geschichte ist und wie wenig HistorikerInnen selbst »objektive« Darstellungen beanspruchen können, und nimmt man an, daß die Schokoladeschicht eher weniger gebildet ist und nicht die Zeit oder die Gelegenheit hat, sich mit philosophischen Streitereien über die erkenntnistheoretischen Grundlagen unseres historischen Verständnisses zu beschäftigen, sollten wir dann wirklich überrascht sein, daß es uns nur unter großen Anstrengungen gelingt, eine kritische Distanz zu der Darstellung der Geschichte zu gewinnen, die mit den staatspolitischen und kulturellen Voraussetzungen der Gesellschaft stark im Einklang steht? Oder, anders formuliert, muß man nicht erwarten, daß sehr wohl eine bestimmte Version der Geschichte bei breiteren Schichten der Bevölkerung als »die Vergangenheit« gilt?

In der Realität gibt es natürlich Möglichkeiten, diese Zwänge zu durchbrechen; denn auf jeder Ebene vermag sich ein kritischer Geist mit seiner intellektuellen Umwelt auseinanderzusetzen. Metaphorisch ausgedrückt: jeder kann die ganze Mozartkugel essen und verdauen. Die Möglichkeit, Erfahrungen zu haben, die uns für alternative Darstellungen empfänglich machen, besteht immer. Hinzu kommen die unterschiedlichen Auffassungen, die von Parteiorganen vertreten und verbreitet werden. Aber die Allgegenwart gerade der Institutionen und allerlei kultureller Rituale, die diese Möglichkeiten blockieren, verringert nicht nur die Wahrscheinlichkeit, daß wir intellektuell die Voraussetzungen unserer Sozialisation durchbrechen können, sondern sie begrenzt sowohl das Reservoir von Begriffen und Auffassungen, mit denen wir ein alternatives Wertsystem bilden können, als auch das Idiom, in dem wir ein solches System ausdrücken können. Es ist auch nicht selbstverständlich, daß eine Kritik an den gegenwärtigen politischen Verhältnissen automatisch das herrschende Geschichtsbild in Frage stellt. Was hier als wesentlich festzuhalten ist, sind die eingeschränkten Möglichkeiten, außerhalb dieser Voraussetzungen ein anderes Geschichtsbild überhaupt nachvollziehen und sehen zu können.

Die Möglichkeiten von nichtspezialisierten Menschen, sich mit den verschiedenen Darstellungen der Geschichte und den darin enthaltenen Vorstellungen in den öffentlichen Medien auseinanderzusetzen oder gar zu den Darstellungen, die in diesen Medien präsentiert werden, eine kritische Distanz zu gewinnen, sind entsprechend begrenzt. Daraus folgt, daß die Vergangenheit tagtäglich bewältigt wird, indem jene Version der Vergangenheit, die sich durchgesetzt hat, Widerhall findet oder bei immer breiteren Schichten als die Geschichte schlechthin hingenommen wird. Die Vergangenheit wird um so erfolgreicher bewältigt, je souveräner entscheidungsgewaltige Machthaber gesellschaftlicher Institutionen aus irgendeinem Grund bestimmte Werte auswählen, die ein gewisses Geschichtsbild voraussetzen. Es sollte aber nie unterlassen werden, die Frage zu stellen, ob der vorausgesetzte Wert einer ist, den wir teilen wollen, und ob die Darstellung am umfassendsten die Ursachen oder Ursprünge dieses Ziels kausal erklärt. Kurz gesagt, man müßte ständig die Frage stellen: wozu *diese* eine Vergangenheitsbewältigung?

1.3. Historischer Abriß

Der Zusammenbruch des Habsburgerreiches 1918 stellte Österreichs neue politische Führung vor enorme Probleme. Eine der ersten Handlungen der ersten Nachkriegsregierung war, den

neuen Staat Republik Deutsch-Österreich zu nennen und ihre Absicht bekanntzugeben, sich mit der fast gleichzeitig ausgerufenen Deutschen Republik zusammenzuschließen. Ob nun die neue Deutsch-Österreichische Regierung gehofft hatte, Vorteil daraus zu ziehen, daß der amerikanische Präsident Woodrow Wilson sich dem Prinzip der Selbstbestimmung der Völker verschrieben hatte, die Ententemächte selbst hatten jedenfalls eigene Vorstellungen, und handelten rasch, um diesen Anschluß zu verhindern. Diese erste Debatte über einen Anschluß von Österreich an Deutschland fand ihre Ursache in einer von allen drei Lagern (Sozialdemokraten, Christlichsozialen, Deutschnationalen Liberalen) wahrgenommenen, offensichtlichen kulturellen Affinität, aber auch in der weit profaneren Frage des Überlebens. Als Rumpfstaat eines zusammengebrochenen multinationalen Reiches war eine österreichische Republik – auf sich gestellt, abgeschnitten von der früheren Versorgung mit Rohstoffen und Nahrungsmitteln sowie angesichts der Handelsbarrieren der Habsburgernachfolgestaaten – wirtschaftlich nicht als lebensfähig anzusehen. Vereinigt zu einem Großdeutschland schienen Österreichs wirtschaftliche Aussichten wenn auch nicht rosig, so doch zumindest tolerabel. Darüber hinaus gab es noch die rechtliche Frage der Kriegsschuld: Sollte die neue Republik der rechtmäßige Nachfolgestaat der Habsburgermonarchie sein, würde man auch erwarten, daß diese die Kosten aller Reparationszahlungen übernähme, welche die früheren Feinde mit Sicherheit verlangen würden.
Die Argumente der Vertreter Österreichs bei den Verhandlungen über den Österreichischen Friedensvertrag von St. Germain waren jedenfalls von geringer Bedeutung, verglichen mit den Interessen der Alliierten und den Ängsten Frankreichs vor Deutschland, und so wurde der Vertrag entgegen den Wünschen der gesamten österreichischen Delegation durchgesetzt. Die Idee des Anschlusses, die sowohl positive als auch negative Aspekte aufwies, wurde aber nicht prinzipiell von den Österreichern verworfen, und die Attraktivität eines Zusammenschlusses mit einem wirtschaftlich lebensfähigen Deutschland ließ, angesichts der Entbehrungen, die Österreich während der zwanziger und dreißiger Jahre zu erleiden hatte, nicht nach.[1]

1 Dieser Aspekt in der politischen Kultur in der Ersten Republik wird eingehend behandelt in Low (1985).

Die Einigkeit innerhalb Deutsch-Österreichs gegenüber dem gemeinsamen Feind, den siegreichen Ententemächten, brach jedoch schnell zusammen. Obwohl die Unterstützung der Wähler für die drei politischen Lager vor 1934 nicht signifikant schwankte, konnte man in der Ersten Republik sowohl eine Umgruppierung der politischen Repräsentanz innerhalb des Christlichsozialen und des Deutschnationalen Lagers als auch eine wachsende Polarisierung und Konsolidierung des Blockes der konservativen Parteien gegen die Sozialisten beobachten. Einerseits geriet die Christlichsoziale Partei in den dreißiger Jahren zunehmend unter Druck der außerparlamentarischen Gruppen wie der Heimwehr[2], während innerhalb des nationalen Lagers eine Radikalisierung um sich griff, welche in der Vorherrschaft der Nazis endete. Darüber hinaus waren die Sozialisten ab 1920 von der Macht auf nationaler Ebene völlig ausgeschlossen, obwohl sie regelmäßig ein Drittel der Stimmen erhielten. Gleichzeitig schafften es die Sozialisten, aufgrund der stark föderalistischen Verfassung ein quasi-autonomes Machtzentrum in der Hauptstadt Wien zu errichten, was den ewigen Zorn der Christlichsozialen nach sich zog. Das politische Leben in der Ersten Republik wurde nun zunehmend gewalttätiger, und da beide großen politischen Lager die Unterstützung von paramilitärischen Organisationen für sich gewinnen konnten, entstand eine permanente Haltung der Distanz, die ein Nährboden für starke politische Feindseligkeit und Mißtrauen war. Christlichsoziale Politiker – von Ignaz Seipel, einem ehemaligen Priester, bis Engelbert Dollfuß – bekundeten offen ihre Ablehnung der konstitutionellen Regierungsform, während die Sozialisten warnten, daß es notwendig werden könnte, eine Diktatur des Proletariats zu errichten, falls die Konservativen versuchten, die Republik zu zerstören.[3]

1931 weigerten sich die Sozialisten, ein letztes Koalitionsangebot

2 Die Heimwehr bestand aus paramilitärischen Verbänden, die sich gegen Ende des Krieges in einigen Grenzregionen gebildet hatten, um diese Gebiete zu schützen, aber dann in der Ersten Republik bestehen blieben. Obwohl viele Versuche unternommen wurden, diese Verbände zu vereinigen, blieb die Heimwehr größtenteils regional organisiert, einige Teile sympathisierten mit dem Modell des italienischen Faschismus, andere mit den Nazis. Zur Heimwehr vgl. Carsten (1978), Edmondson (1978).

3 Einen Überblick über die Entwicklung in der Ersten Republik, zusammengefaßt in den nächsten Absätzen, gibt Gulick (1948).

der Christlichsozialen anzunehmen, da ihnen der Preis dafür zu hoch erschien. Ein Jahr später wurde Engelbert Dollfuß Kanzler. Seinen Enthusiasmus für das faschistische Italien zeigte er ebenso deutlich wie seine Feindseligkeit gegenüber den Sozialisten. Unter dauerndem Druck Mussolinis, faschistische Reformen durchzuführen – als einzige Chance, den Nazis das Wasser abzugraben –, wird Dollfuß gleichzeitig als Totengräber der Republik und als persönliches Opfer eines nationalsozialistischen Putschversuches betrachtet.

Im März 1933 nutzte Dollfuß chaotische Vorgänge im Parlament und erklärte dessen Auflösung. Weitere Sitzungen wurden mit Gewalt verhindert. Dies schuf die Basis für den österreichischen Bürgerkrieg. Ein Versuch der paramilitärischen Organisation der Sozialisten, des Schutzbundes, einer Polizeirazzia in Linz im Februar 1934 Widerstand zu leisten, war der Auslöser eines massiven Angriffs der österreichischen Polizei, Armee und Truppen der Heimwehr gegen einen unvorbereiteten und wenig koordinierten Gegner. Die Sozialisten wurden in den Untergrund getrieben, ihre Führer zur Flucht gezwungen, getötet oder festgenommen. Für viele Sozialisten der Ersten Republik war der Bürgerkrieg der schwärzeste Tag der dreißiger Jahre, schlimmer sogar als der Anschluß vier Jahre später. Ab diesem Zeitpunkt existierte eine unüberbrückbare Kluft zwischen den beiden großen politischen Lagern in Österreich. Dieses »Lagerdenken«, dessen Wurzeln in der Ersten Republik liegen, prägt auch die Geschichtsschreibung in Österreich: historische Ereignisse werden je nach Lagerzugehörigkeit unterschiedlich gewichtet und eingeordnet.[4]

Dollfuß ließ diesem Erfolg gegen die Sozialisten die Einführung einer ständestaatlichen Verfassung und die Gründung der Vaterländischen Front folgen, letztere als Antwort des österreichischen »austrofaschistischen« Diktators auf Italiens Faschistische Partei. Außerdem konnte sich Dollfuß, nachdem die Sozialisten aus dem

4 Siehe z. B. die Einschätzung des österreichischen Politologen Anton Pelinka: »Geschichte, Zeitgeschichte wird in Österreich vielfach als Fabrik zur Produktion politischer Ideologien aufgefaßt [...] Auch zeitgeschichtliche Forschung ist in Österreich etikettiert; es gibt, zumindest nach der Auffassung vieler, eine ›schwarze‹ [d. h. christlichsoziale] und eine ›rote‹ [sozialdemokratische] Forschung. Jeder Zweig hat die Fehler der anderen Seite hervorzukehren, die Haltung der eigenen Seite jedoch zu rechtfertigen« (Pelinka 1985, S. 131).

Weg geräumt waren, mit der Gefahr des Nationalsozialismus beschäftigen, der, vor allem nach Hitlers Aufstieg zur Macht im Januar 1933, in Österreich stetig mehr Unterstützung fand. Am 1. Juni 1934 wurden in Österreich alle Nazi-Organisationen verboten, diese waren jedoch in der Lage, von Bayern aus geleitet, im Untergrund weiterzuarbeiten. Am 25. Juli versuchten die österreichischen Nationalsozialisten, die Macht an sich zu reißen. Der Putschversuch scheiterte zwar, aber Dollfuß wurde dabei ermordet. Die Initiatoren des Putsches wurden gehängt, und Österreich genoß kurzfristig den Schutz Mussolinis, der Truppen an den Brenner geschickt hatte, um die Deutschen daran zu hindern, den österreichischen Nazis zu Hilfe zu kommen.
Der Nachfolger von Dollfuß als Kanzler, Kurt Schuschnigg, setzte die Politik seines Vorgängers fort, geriet aber, als sich Italien immer mehr distanzierte, unter zunehmend stärkeren Druck von Deutschland. Außenpolitisch verließ sich Schuschnigg weiterhin auf Mussolinis Unterstützung, übersah dabei aber, wie sehr sich Mussolini wieder an Hitler angenähert hatte, besonders nach 1937. Innenpolitisch mußte Schuschnigg einen Kurs zwischen den illegalen Sozialdemokraten und den Nazis im Untergrund einschlagen, wobei er selbst nur beschrankte Unterstützung erhielt. Folglich mußte er sich in immer stärkerem Maße auf Heimwehr, Armee und Polizei verlassen. Obwohl weder Dollfuß noch Schuschnigg wirklich mit den Nationalsozialisten sympathisierten, waren sie auch beide nicht gegen die Idee eines Großdeutschlands. Schuschnigg war von der Fülle der intellektuellen und kulturellen Gemeinsamkeiten, die die gesamte deutsche Gemeinschaft verbanden, überzeugt und hoffte auf eine akzeptable Beziehung zu Nazideutschland. Um das zu erreichen, versuchte er, »gemäßigte« Elemente aus dem nationalsozialistischen Lager zur Zusammenarbeit mit ihm zu bewegen, in der Hoffnung, dadurch die radikaleren Nazis zu unterlaufen. Aber diese Maßnahmen führten nur zu einem weiteren Dahinschwinden seiner politischen Basis im Inland und zu verstärkter Ohnmacht angesichts des von Nazideutschland ausgehenden Drucks. Zu den Sozialisten wurden keine Brücken geschlagen, und die Vaterländische Front stellte sich als Mißerfolg heraus. Die Situation verschärfte sich nach dem Juliabkommen von 1936 zwischen Deutschland und Österreich weiter, obwohl Deutschland explizit die Unabhängigkeit und Souveränität Österreichs anerkannt hatte. Die österrei-

chische Regierung war sowohl innen- als auch außenpolitisch isoliert. Als es schließlich im März 1938 zum Anschluß kam, leistete Schuschnigg keinen Widerstand: er weigerte sich, »deutsches« Blut zu vergießen.[5]

In Österreich wurde Hitler von vielen mit Enthusiasmus und von den meisten anderen mit Resignation begrüßt.[6] Schuschniggs ambivalente Haltung gegenüber dem großdeutschen Nationalismus insgesamt läßt vermuten, daß die Anschlußidee prinzipiell von vielen Österreichern gutgeheißen wurde, wenn auch nicht in der Form, in der die Nazis den »Anschluß« vollzogen hatten. Sobald der Anschluß Tatsache geworden war, wandelte sich außerdem politische Opposition gegen das deutsche Regime in Unterstützung beziehungsweise stillschweigende Duldung (vgl. Johnson 1988). Die Österreicher gehörten plötzlich zu einer großen Macht, und Kriegsvorbereitungen verminderten die Arbeitslosigkeit deutlich. Relevanter für diese Untersuchung ist aber die Tatsache, daß die anti-jüdische Politik der Nazis mit der begeisterten Unterstützung Tausender in Österreich rechnen konnte. Der österreichische Historiker Gerhard Botz meint, daß die Politik der Arisierung und der rechtlichen Benachteiligung der Juden eine Art Ersatz-Sozialpolitik darstellte und deshalb greifbare materielle Vorteile für jene brachte, die die Judenverfolgung unterstützten.[7] In keiner Phase des Ausschlusses der Juden aus der ostmärkischen Gesellschaft verschwand diese Haltung jemals ganz[8], und in vielen Fällen (wie z. B. in der »Reichskristallnacht«) waren die gegen Juden gerichteten Gewalttaten in Österreich exzessiver als in Deutschland.[9]

Im 2. Weltkrieg hörte der Staat Österreich auf zu existieren. Viele Österreicher taten ihre »Pflicht« in Wehrmacht, SS und Gestapo. Die Erfüllung der Pflicht gegenüber dem Führer schloß aber jedes Engagement für ein unabhängiges Österreich von vornherein aus, da die Vorstellung eines deutschen Reiches auch Österreich, nun-

5 Die Ereignisse, die zum Anschluß führten, sind dargestellt in Gulick (1948); vgl. auch Brook-Shepherd (1963) und Schmidl (1988).

6 Vgl. Schausberger (1978); Botz (1988).

7 Vgl. Botz (1988). Für einen Gesamtüberblick über das Schicksal Österreichs während der deutschen Besatzung siehe Luza (1975).

8 Vgl. Botz (1987); Rosenkranz (1968); Safrian/Witek (1988); Weinzierl (1969).

9 Zu diesem Aspekt siehe Rosenkranz (1968); Safrian/Witek (1988).

mehr die Ostmark, einschloß. Andere, deren Pflichtbewußtsein entgegengesetzte Auswirkungen auf ihr Gewissen hatte, kämpften aktiv im Widerstand gegen das Naziregime und wurden dabei getötet oder in Konzentrationslagern interniert. Es stimmt natürlich, daß nationalsozialistische Dokumente gegen Nazis gerichtete Feindseligkeiten verschiedensten Grades beziehungsweise Verstöße gegen die nationalsozialistische anti-jüdische Politik selbst festhielten und daß im Laufe des Krieges die Enttäuschung über die nationalsozialistische Politik zunahm. Obwohl man jedoch Beispiele individueller Opposition gegen die nationalsozialistische Politik nicht bagatellisieren sollte, liegt kein Grund zu der Annahme vor, daß diese auf irgendeine bedeutsame Art eher politisch inspiriert waren als durch die Unzufriedenheit, die durch die Entbehrungen und Zerstörungen eines Krieges oder durch die traditionelle österreichische Animosität gegenüber angeblicher deutscher Arroganz ausgelöst worden wäre.

Im Oktober 1943 veröffentlichten die Außenminister der drei alliierten Mächte die Moskauer Deklaration, die für die Zweite Österreichische Republik quasi-ikonographische Bedeutung erlangt hat. In dieser Erklärung bezeichneten die Alliierten Österreich offiziell als erstes Opfer nationalsozialistischer Aggression, erinnerten aber gleichzeitig an die Verantwortung, die Österreich dafür zu tragen hatte, daß es im Krieg an der Seite Deutschlands gekämpft hatte.[10] Der zweite Teil der Erklärung verursachte einige Schwierigkeiten bei der Schaffung von Status und Identität nach dem Krieg. Letztendlich wurden jedoch alle Zweideutigkeiten bzw. Widersprüche in einer Erklärung, die die Befreiung eines Bundesgenossen Nazideutschlands versprach, zumindest von den westlichen Alliierten zugunsten der »Opferpassage« hintangestellt; eine Interpretation, der sich die politische Führung in Österreich nach der Naziherrschaft anschloß.

Die bevorzugten Werte der neu entstandenen politischen Kultur Österreichs neigten natürlich dazu, die Unterschiede zu Deutschland hervorzuheben, was sich gut mit dem Wunsch vertrug, sich von den Nazigreueltaten zu distanzieren. Als die Kriegsallianz dem Kalten Krieg wich, wurde die in Österreich ohnehin in sehr kleinem Rahmen durchgeführte Entnazifizierung schnell und

10 Vgl. Keyserlingk (1988), S. 123-155; Fellner (1972), S. 53-90; Cronin (1986), S. 15-42.

stillschweigend, mit dem Einverständnis der westlichen Mächte, aufgegeben. Der politische Konsens nach dem Krieg erstreckte sich jedoch auf weit mehr als nur auf Einigkeit gegenüber der Besatzungsmacht. Die sogenannte »Lagerstraße«, eine Anspielung auf die Straße, die in den KZs für politische Gefangene mitten durch das Lager führte, signalisierte für die internierten früheren Erzfeinde in der sozialistischen und christlichsozialen Partei ihr gemeinsames Schicksal und lehrte sie offiziell die Tugenden der Zusammenarbeit. Das kam den Politikern nach dem Ende der Naziherrschaft sehr zustatten. Aber vielen Österreichern war nicht klar, ob der Mai 1945 Befreiung oder Niederlage bedeutete. Die Österreicher konnten nur schwer das Vokabular der »Nationalen Befreiung« verwenden, aber sie konnten auf ihrer österreichischen Besonderheit bestehen, was schließlich, sofern dies bestärkt oder zumindest nicht in Frage gestellt wurde, zu einer Art Nationalbewußtsein führen sollte (Bluhm 1973, S. 52 ff.).
Das Ende des Krieges konfrontierte die österreichische Führung mit enormen Problemen: militärische Besetzung durch fremde Mächte, wirtschaftliche Rekonstruktion, Entnazifizierung, Entschädigung für diejenigen, die das Land hatten verlassen müssen usw. In der offiziellen Mythologie wurden die unangenehmen Fragen jener Periode durch inspirierte Schöpfungen wie »Wiederaufbau« überdeckt. Die Probleme waren jedoch nur allzu real. In den unterschiedlichen Antworten zu Fragen wie: War Österreich Opfer oder Täter?, wurde Österreich 1945 befreit oder besiegt?, fing 1945 die »Stunde Null« an oder wirkten Kontinuitäten weiter? lagen zum Beispiel die Wurzeln für ein janusköpfiges Geschichtsbild: einerseits die Berufung auf die Moskauer Deklaration vom 1. November 1943, in der Österreich als erstes Opfer des Nationalsozialismus anerkannt wurde, andererseits aber auch die Betonung der Mitverantwortung vieler Österreicher am nationalsozialistischen Angriffskrieg und an den nationalsozialistischen Verbrechen gegen die Menschheit. (Der Anteil der Österreicher an den nationalsozialistischen Schwerverbrechern war jedenfalls zumindest proportional dem Anteil der Deutschen, um nur Hitler, Kaltenbrunner, Eichmann, Seyss-Inquart, Stangl und Globocnik zu nennen.) Dem innen- wie außenpolitischen Interesse Österreichs entsprach es, die erste Einschätzung zu betonen und die zweite möglichst zu verschweigen. Denn dies ermöglichte es, die sehr widerspruchsvolle Geschichte 1938-45 in eine bloße Op-

ferrolle umzudefinieren. Pointiert formuliert: je stärker das österreichische Nationalbewußtsein ausgeprägt wurde, desto unmöglicher wurde es, sich mit der nationalsozialistischen als eigener Vergangenheit auseinanderzusetzen (Wodak et al. 1990, S. 24 ff.). Über 500 000 ehemalige Mitglieder nationalsozialistischer Organisationen mußten außerdem entnazifiziert und irgendwie wieder in das politische System integriert werden. Sobald die meisten von ihnen im Jahre 1949 das Wahlrecht erhalten hatten, mußten sich die Großparteien in Konkurrenz mit dem Verband der Unabhängigen (später die Freiheitliche Partei Österreichs oder FPÖ, die die politische Heimstatt ehemaliger Nazis wurde) um ihre Stimmen bemühen. Ihr Vokabular konzentrierte sich auf Gebiete der Übereinstimmung, nicht auf moralische Kritik, und statt über die Vergangenheit zu grübeln, blickte man in die Zukunft.
Mit einer Ausnahme waren alle gewählten österreichischen Regierungen von 1945 bis 1966 große Koalitionen von ÖVP und SPÖ.[11] Die weitere Institutionalisierung der Zusammenarbeit, wie zum Beispiel in der Sozialpartnerschaft, machte das Parlament mehr oder weniger überflüssig. 1966 erreichte die ÖVP die absolute Mehrheit und bildete die erste Alleinregierung nach dem Krieg. Die Sozialisten unter Bruno Kreisky gewannen 1970 die Mehrheit der Stimmen und blieben als Minderheitsregierung an der Macht, womit sie die heute als »Kreisky-Ära« bekannte Periode einleiteten. Wenige Monate später erreichten die Sozialisten die absolute Mehrheit und regierten bis 1983 allein, als Kreisky als Kanzler zurücktrat und sein Nachfolger Fred Sinowatz eine Koalition mit der FPÖ bildete. Nach der Wahl Kurt Waldheims zum Bundespräsidenten 1986 trat Sinowatz zurück; Franz Vranitzky wurde Bundeskanzler der damals noch bestehenden »kleinen Koalition«. Im September 1986 löste Jörg Haider, Vertreter des (deutsch)nationalen Flügels der FPÖ, den amtierenden Obmann und Vizekanzler Norbert Steger ab. Wegen Haiders eigener betont deutschnationaler Vergangenheit wie auch seiner ambivalenten Haltung gegenüber der nationalsozialistischen Politik kündigte Vranitzky die kleine

11 Drei kommunistische Minister dienten in der provisorischen Regierung Renners April-Dezember 1945. In der Regierung, die nach den ersten Wahlen im November 1945 gebildet wurde, hatte die Kommunistische Partei, die vier Sitze in der Nationalversammlung gewonnen hatte, das Ressort für Elektrizität und Energie inne. Vgl. Rauchensteiner (1987), S. 68-78.

Koalition mit der FPÖ nach Haiders Wahl auf. Die FPÖ unter Haider konnte einen Stimmenzuwachs auf Kosten der beiden Großparteien buchen, blieb aber außerhalb der Regierung, da sowohl die SPÖ als auch die ÖVP offiziell eine etwaige Koalition mit der FPÖ unter Haiders Führung abgelehnt hatten. Die SPÖ und die ÖVP bildeten nach der Wahl eine große Koalition unter Bundeskanzler Vranitzky. Zum Zeitpunkt der verschiedenen Gedenkveranstaltungen 1988 war diese große Koalition noch im Amt.

1.4. Der »Anschluß«

Das allererste Grundbekenntnis und zugleich die allerwichtigste Annahme aller politischen Kräfte in Österreich ist wohl die negative Bewertung der Ereignisse um den März 1938, das heißt, des »Anschlusses«. Hinzu kommt die These von Österreich als erstem Opfer Hitlers. Daraus folgt ein uneingeschränktes »Ja« zur österreichischen staatlichen Unabhängigkeit in Abgrenzung zu Deutschland. Als stellvertretend für diesen Grundgedanken können die diesbezüglichen Passagen aus dem *Rot-Weiß-Rot Buch* 1945 gelten, eine »Publikation, die dazu bestimmt ist, Schicksal und Haltung Österreichs während der zwölfjährigen Dauer des Dritten Reiches darzustellen und seinen Anspruch auf den Status und die Behandlung als ›befreiter Staat‹ im Sinne der Moskauer Deklaration zu begründen«. Das Vorwort fährt fort:

> Besondere Bedeutung kommt dem Zeitraum von der Machtergreifung Hitlers bis zum Ausbruch des zweiten Weltkrieges zu. Die Beurteilung dieses Zeitraumes und insbesonders des in diesen Zeitraum fallenden Anschlusses steht in der Weltöffentlichkeit auch heute noch vielfach unter dem Eindruck der seinerzeitigen nationalsozialistischen Propaganda, die es verstanden hat, nicht nur ihren damaligen Anhängern in Österreich, sondern auch ihren Gegnern im weiteren Auslande das Bild eines in seiner Mehrheit zum Dritten Reiche strebenden Österreich vorzutäuschen und die gewaltsame Okkupation als von beiden Teilen gewünschte friedliche Vereinigung darzustellen. In diesem Zeitraum hat das österreichische Volk mit seinem Blute das erste Kapitel seiner Widerstandsbewegung geschrieben und die erste Rate seiner »Überfahrt« bezahlt, was um so gewichtiger ist, als es in der Welt allein stand mit seinem Kampfe.[12]

12 Alle Zitate in diesem Unterkapitel stammen aus dem *Rot-Weiß-Rot-Buch* 1946. Seitennummern werden in Klammern angegeben.

In der Einleitung wird betont, daß »Österreich fünf Jahre lang dem übermächtigen Druck der nationalsozialistischen Aggression standgehalten hat. Sein – unter den damals gegebenen Verhältnissen – unvermeidlicher Fall war der Dammbruch, durch den sich die Elemente der braunen Sintflut über ganz Europa ergießen sollten« (S. 5). Um mögliche Einwände wegen des Dienstes von vielen Österreichern bei der Wehrmacht vorwegzunehmen, wie auch wegen der Passage in der Moskauer Erklärung, wonach »Österreich aber auch daran erinnert wird, daß es für die Teilnahme am Kriege an der Seite Hitler-Deutschlands eine Verantwortung trägt, der es nicht entrinnen kann ...«, wird im *Rot-Weiß-Rot-Buch* unter anderem folgendes festgestellt:

Daß manche der in die deutsche Wehrmacht eingezogenen Österreicher dem auf sie ausgeübten Drucke unterlagen und sich verschiedentlich sogar zu besonderen militärischen Leistungen anspornen ließen, ja selbst sich an Kriegsgreueln mitschuldig machten, kann wohl nicht dem österreichischen Volke als solchem angelastet werden [...] Jeder österreichische Kriegsteilnehmer kann bestätigen, daß die Behandlung der Österreicher in der Deutschen Wehrmacht eine besonders harte und zurücksetzende war und daß auch hier Ausnahmen nur die Regel bestätigen (S. 95).

Alle Parteien in Österreich teilen offiziell die im *Rot-Weiß-Rot-Buch* enthaltene Beschreibung des völkerrechtlichen Status von Österreich zwischen 1938-1945 wie auch die Haltung zur Frage der Verantwortung des »österreichischen Volke[s]« für die Greuel und Verbrechen des Dritten Reiches. In erster Linie ist also eine mögliche »Bewältigung« der Jahre 1938-1945 mit einer österreichischen Nationalidentität sehr stark verbunden. Ein solcher neuer, unabhängiger Nationalstaat braucht aber entsprechende kollektive Mythen[13] seiner Entstehung und seines Wesens. Diese bestanden hauptsächlich aus bestimmten politischen und normativen Werten bzw. aus einer bestimmten Wertung der Ereignisse zwischen 1938-1945, die es allesamt ermöglichten, daß sich »Österreich« historisch und auch »moralisch« von »Deutschland« abgrenzen konnte. Eine solche »Bewältigung« der Jahre 1938-1945 untergräbt aber eine Untersuchung des gemeinsamen

13 Mythos im Sinne von Georges Sorels »politischer Mythos«. Dieser Begriff betont den Zusammenhang zwischen Glauben und politischer Kultur im allgemeinen, bedeutet aber nicht, daß Anteile jenes Mythos nicht auf Tatsachen beruhen. Siehe dazu Sorel (1950), S. 48-49, 132 und 170.

Schicksals von Österreichern und Deutschen während dieser Jahre, also genau dessen, was die der österreichischen politischen Kultur entsprechende Ideologie des ewigen unabhängigen Österreichs (egal, ob es Ostmark hieß oder nicht) verbietet. Als Negation könnte man die These aufstellen, daß man, je stärker eine solche »österreichische Identität« wüchse, je zuversichtlicher man sich mit diesem neuen Patriotismus fühlte, desto unfähiger würde, bestimmte Fragen (etwa nach einer Verflechtung von Österreichern in die Verbrechen des Dritten Reiches) zu stellen.

1.5. Der Novemberpogrom

In der Nacht vom 9. auf den 10. November 1938 tobte der größte Pogrom gegen die jüdische Bevölkerung im »Dritten Reich«. Der unmittelbare Anlaß zu diesem Novemberpogrom war das Attentat des polnischen Staatsbürgers jüdischer Herkunft Herschel Grynszpan auf den deutschen Gesandtschaftsrat Ernst vom Rath am 7. November 1938 in Paris. Vom Rath erlag seinen Verletzungen am Nachmittag des 9. November; der darauf folgende Pogrom sollte als Vergeltung des erregten deutschen »Volkszorns« für das Attentat auf vom Rath dienen. 93 Juden wurden bei diesem Pogrom ermordet, allein 30 davon in der »Ostmark« (27 in einer einzigen »Sammelstelle« in Wien in der Kenyongasse, drei in Innsbruck), dazu kamen hunderte Selbstmorde von Juden, die in ihrer Verzweiflung keinen anderen Ausweg sahen. Nicht erfaßt sind jene, die an den Folgen ihrer Verletzungen in der Pogromnacht starben. Im Gefolge des Pogroms wurden allein in Wien 6547 Juden verhaftet, von denen 3700 ins KZ nach Dachau gebracht wurden.[14]

War die Bedeutung der »Reichskristallnacht« im Vergleich zu dem Leiden, das das nationalsozialistische Regime und seine Handlanger den europäischen Juden durch ihre Vernichtungspolitik zufügten, verhältnismäßig gering, so sticht der Novemberpogrom doch als einzigartig in der nationalsozialistischen Judenverfolgung hervor. Denn anders als die streng geheim gehaltene industrialisierte Vernichtung der Juden in den Konzentrations- bzw. Todeslagern wurde bei der »Reichskristallnacht« mit allen den

14 Alle Zahlen stammen aus Fellner (1988).

Nazis zur Verfügung stehenden Propagandamitteln und auf höchster Ebene zu »spontanen« Aktionen gegen Juden aufgehetzt und wurden die angerichteten Zerstörungen von diesen Stellen lebhaft bejubelt. Jene Aktionen gegen die im »Dritten Reich« lebenden Juden wurden in Deutschland ebenfalls in aller Öffentlichkeit durchgeführt, und zwar hauptsächlich von nationalsozialistischen Formationen, die nicht in Uniform auftraten, aber dennoch auf Befehl der höchsten Führer Nazi-Deutschlands agierten. Die bedingungslose und (abgesehen von Neonazis oder anderen rechtsradikalen Organisationen oder Zeitungen) unangefochtene Verurteilung dieser zwei Tatsachen – die öffentlichen Demütigungen, Verhaftungen oder Ermordungen einzelner Juden, die Zerstörung und das Inbrandstecken jüdischer Bethäuser und Synagogen, die Plünderungen und Verwüstungen jüdischer Geschäfte im Novemberpogrom einerseits, die planmäßige Ermordung von Millionen europäischer Juden anderseits – bildet das moralische Umfeld je der Diskussion in Österreich (wie auch in Deutschland) über Judenverfolgung im Dritten Reich, das auch in Österreich im Jahr 1988 in der Berichterstattung über die »Reichskristallnacht« bestimmend war.

Aus der kategorischen Verurteilung, die von allen als »demokratisch« oder »verfassungsmäßig« zu bezeichnenden politischen Parteien und Zeitungen in Österreich geteilt wird, geht hervor, daß von keinem/r einzigen Politiker/in die Ereignisse des Novemberpogroms als solche verleugnet, verharmlost und schon gar nicht gerechtfertigt oder verteidigt werden. So klar ist diese moralisch-politische Grenze, daß die eindeutigen politischen Kriterien, die den begrifflichen Rahmen für den »Anschluß« darstellten, in Zusammenhang mit der »Reichskristallnacht« völlig nutzlos sind. Eine sinnvolle Analyse des öffentlichen Gedenkens zum Novemberpogrom muß daher dieser Grenze Rechnung tragen und Einordnungskriterien suchen, die dem intellektuellen Rahmen jenseits der bloßen moralischen Verurteilung entsprechen und aufgrund derer Unterschiede festgestellt werden können. In diesem Kontext bietet sich die wissenschaftliche Debatte über die nationalsozialistische Judenpolitik an, die zwei breite Interpretationslinien aufweist[15], welche die historischen Inhalte des

15 Diese Literatur ist sehr umfangreich. Die folgenden Hinweise sollten nur dazu dienen, die allgemeine Problematik zu umreißen. Siehe u. a.

öffentlichen Gedenkens maßgebend prägen. Für die »Intentionalisten« ist die Rolle Hitlers in der Gestaltung der nationalsozialistischen Judenpolitik sowie der Charakter seines Antisemitismus von erheblicher Bedeutung. Hitlers Absicht, die europäischen Juden auszurotten, ist selbst in den frühesten Schriften Hitlers zu erkennen und blieb Ziel der Nazi-Führung bis zum Mai 1945. Entscheidend war, wie Hermann Graml es beschreibt, »die Bündelung, Systematisierung und weltanschauliche Verabsolutierung jener Antisemitismen«, die die Nationalsozialisten sich zu eigen gemacht hatten. Dazu kamen einige »zusätzlich aktivierende Impulse«, die den Antisemitismus mit einer »sozialdarwinistisch grundierten Rassentheorie verquickten, im Bolschewismus das sozusagen neueste Werkzeug der Gegenrasse entdeckten und ihre gesamte politische Programmatik um ein antisemitisches Dogma gruppierten, um das Dogma von der Verschwörung des internationalen Judentums zur Vernichtung der ›arischen‹ Rasse«. Daraus folgte eine »grundsätzliche Unfähigkeit zu einer begrenzten Regelung der Judenfrage in [der] antisemitische[n] Heilslehre der NSDAP« (Graml 1988, S. 161 ff.). Die Radikalisierung der nationalsozialistischen Judenverfolgung erfolgte, als bestimmte Hindernisse zu deren Realisierung im Laufe des Krieges wegfielen; wie Hitler zum Beispiel am 30. Januar 1939 bestätigte[16], war die Vernichtung der Juden von vornherein ein unvermeidlicher Bestandteil seines Antisemitismus.

Die »Funktionalisten« würden dagegen genau diese Annahme in Frage stellen, wonach die Juden*vernichtung* unentrinnbar aus Hitlers Antisemitismus hervorgehen mußte. Sie betrachten die Machtstruktur im Dritten Reich nicht als eine, wo der Führer

Davidowicz (1981); Taylor (1985); Bauer (1978); Furet (1983) (insbesondere die Aufsätze von Schleunes, Adam und Browning); Jäkkel/Rohwer (1985); Adam (1972); Schleunes (1970); Mason (1981); Fleming (1984); Broszat (1977); Browning (1980); Mommsen (1983); Graml (1956). Zur Einführung in die ganze Problematik siehe Marrus (1987), S. 31-54; Kershaw (1989), S. 82-106.

16 In einer Rede vor dem deutschen Reichstag, um seiner Ernennung zum Reichskanzler zu gedenken, versprach Hitler bekanntlich, daß, sollte es »dem internationalen Judentum gelingen, die Völker noch einmal in einen Weltkrieg zu stürzen, dann wird das Ergebnis nicht der Sieg des Judentums sein, sondern die Vernichtung der jüdischen Rasse in Europa«; zitiert nach Domarus (1973), S. 1057-1058.

befiehlt und alle anderen diese Befehle ausführen, sondern als ein vielseitiges Gefüge mit mehreren Machtzentren, von ehrgeizigen Persönlichkeiten geführt, die ihre eigenen und oft gegenseitig konkurrierenden Interessen und Ziele verfolgten. Obwohl theoretisch Hitlers Macht unbegrenzt war, fungierte Hitler öfter als eine Art Schiedsrichter zwischen den verschiedenen Staats- und Parteiorganisationen und deren Führern. Für die »Funktionalisten« besteht kein Zweifel daran, daß Hitler persönlich von Judenhaß besessen war. Die Frage für sie lautet eher, ob Hitler tatsächlich einen langfristigen Plan zur Judenvernichtung hatte, der sich mit immer wachsender Radikalität realisiert hat, oder ob es sich eher um eine Reihe von Entscheidungen handelte, die oft an unteren Stellen spontan getroffen wurden, um konkrete Probleme in Hitlers »Sinn« zu lösen. Nazi-Führer haben laut Martin Broszat (1980) keine klaren Zielvorstellungen darüber gehabt, was mit den aus Deutschland und Österreich deportierten Juden in den besetzten Ostgebieten passieren sollte. Sie rechneten mit einem frühen Sieg über die Sowjetunion, der große Landflächen zur vorübergehenden Übersiedlung dieser in Ghettos zusammengepferchten Juden eröffnet hätte, aber sie erwogen auch andere Lösungen, zum Beispiel die Deportation der Juden nach Madagaskar. Der erwartete Sieg an der Ostfront erfolgte bekanntlich nicht, aber die Judentransporte aus dem Westen rollten weiter. Ohne zusätzlichen Platz in den ohnehin überfüllten Ghettos haben die Nazi-Führer in den Ostgebieten allein und spontan die Entscheidung getroffen, die neu angekommenen Juden erschießen zu lassen. Daher sieht Broszat die ersten Massenmorde an Juden nicht als Teil eines langfristigen Plans, sondern als pragmatische Lösung eines von den Nazis selbst geschaffenen Problems. In den frühen Stadien haben die Vernichtungen improvisierten Charakter gehabt; nur allmählich errichteten Himmler und die SS die zielgerichteten Strukturen der »Endlösung«, die dann in ganz Europa koordiniert wurden (Broszat 1977, S. 745-760). Zusammen bildeten solche improvisierten Maßnahmen die praktischen Vorbedingungen, um die Judenvernichtung selbst zu ermöglichen und sie im Sinne Hitlers durchzuführen. Während zum Beispiel Hans Mommsen, ein Hauptvertreter der »Funktionalisten«-These, an der persönlichen Rolle Hitlers in der Judenvernichtung zweifelt (Mommsen 1983, S. 397), glaubt dagegen Uwe Adam, der auch grundsätzlich eine »funktionalistische« Erklärung befürwortet, daß Hitler zwischen September und November 1941 persönlich einen entsprechenden Befehl zur Vernichtung der Juden erließ (Adam 1972, S. 303-312). Was alle Verfechter dieses breiten Interpretationsmusters teilen, ist die Überzeugung, daß es einen, wie Karl Schleunes schreibt, »twisted road to Auschwitz« gab. Die verschiedenen Wege, die zu den Vernichtungslagern führten, »were by no means direct or, for that matter, charted in advance«.[17]

Wie man die Bedeutung des Novemberpogroms in Zusammenhang mit der nationalsozialistischen Judenpolitik insgesamt einschätzt, hängt daher davon ab, wie man – bewußt oder unbewußt, explizit oder implizit – zu dieser noch höchst umstrittenen Frage der Geschichtsinterpretation steht. Geht man also von den Annahmen der »Intentionalisten« aus, so erscheint die »Reichskristallnacht« als der »Auftakt der Endlösung«. Geht man dagegen von den »funktionalistischen« Annahmen aus, könnte man die »Reichskristallnacht« zwar als eine »bewußte, klug inszenierte und gewissenlos betriebene Ausnutzung einer Situation [bezeichnen], die weitere Perspektiven eröffnete, welche spätestens zu diesem Zeitpunkt in Umrissen den Willen auch zur physischen Vernichtung erahnen ließen« (Adam 1988, S. 93), ohne ihr aber dadurch eine teleologische Bedeutung für Hitlers Vernichtungsplan beimessen zu müssen.

Ähnlich wie die Frage, ob der Novemberpogrom insgesamt einen wesentlichen Teil der planmäßigen nationalsozialistischen Judenvernichtung bildete oder nicht, stellt sich die Frage, ob und inwiefern die »Reichskristallnacht« selbst von den Nazis vorher geplant war. Gab es einen mehr oder weniger ausführlichen Plan oder zumindest die konkrete Absicht der gesamten Naziführung, pogromartige Ausschreitungen gegen Juden zu inszenieren, für die das Attentat auf vom Rath durch einen polnischen Juden einen bequemen Anlaß bot? Wäre also die »Reichskristallnacht«, wie Uwe Adam diese Haltung kritisch beschreibt, »zwingend erforderlich gewesen, um den Weg zur physischen Vernichtung endgültig zu ebnen und die bereits weitgehend entrechteten und pauperisierten Juden aller noch vorhandenen wirtschaftlichen, sozialen und finanziellen Lebensmöglichkeiten zu entkleiden« (Adam 1988, S. 81)? Auch hier gehen die Meinungen der Histori-

17 Schleunes (1970), S. 257; vgl. Marrus (1987), S. 40-43.

kerInnen auseinander, was sich in dem öffentlichen Gedenken des Novemberpogroms zum Teil widerspiegelt, auch wenn die meisten eindeutig von einer Vorplanung des Novemberpogroms ausgehen.

Es gibt zudem quasi-politische Komponenten, die jenseits der allgemeinen Verurteilung der Ereignisse des Novemberpogroms liegen. Eine hängt mit der Stellung Österreichs im Dritten Reich im allgemeinen und mit der Rolle von ÖsterreicherInnen in der nationalsozialistischen Vernichtungsmaschinerie insbesondere zusammen. Da mit dem »Anschluß« im März 1938 Österreich als selbständiges Land zu existieren aufhörte und da die nachgewiesenen Befehlswege beim Novemberpogrom von Berlin oder München ausgingen, wäre es vorstellbar, daß versucht werden könnte, den Altreich-Deutschen die Hauptschuld für die in der »Reichskristallnacht« begangenen Verbrechen zu geben.

Es gibt keinen Zweifel, daß die überwältigende Mehrheit der Maßnahmen, die in der Nacht vom 9. auf den 10. November gegen Juden durchgeführt wurden, auf Befehle der nationalsozialistischen Führerschichten zurückzuführen ist. Obwohl der Pogrom von den Nazis als spontane Demonstrationen des »Volkszorns« gepriesen wurde, waren die Initiativen zu diesen Ausschreitungen hauptsächlich das Werk der (in Zivil gekleideten) Mitglieder verschiedener Nazi-Gliederungen, vor allem der SA. Darüber sind sich alle relativ einig. Wenn man sich also auf die tatsächliche Durchführung dieser spezifischen Maßnahmen beschränkt, entspricht eine Analyse, die die Rolle der österreichischen Nazis bei den Ausschreitungen während des Novemberpogroms betont, den meisten einschlägigen historischen Werken.[18]

Jenseits dieser eng betrachteten Problemstellung stellt sich allerdings eine zweite Frage, nämlich die nach den ZuschauerInnen bzw. nach denjenigen, die zujubelten oder mitmachten; nach dem allgemeinen Kontext des Antisemitismus vor dem März 1938; nach denjenigen, die die Judenverfolgung materiell oder karrieremäßig ausnützten.

18 Siehe u.a. Kochan (1957); Graml (1956); Lauber (1981); Schultheis (1985); Thalmann/Feinermann (1987). Für Österreich ist das Buch von Rosenkranz (1968) maßgebend und unersetzlich. Zu naheliegenden Aspekten siehe auch Safrian/Witek (1988); Botz (1988).

1.6. Sprachen der Vergangenheiten

Diskursen begegnen wir bei der Untersuchung des Jahres 1988 in vielfacher Form: einerseits arbeiten HistorikerInnen und JournalistInnen wie auch PolitikerInnen mit Sprache, konstituieren also ihre Versionen der Vergangenheiten, ihre Geschichtsbilder und damit jeweils eigene Wirklichkeiten über Sprache. Auch die zugrundeliegenden Quellen (Dokumente, Erlebnisberichte und nicht zuletzt die eigene Lebensgeschichte, Zeitungen, Akten usw.) sind sprachlich, die einzelnen Geschichtsbilder sind also als Metadiskurse dazu anzusehen. Ferner spielten 1988 kontextbedingte Diskurse in die Medienberichterstattung und in die Gedenkveranstaltungen hinein, z. B. der antisemitische Rechtfertigungsdiskurs aus dem Jahr 1986, Diskurse zur »Vergangenheitsbewältigung« aus dem Jahr 1988, Diskurse zu Österreichs Identitätssuche usw. wie letztlich auch der engere Kontext der einzelnen Medien (Leserschaft, Schreib- und Berichttraditionen) und der jeweilige einzigartige situative Kontext des einzelnen Artikels oder der einzelnen Rede eines Politikers. Diese Schichten vernetzen sich zu einem jeweils qualitativ Neuen; analytisch, anhand der expliziten Textanalyse, sind sie jedoch aufschlüsselbar.

In den vorliegenden Studien analysieren wir also Diskurse, die sich mit unterschiedlichen Vergangenheiten oder mit unterschiedlichen Versionen derselben »Vergangenheit« beschäftigen. Bewußt verwenden wir hier den Plural »Vergangenheiten«, da es »die Vergangenheit« als objektive Darstellung von Geschichte nicht geben kann. Vielmehr ergeben sich – wie die Mozartkugel-Metapher nahezulegen versucht – aus solchen unterschiedlichen Geschichtsschreibungen, die bestimmte politische Zielsetzungen historisch begründen und/oder ideologischen Werten entsprechen, unterschiedliche Geschichtsbilder. Daher müssen in jedem einzelnen Fall die komplexen Komponenten herauskristallisiert werden, die zu einer bestimmten Geschichtsauffassung geführt haben mögen, d. h. beim einzelnen Diskurs muß das zugrundeliegende, meist nicht explizite Geschichtsbild eruiert werden. Die Diskursanalyse vermag aber dennoch, in historisch-interdisziplinärer Zusammenarbeit, aufgrund bestimmter zentraler, relevanter und argumentierbarer Kategorien, solche Interpretationen nachvollziehbar zu gestalten. Die wichtigsten ideologisch-politischen Annahmen bzw. Konventionen, die die Geschichtsbilder der Zweiten Österreichischen Republik entscheidend beeinflußten und daher die Diskurse über die Vergangenheit, derer 1988 gedacht werden sollte, mitprägten, umfassen unter anderen:

1.6.1. Die Identitätssuche der Zweiten Republik

War nun Österreich Opfer oder Täter, wurde Österreich 1945 befreit oder besiegt, fing 1945 die »Stunde Null« an oder wirkten Kontinuitäten weiter? Grob betrachtet, gab es, wie der österreichische Politologe Anton Pelinka schreibt, zumindest zwei »Wahrheiten« (Pelinka 1985, S. 36), die ihren Ursprung in der Moskauer Deklaration 1943 fanden und die zusammen den Rahmen des innenpolitischen Selbstverständnisses sowie der außenpolitischen Selbstdarstellung der Zweiten Republik bildeten (vgl. Kap. 1.3). Diese Haltung wurde jedoch auch auf die innenpolitische Diskussion übertragen. Hinzu kam eine politisch opportune starke Abgrenzung gegen Deutschland und die gemeinsame nationalsozialistische Vergangenheit. Pointiert formuliert: je stärker das österreichische Nationalbewußtsein ausgeprägt wurde, desto eher war man versucht, die nationalsozialistische Vergangenheit zu verschweigen (Wodak et al. 1990, S. 24 ff.).

1.6.2. Das Lagerdenken

Politische Parteien in Österreich vertreten unterschiedliche Werte, Interessen und Ideologien. Dementsprechend werden historische Ereignisse unterschiedlich gewichtet und eingeordnet. Doch auch die vor allem parteipolitisch motivierten unterschiedlichen Geschichtsbilder über die Wurzeln der Ersten Republik und des Ständestaates prägen nach wie vor die Geschichtsschreibung. Gerade in der Berichterstattung über den »Anschluß« (3.1.) ist dieser Frage der unterschiedlichen parteipolitisch motivierten Geschichtsbilder nachzugehen: Treten sie anläßlich der Gedenkfeiern zum Vorschein oder werden sie zugunsten eines konsensuellen öffentlichen Gedenkens in den Hintergrund gedrängt?

1.6.3. Der antisemitische Rechtfertigungsdiskurs 1986

Das Jahr 1988 stand noch im Zeichen von Präsident Waldheim. Der Bericht der Historikerkommission setzte einen ersten Schlußpunkt hinter die Waldheim-Debatte und stand in einigen Zeitungen noch ganz in der Tradition des Kampagnediskurses 1986/87 (vgl. Wodak et al. 1990). Aber auch bei den Märzgedenkfeiern gab es einige Aufregungen rund um die geplante Ansprache Waldheims, der Diskurs ging also weiter. Und selbst in das Novemberpogromgedenken, das wesentlich unumstrittener und einheitlicher wahrgenommen wurde, spielte der Waldheimdiskurs noch hinein. Diejenigen, die etwa an die Rolle von vielen ÖsterreicherInnen im Zweiten Weltkrieg erinnern, werden abgewertet und verfolgt, antisemitische Einstellungen und ein ganz besonderer Wir-Diskurs sind für die Waldheim-Diskussion charakteristisch.
Das Jahr 1988 wäre also ohne Bezug auf die Waldheim-Affäre in seinen Widersprüchen und Brüchen nicht verständlich. Pointiert könnten wir behaupten, daß die Beschäftigung mit Österreichs NS-Vergangenheit 1986 und nicht 1988 begonnen hat. Ein Widerspruch ist demnach vorhersehbar: Die heftigen und polemischen Auseinandersetzungen 1986/87 werden sowohl manifest wie latent weitergeführt. Damit wird aber ein notwendiger und zu erwartender würdiger – ohnehin schwieriger – »Gedenkdiskurs« empfindlich gestört und überlagert.

1.6.4. Unmittelbare Kontextbedingungen

1.6.4.1. Raum und Zeit

Diskurse finden einerseits in den oben beschriebenen breiten Makrokontexten statt, anderseits jeweils zu einer bestimmten Zeit, an einem bestimmten Ort, mit bestimmten SprecherInnen oder SchreiberInnen usw. Alle diese objektiv erfaßbaren Faktoren wie auch die latenten Faktoren – soweit ersichtlich oder erschließbar – müssen natürlich in das Kontextwissen und die Analyse miteinbezogen werden (Wodak et al. 1990, S. 214).

1.6.4.2. Der Mikrokontext

Letztlich ist jede Äußerung in eine Textwelt – mittelbar oder unmittelbar – eingebettet. Daher muß immer der gesamte Einzeldiskurs (ein Bericht, eine Rede usw.) analysiert und miterfaßt werden, um die spezifische Bedeutung einer bestimmten Sequenz zu eruieren. Textsortenspezifische Muster, allgemeine Muster politischer oder medialer Sprache wie auch Vorurteilsdiskurse treten in jeweils einzigartiger Vernetzung auf. Auch diese Faktoren mußten in der vorliegenden diskurssoziolinguistischen und diskurshistorischen Analyse mitberücksichtigt werden. Die Betonung liegt hierbei auf der spezifischen Art und Weise, in der die Vergangenheiten und die geschichtliche Gegenwart im Hinblick auf die Zukunft in diese Diskurse hineinwirken.

1.7. Untersuchungsleitende Fragestellungen

Aus unseren theoretischen Erwägungen ergibt sich jedenfalls, daß die Gedenkfeiern 1988 aufgrund der vielfachen Kontextschichten von Widersprüchen und Ambivalenzen gezeichnet sein müssen – die allseits spürbare Enttäuschung, daß nicht alles so würdig und konsensuell abgelaufen sei wie erwartet, ist eigentlich fehl am Platz. Da wir glauben, daß staatliches Gedenken öffentlichkeitswirksames Herausstellen von Inhalten historischen Bewußtseins, die von einem Konsens der politischen Kultur und ihrer Hauptträger unterstützt werden, bedeutet, interessiert uns folglich vordergründig, wessen, wo, zu welchem Zeitpunkt, in welcher Form, in welchem Medium und in welchem Setting gedacht wird.
Ein öffentlicher Konsens sowohl der Regierung als auch in den Medien wäre in diesem Gedenkjahr nicht zu erwarten bzw. möglich gewesen. Die Hauptursache dafür war (neben unterschiedlichen parteipolitischen und weltanschaulichen Auffassungen) unserer Meinung nach die seit dem Jahr 1986 andauernde Debatte um Waldheims Kriegsvergangenheit auf dem Balkan und dessen lückenhafte Darstellung. Wie mit dem Dilemma zwischen Konsensanforderung anläßlich der Gedenkveranstaltungen und den heftigen Auseinandersetzungen rund um Waldheim in den Medien und in der Öffentlichkeit umgegangen wurde, steht im Mittelpunkt unseres Forschungsinteresses. Welche Probleme und

Argumentationsstrategien ergaben sich, wenn der erwartete und eingeforderte Konsens nicht vorhanden war? Insbesondere: welche Unterschiede bzw. Gemeinsamkeiten ergaben sich hier bezüglich der Märzgedenkveranstaltungen, die in zeitlicher Nähe zur Übergabe des Historikerberichtes standen und parteipolitisch unterschiedlich bewertet werden, einerseits und dem Novemberpogrom-Gedenken andererseits?
Analog zum Novembergedenken und dem Bezug auf das Jahr 1986 in Österreich ergibt sich für die Bundesrepublik Deutschland ein Zusammenhang mit dem Jahr 1985, dem 40. Jahrestag der Zerschlagung des Dritten Reiches. Der Skandal von Bitburg und die Rede des Bundespräsidenten sind hier Bezugspunkte, die in der umstrittenen Rede zum Novembergedenken im Deutschen Bundestag durchscheinen. Da dieser Kontext für die deutschen LeserInnen als bekannt vorauszusetzen ist, beschränken wir uns in der Analyse auf die Rede des Präsidenten des Bundestags und auf deren Folgen.
Was wird bei manchen der untersuchten Ereignisse (Historikerbericht-Übergabe, Märzgedenkfeiern, Novemberpogromgedenken) fokussiert? Wie sieht die Darstellung der Ereignisse im Vergleich bzw. in Konfrontation mit historischen Quellen aus? Ausgangsthese ist dabei, daß es »die« Vergangenheit nicht gibt, sondern unterschiedliche Vergangenheiten, die bewältigt und aufgearbeitet werden müssen. Welche dieser Vergangenheiten im Zentrum steht und welche Aspekte ausgeklammert werden, wird im allgemeinen nicht von Historikern und Wissenschaftlern bestimmt, sondern vielmehr vom Staat und jenen politischen und sozialen Kräften, die in einer Gesellschaft herrschen und im Rahmen einer allgemeinen »Meinungsbildung« handeln (Mitten 1987, S. 10). Über welche Stationen diese Metamorphose unterschiedlichster »Geschichte« zu »der« Geschichte läuft, ist einer der zentralen Untersuchungsgegenstände dieses Buchs.

2. Der »Waldheimdiskurs« und der Bericht der Internationalen Historikerkommission

Hintergrund und eine der wesentlichen Kontextschichten, die es in der Analyse des Gedenkjahres 1988 zu berücksichtigen gilt, ist mit Sicherheit die Diskussion um die Kriegsvergangenheit des österreichischen Bundespräsidenten Waldheim (vgl. Wodak et al. 1990; Mitten 1992). Im März 1985 war Waldheim als überparteilicher Kandidat von der ÖVP für das Amt des Bundespräsidenten nominiert worden. Am 3. Oktober wies ein Reporter der deutschen Wochenzeitschrift *Stern* zum ersten Mal auf eine Mitgliedschaft Waldheims im NS-Studentenbund hin, allerdings blieb das öffentliche Echo gering. Am 3. März 1986 veröffentlichte das österreichische Nachrichtenmagazin *profil* erste Dokumente, die Waldheims Mitgliedschaft in der SA und im NS-Studentenbund als wahrscheinlich darstellten. Am 4. März veröffentlichten der World Jewish Congress (WJC) und die *New York Times* beinahe identische Enthüllungen. Damit weckte die Affäre internationales Echo. Darüber hinaus wurden Waldheims lückenhafte Darstellung seines Kriegsdienstes auf dem Balkan in seiner Autobiographie angeprangert und sein mangelhafter Umgang mit der Wahrheit aufgezeigt. Der WJC veröffentlichte zwischen dem 4. März und dem 8. Juli 1986 insgesamt 24 Dokumente und Presseerklärungen, die sich mit Waldheims NS-Vergangenheit auseinandersetzten. Mit der Veröffentlichung der sogenannten jugoslawischen *Odluka-Akte*, nach der Waldheim von den damaligen jugoslawischen Behörden u. a. auch wegen Mordes gesucht wurde, erhielt die Affäre eine zusätzliche Dimension mit der Frage, ob Waldheim an Kriegsverbrechen beteiligt gewesen sein könnte. Später und auch im Bericht der Internationalen Historikerkommission wurde diese Akte allerdings als juristisch belanglos ausgewiesen.

Waldheim selbst und sein Wahlkampfbüro wiesen alle Anschuldigungen als unzutreffend zurück und sprachen von einer »Lügenkampagne« der SPÖ mit dem Ziel, seine internationale Reputation zu unterminieren. Vor dem Hintergrund der Stimmung in Österreich wurde dies sogar sein größter Vorteil gegenüber dem

SPÖ-Gegenkandidaten. Am 8. Juni 1986 wurde Waldheim im zweiten Wahlgang zum Präsidenten der Republik Österreich gewählt, die Diskussion und die Vorwürfe, insbesondere in bezug auf seinen Umgang mit der Wahrheit rissen jedoch nicht ab. Zum Beispiel setzte das Justizministerium der USA Waldheim als Privatperson am 27. April 1987 auf die sogenannte »Watch List«, d. h. er wurde mit einem Einreiseverbot belegt. Um die Diskussion zu beenden, griff Waldheim selbst im Frühjahr 1987 einen früheren Vorschlag von Simon Wiesenthal, dem Leiter des jüdischen Dokumentationszentrums, auf und bat die Bundesregierung, eine Kommission zu beauftragen, seine Vergangenheit während der NS-Zeit zu untersuchen und zu klären. Der Auftrag der Bundesregierung, der auf diese Bitte Waldheims zurückgeht, lautete folgendermaßen: Eine internationale Kommission von Militärhistorikern sollte »mit der *Prüfung und Evaluierung des gesamten Materials im Lichte der gegen den Herrn Bundespräsidenten erhobenen Vorwürfe betraut werden*« (Bericht 1988: 1.1, Hervorhebung im Original, Punkt 1). Am 4. Juli wurde der offizielle Auftrag vom Außenministerium erteilt, der den ursprünglichen Auftrag auf die Frage beschränkte, »›ob *ein persönlich schuldhaftes Verhalten von Dr. Kurt Waldheim während seiner Kriegsdienstzeit vorliegt*‹« (Bericht 1988: 1.3, Hervorhebung im Original). Allerdings betonten die Mitglieder der Kommission, daß sie sich bei ihren Untersuchungen und Evaluationen an den ursprünglichen, weiter gefaßten Auftrag gehalten hatten. Dies hatte auch Folgen für die Interpretation des Berichtes. Der Bericht wurde am Abend des 8. Februar 1988 der Bundesregierung übergeben.

Die Thematik des Gedenkjahres war also bereits zwei Jahre zuvor in den Blickpunkt der Öffentlichkeit gerückt, Waldheim war für viele zum Symbol einer unzureichenden Auseinandersetzung mit seiner eigenen und der NS-Vergangenheit Österreichs geworden, die öffentliche Diskussion im Jahre 1988 konnte beinahe nahtlos an die des Wahlkampfjahres 1986 anknüpfen. Besonders der Frage, ob sich der Rechtfertigungsdiskurs, der sich als typisch für die Auseinandersetzung im Wahlkampf erwiesen hatte (vgl. Wodak et al. 1990, S. 28 ff.), fortsetzte oder andere Muster der Auseinandersetzung mit der NS-Vergangenheit öffentlich zum Vorschein kamen, soll im folgenden nachgegangen werden.

2.1. Zusammenfassung des Berichtes

Der Bericht der internationalen Historikerkommission (IHK)[1] an die Regierung bildete den Ausgangspunkt aller Analysen. Daher scheint es sinnvoll, seine Inhalte in bezug auf Waldheims Vergangenheit 1938-45 unter der Nazi-Herrschaft hier noch einmal kurz zusammenzufassen.

Nach den Recherchen der IHK konnte Waldheim keine persönliche Involvierung in Kriegsverbrechen nachgewiesen werden. Diesbezügliche Verdachtsäußerungen und publizierte Dokumente bzw. Interpretationen seit dem Präsidentschaftswahlkampf 1986 wurden als nicht haltbar interpretiert (vgl. Menz 1991 und Mitten 1992). Die in den Augen der Kommission *belastenden* Aussagen gingen in drei Richtungen: *Erstens* wurde dreimal festgehalten, daß Waldheim, im Unterschied zu anderen Offizieren, nie Proteste gegen kriminelle Befehle eingelegt oder nach Umgehungsmöglichkeiten gesucht hatte. *Zum zweiten* wurde Waldheims umfassendes Wissen auch über widerrechtliche und kriminelle Handlungen in allen behandelten Fragen ausführlich dokumentiert. *Drittens* wurde wiederholt auf Waldheims Umgang mit der Wahrheit hingewiesen, die vom Vergessen (Nicht-Erinnern) belastender Fakten bis zum Verleugnen eines (nachgewiesenen) Wissens reichten. Insgesamt fünfmal wies die Kommission auf ein solches Verhalten hin:

- Waldheim war »mit Sicherheit dem Phänomen ›Banden‹ bereits während seines Aufenthaltes in der Sowjetunion begegnet«, ein Faktum, das er u. a. bei der Anhörung der IHK geleugnet hatte.
- Entgegen Waldheims eigenen Aussagen vor der IHK, er habe nur über einen Bruchteil der Informationen verfügt, war er in seiner Funktion als dritter Ordonnanzoffizier (O3) der militärischen Aufklärungsabteilung (Ic) der Heeresgruppe E allumfassend informiert.
- In bezug auf das Wissen um die Judendeportationen wurden Waldheims Leugnen und Vergessen besonders augenfällig. Seine Behauptungen, er habe nichts von dem Abtransport der Juden

1 Die Mitglieder der Kommission waren Hans Rudolf Kurz, Schweiz, Präsident; James L. Collins Jr., USA; Gerald Fleming, Großbritannien; Manfred Messerschmidt, BRD; Jean Vanwelkenhuyzen, Belgien; Jehuda Wallach, Israel. Ab der zweiten Sitzung wirkte auch Hagen Fleischer, Griechenland, als »ständiger Experte« mit.

vom griechischen Festland und von den griechischen Inseln gewußt, wurden als unglaubhaft bezeichnet.

- Obwohl die Kommission aufgrund ihrer Faktenanalyse eine sehr hohe Wahrscheinlichkeit dafür feststellte, daß Waldheim gewußt hatte, daß die italienischen »Gefangenen« nach Deutschland zum Arbeitseinsatz transportiert wurden, leugnete er dies.
- Waldheim leugnete auch, von den Massakern im Zuge der »Sühnemaßnahmen« gewußt zu haben, obwohl Dokumente mit seiner Paraphe existieren.

In den »Zusammenfassenden Schlußbetrachtungen« wird allerdings nirgends die Feststellung getroffen, Waldheim sei nicht in Kriegsverbrechen involviert gewesen. Vielmehr wurde der Schuldbegriff über einen rein rechtlichen hinaus auf die Frage des Wissens und Nicht-Handelns ausgedehnt. Aus dem Wissen und den fehlenden Protesten Waldheims kann nach Auffassung der Kommission in Abstufungen eine gewisse Mitverantwortung oder Mitschuld an Kriegsverbrechen abgeleitet werden, Waldheims Umgang mit seiner Vergangenheit war nach den Dokumenten und seinen eigenen Aussagen von Verdrängen (Vergessen) und Verharmlosung geprägt. Daß er keine persönlichen Verbrechen im Sinne des eingeschränkten Auftrages durch das Außenministerium begangen habe, wurde in den Schlußbetrachtungen nicht mehr erwähnt. Dies ist insofern bemerkenswert, als die Kommission damit eine Erwartungshaltung, die sich in der engen Formulierung durch das Außenministerium findet, ausdrücklich nicht erfüllt.

2.2. Waldheims Reaktionen auf den Bericht

Waldheim nahm insgesamt viermal ausführlich öffentlich Stellung zum Bericht der Kommission:

- in einem ORF-Fernsehinterview am 8. Februar 1988 unmittelbar nach der Übergabe des Berichtes an die Bundesregierung,
- in einer ORF-Fernsehrede am 15. Februar 1988,
- in einem Interview für die amerikanische Fernsehgesellschaft ABC am 18. Februar 1988,
- in einem Interview des ORF-Fernsehmagazins »Inlandsreport« am 25. Februar 1988.

Einige Ausschnitte aus den Interviews von ABC und ORF mögen Waldheims Argumentationsweise illustrieren. Am 15. Februar gibt Waldheim dem Star-Moderator der amerikanischen Fernsehstation ABC, Ted Koppel, ein Interview, das dort noch in derselben Nacht ausgestrahlt wird.[2] In Österreich ist das Interview in Auszügen und in deutscher Übersetzung drei Tage später im Rahmen eines »Inlandsreports« zu sehen und zu hören. Nach einigen Eingangsfragen zu Waldheims moralischer Autorität und einem Zwischenteil über frühere Beschäftigungen mit Waldheims Kriegsvergangenheit kommt Koppel auf den Bericht der Internationalen Historikerkommission zurück, indem er Waldheim eine offene Frage zu seiner Wertung des Berichtes stellt.

K: Was haben Sie gegen den Bericht der Kommission? Sie waren angeblich sehr entsetzt darüber, und Sie versuchten sogar

W: Einige Teile dieses Berichtes sind nicht korrekt. (2 Sec.) Sie enthalten keine Fakten, nur Verdächtigungen, Hypothesen. Man sagt, wir haben zwar keine Beweise, aber vielleicht *kann* man annehmen, daß er dort und dort war (3 Sec.). Entweder sie haben dafür Beweise und sie können sagn, ich war in Kriegsverbrechen verwickelt, oder sie haben sie *nicht*. (5 Sec.) *Aber* sie sagn, *nur* weil ich dort war, kann man das annehmen. Weiters hat die Kommission auch *keinen* Auftrag von der Regierung erhalten, meine politischen *Hinter*gründe zu prüfen. Ich habe nichts zu verbergen, ich stamme aus einer Familie, das habe ich oft wiederholt, die von den Nazis verfolgt wurde. Mein Vater war im Gefängnis, er verlor seine Arbeit, wir wurden zusammengeschlagen, weil wir Flugblätter gegen den *An*schluß verteilten. Und *immer* noch behauptet die Kommission, ich war Mitglied zweier Naziorganisationen und ich wollte sogar Mitglied der NSDAP werden. (6 Sec.)

K: Sie haben gerade ausgesprochen, was ich Sie fragen wollte. In den letzten 2 Jahren haben Sie wiederholt bestritten, ein Mitglied der Sturmabteilung der SA gewesen zu sein.

W: Ich war es nicht.

K: Die Kommission sagt, daß Sie es waren.

W: Die Kommission irrt und Herr Vanwelkenhuyzen, der Belgier, hat sich bereits dafür entschuldigt, daß sein Beitrag im Bericht verändert wurde. (10 Sec.)

2 An dem Interview waren zwei Reporter beteiligt: außer Koppel auch noch Pierre Salinger, der Europakorrespondent des Senders. In den vom ORF ausgestrahlten Ausschnitten stellt jedoch nur Koppel die Fragen.

Waldheim fällt Koppel ins Wort und bringt ein Argument, das er bereits in seiner Rede vom 15. Februar verwendet hat: Der Bericht beruhe zum Teil nicht auf Fakten, sondern auf Vermutungen und Hypothesen. Allerdings beeinträchtigen diese Hypothesen keineswegs die Schlußfolgerungen der Kommission (vgl. Menz 1991, S. 12-27). Als zweites Argument nennt Waldheim die Mandatsüberschreitung. Auch dies ist nur ein formales Argument und entspricht außerdem nicht den Tatsachen, da die Kommission in der Einleitung des Berichtes ihre Mandatsauffassung sehr genau dargelegt und begründet hat. Trotzdem findet sich dieses Argument im nachfolgenden Interview des Inlandsreports vom 25. Februar 1988 wieder.
An diese inhaltlichen Argumente schließt sich eine positive Selbstdarstellung Waldheims als Widerstandskämpfer gegen den Nationalsozialismus an, aus der er den Schluß ableitet, daß er bei keiner Nazi-Organisation gewesen sein konnte; dies bekräftigt er auf eine Nachfrage hin. Der Bericht hatte aber genau dies für zwei nationalsozialistische Organisationen nachgewiesen. Waldheim *behauptet*, daß die Kommission sich irre, bringt aber keinerlei Beweise oder Gegendarstellungen, außer daß er sich auf die persönliche Aussage eines Kommissionsmitgliedes beruft. Vanwelkenhuyzen hatte u.a. im Abendjournal des Hörfunks vom 15.2.88 zum Bericht Stellung genommen und sich ausdrücklich *nicht* vom Gesamtbericht distanziert, sondern sich dazu bekannt. Das einzige, was er zu beanstanden hatte, war, daß nach seinen Forschungen Waldheim nicht in die NSDAP aufgenommen werden wollte. Ausdrücklich betonte er jedoch, daß Waldheim unzweifelhaft bei den beiden im Bericht erwähnten Nazi-Organisationen Mitglied war. Auch hier versucht Waldheim also wieder, wie bereits in der Stellungnahme vom 8. Februar (und wie er es am 25.2. wieder tun wird), die Ergebnisse des Berichtes zu relativieren, indem er zwischen Bericht und Aussagen einzelner Mitglieder zu trennen versucht, ohne jedoch die Quellen bekanntzugeben. Der Interviewer reagiert jedoch darauf:

K: Doktor Waldheim, *erklären* Sie mir etwas. Der Report wurde *ein*stimmig unterzeichnet, es gibt *keine* abweichende Meinung, man kann annehmen, daß *alle* Mitglieder den Bericht nach seiner Fertigstellung *lasen* und ihn unterschrieben, der Bericht, das muß festgehalten werden, wurde ja von einer Kommission geschrieben, die Sie *selbst* eingesetzt haben (10 Sec.)

W: Das stimmt.
K: Wie können Sie also *jetzt*, wo der Bericht und Sie ihn nicht *mögen*, sagen, all das ist nicht *wahr*?
W: Schaun Sie, es waren Wissenschaftler, es war eine Kommission aus Militärhistorikern, warum kann ich also nicht sagen, daß Teile des Berichtes falsch sind. Warum kümmert sich eine Kommission aus Militärexperten um meine *politische* Vergangenheit? Das war nicht ihre Aufgabe, Militärexperten haben das nicht zu untersuchen (8 Sec.). Stimmen Sie mir nicht zu?
K: Es liegt nicht an *mir*, Ihnen zuzustimmen oder nicht.
W: Auf alle Fälle, sie haben es *getan* und sie haben einen falschen Bericht geschrieben, weil es hinreichend bewiesen ist, daß ich *niemals* Mitglied dieser Organisation war. (3 Sec.)

Auf Koppels Frage, warum er nun die Ergebnisse einer von ihm eingesetzten Historikerkommission überhaupt bestreite, antwortete Waldheim mit dem formalen Argument, daß die Kommission gewisse Aspekte gar nicht hätte untersuchen dürfen, daß sie also ihren Untersuchungsauftrag überschritten hätte. Er wiederholt seine ursprüngliche Argumentation – daß »Teile des Berichts falsch« seien – und lädt Koppel dazu ein, sich seiner Ansicht anzuschließen. Koppel, der über die strittigen Punkte in Zusammenhang mit dem Auftrag der Historikerkommission offensichtlich nicht ausreichend informiert ist, weicht Waldheims Aufforderung mit einem ebenso formalen Argument aus: dies sei nicht seine Aufgabe. Koppels mangelndes Wissen über den Hintergrund und den Inhalt des Berichtes und seine Unfähigkeit, sich mit Waldheim auf der inhaltlichen Ebene auseinanderzusetzen, ermöglichten es dem österreichischen Bundespräsidenten, seinen eigenen Standpunkt zu festigen. Die Kontroverse kreiste daher ausschließlich um die Frage, ob es Waldheim zustand oder nicht, die Schlüsse der Historiker anzuzweifeln und/oder die Frage nach einer möglichen Überschreitung des Auftrags der Kommission zu stellen.
Ein letztes Beispiel aus einem dem österreichischen ORF gegebenen Interview vom 25. Februar möge Waldheims Argumentations- und Verteidigungsstrategie weiter verdeutlichen. Die folgende Passage stammt etwa aus der Mitte des Interviews:

W: der [Bericht der IHK] *strotzt* von Widersprüchen, hier zum Beispiel oiso die Feststellung der Befehlsgewalt, der Bericht sagt, *keine* Befehlsgewalt war vorhanden, also wie konnte ich äh einen Befehl verweigern, man sagt »Sie hätten ja Befehle verweigern können«, man führt sogar Beispiele an, von *Kommandanten*, ich war nie ein Kommandant, sondern ich woar Ordonnanzoffizier, äh äh befaßt mit da Zusammenstellung von Berichten, oiso es gab keine Befehlsgewalt, das wird auch *fest*gehalten, trotzdem inkriminiert man hier schuldhaftes Verhalten.

Waldheim rechtfertigt zunächst erfolgreich seine Abweichung vom Thema, um dann von selbst einen scheinbaren Widerspruch aufzuzeigen, nämlich seine nicht vorhandene Befehlsgewalt, aus der er fälschlicherweise ableitet, nicht die Möglichkeit der Befehls*verweigerung* gehabt zu haben. Dies ist ein *non-sequitur*; denn Befehlsverweigerung heißt, daß man einen Befehl, den jemand *anderer* erteilt hat, nicht ausführt, und betrifft nicht etwa die eigene Befehls*gewalt*. Die Reporter fragen hier nicht nach. Über mögliche Ursachen läßt sich nur spekulieren: Ist es mangelndes Wissen bzw. schlechte Vorbereitung, falsch verstandener Respekt vor dem Staatsoberhaupt oder ist die Situation zu emotionalisiert, um noch präzise Nachfragen zu stellen? Der Interviewer, Rabl, hakt jedenfalls nicht bei diesem Widerspruch ein, sondern kommt auf sein Thema »Mitschuld« zurück, das er durch ein Beispiel illustriert. (Menz 1991, S. 101-122).
In allen vier Interviews und Reden kam Waldheim immer wieder auf dieselben Inhalte und Argumente bezüglich seiner Vergangenheit zu sprechen, die sich in keinem wesentlichen Punkt von seiner Argumentation im Präsidentschaftswahlkampf 1986 unterschieden. Nicht nur im Laufe der drei Wochen, aus denen die untersuchten Redebeiträge stammten, ließ sich also keine Veränderung feststellen, sondern auch über den längeren Zeitraum seiner gesamten Wahlkampf- und Präsidentschaftsperiode konnte diese Invarianz zurückverfolgt werden. Waldheim machte damit den Eindruck, als sei er ein gut vorbereiteter Angeklagter, der sich seine Antworten und Argumentationen gut eingeprägt hat.
Waldheims Diskurs ähnelte dem Rechtfertigungsdiskurs des Bundespräsidentschaftswahlkampfs 1986. Wo möglich, stellte er sich positiv dar, zog klare Grenzen zwischen sich, den Österreichern und »den anderen« (»Wir-Diskurs«), wertete die Gegner ab (Diffamierung) und verharmloste die nationalsozialistische Vergangenheit (insbesondere durch die Wortwahl zur Bezeichnung der nationalsozialistischen Verbrechen und durch die Verwendung des Passivs). Oft genug versuchte er sich gegen nicht gemachte Vor-

würfe zu rechtfertigen (Steigerung der Vorwürfe ins Groteske und damit deren Abwertung und Lächerlichmachung), kehrte Opfer in Täter um und wertete die Wissenschaftlichkeit des Historikerberichts ab. Letzteres erreichte er vor allem dadurch, daß er persönliche, zumeist vertrauliche und damit nicht überprüfbare Aussagen einzelner Kommissionsmitglieder den Ergebnissen des Berichtes selbst gegenüberstellte. Deren Richtigstellungen und Dementis nahm Waldheim allerdings nicht zur Kenntnis. Der Rechtfertigungsdiskurs des Jahres 1986 wurde also von Waldheim auch 1988 wiederholt. Der symbolische Charakter der Waldheim-Auseinandersetzung wird damit besonders klar: Das Gedenken im Jahr 1988 hatte bereits 1986 begonnen.

2.3. Waldheims Rede im Fernsehen am 15.2.1988

Nach seiner Stellungnahme im Fernsehen am 8. Februar 1988 (vgl. Menz 1991, S. 71-77) hatte sich Waldheim längere Zeit nicht zu Wort gemeldet, obwohl verschiedene Medien und Politiker aller Parteien eine grundlegende Antwort von ihm auf den Bericht der Kommission erwarteten. Waldheim verwendete dann eine ihm zur Verfügung stehende Möglichkeit, nämlich die Form einer Fernsehansprache an die gesamte Nation. Die Rede wurde am Nachmittag des 15.2.1988 aufgezeichnet und noch am selben Tag gesendet. Sie hat folgenden Wortlaut:[3]

[*Erste Sequenz*]
Liebe Österreicherinnen und Österreicher. Sie alle hören und lesen
nun schon seit Tagen von einer neuerlichen Debatte um die Person
des Bundespräsidenten. Also um meine Person. Die Diskussion
wird nicht nur in den Medien geführt, sondern man begegnet ihr nahezu überall. Fragen nach dem gegenseitigen Vertrauen, der Moral
und des sich Verstehens werden gestellt. Ich verstehe diese Fragen,
vor allem der Jugend. Die große Mehrheit meiner Mitbürger hat die
Zeit, um die es geht, gar nicht miterlebt. Ich wünsche es auch keinem einzigen, diese Erfahrung des Krieges machen zu müssen. Gott
sei Dank sind die Lebensumstände von damals mit denen unserer

3 Der Wortlaut ist die Transkription der im Fernsehen gehaltenen Rede, die sich von der schriftlichen Fassung, die in einigen Zeitungen abgedruckt wurde, in manchen Punkten leicht unterscheidet.

11 Tage überhaupt nicht zu vergleichen, so daß es vielen Menschen
12 auch schwer fällt, sich in mich hineinzufühlen. Vielleicht sind auch
13 Sie schon müde, dieses Thema mit allen Beschuldigungen und Wi-
14 dersprüchen zu hören. Sie meine lieben Mitbürgerinnen und Mit-
15 bürger, haben das Recht, von mir selbst zu erfahren, wo ich in die-
16 ser Debatte und wie ich zu ihr stehe. Es ist mir ein persönliches
17 Anliegen, mit Ihnen über diese Fragen zu sprechen, weil ich ver-
18 standen werden will und weil Sie mich in geheimer, direkter Wahl
19 in das Amt des Bundespräsidenten berufen haben.

[*Zweite Sequenz*]

20 Erinnern wir uns doch zurück. Alles, was jetzt wieder diskutiert
21 wird, begann vor zwei Jahren. Damals, Wochen vor dem ersten
22 Wahlgang, wurden wir alle plötzlich mit schweren Vorwürfen ge-
23 gen mich konfrontiert. Es ging um meinen Kriegsdienst. Und man
24 versuchte von Anfang an, mir Kriegsverbrechen und das Verheim-
25 lichen von Kriegsverbrechen nachzuweisen. Meine Ankläger ka-
26 men aus Österreich und aus dem Ausland. Sie scheuten vor nichts
27 und vor keinem Mittel zurück. Es wurde gegen mich manipuliert,
28 gelogen und gefälscht. Meine Ankläger nannten mich einen Mör-
29 der, Kriegsverbrecher und Lügner. Ohne Gnade wurde ich Tag um
30 Tag zu Ereignissen verhört, die sich vor 40 und mehr Jahren abge-
31 spielt haben. Sie, meine Landsleute, werden sich an vieles aus dem
32 Wahlkampf erinnern und Sie werden vielleicht manches von den
33 Vorwürfen geglaubt haben. Ich habe damals versucht, meinen
34 Kriegsdienst 40 Jahre vorher, so gut es ging zu rekonstruieren.
35 Vieles, zu vieles blieb offen. Oftmals mußte ich um der Wahrheit
36 willen sagen, daß ich mich an etwas nicht erinnern kann oder daß
37 ich es nicht weiß. Meine Ankläger kamen mit immer neuen Vor-
38 würfen und haben immer wieder Beweise versprochen. Aber diese
39 Beweise kamen nicht. Ich konnte dem Schmutz meiner Gegner
40 letztlich nur mit einem entgegentreten. Ich habe es damals bereits
41 gesagt. Ich habe ein reines Gewissen. Sie, meine Mitbürger, haben
42 mir vertraut und haben mich am Ende dieser bitteren Wochen in
43 das hohe Amt des Bundespräsidenten unserer Republik berufen.
44 Ich habe bei meinem Amtsantritt bereits gesagt, daß es mir darum
45 geht, das Gemeinsame über das Trennende zu stellen. Ich suche
46 weiterhin die Versöhnung mit jenen, die beleidigt wurden, aber
47 auch mit jenen, die mich mit Haß verfolgen. Meine Gegner haben
48 nicht locker gelassen. Ihnen genügte nicht, daß mein verehrter Vor-
49 gänger Dr. Kirchschläger es auf sich genommen hatte, das Material
50 gegen mich auf seine Stichhaltigkeit zu prüfen. Er hatte damals
51 festgestellt, daß die Beweise für die Anschuldigungen fehlten.
52 Trotzdem gingen die Angriffe weiter. Daher habe ich schließlich

die Bundesregierung ersucht, eine Historikerkommission zu bestellen, um festzustellen, ob ein persönliches schuldhaftes Verhalten während meines Kriegesdienstes vorliegt. Vorsorglich sagten damals einige meiner Gegner, die Kommission sei nur dazu da, mir zu dienen.

[Dritte Sequenz]
Nun, wer den Bericht dieser Kommission liest und wer die Fernsehinterviews einzelner Kommissionsmitglieder gesehen hat, der wird bestätigen, daß man mir keineswegs dienlich sein wollte. Ich kann nicht umhin festzustellen, daß Teile des Berichtes nicht den Tatsachen entsprechen, sondern auf Vermutungen und Hypothesen aufbauen. Daher sind die daraus gezogenen Schlußfolgerungen nicht aufrecht zu halten. Dennoch, Sie, meine Mitbürger, können diesen Kommissionsbericht von allen Seiten ansehen. Sie werden den seit zwei Jahren gesuchten Beweis für persönliche Schuld und die Verwicklung in Kriegsverbrechen nicht finden. Es gibt diesen Beweis nicht. Die Aktionen der letzten zwei Jahre sind so ausgegangen wie die der letzten Tage, jenes Telegramm aus Jugoslawien, das als zwingender Beweis gegen mich vorgelegt wurde und das sich nunmehr eindeutig als Fälschung erwiesen hat.

[Vierte Sequenz]
Meine Mitbürgerinnen und Mitbürger. Ich habe in diesem schrecklichen 2. Weltkrieg, in diesem Fluch für meine Generation, unendlich viel Leid, Zerstörung und Schmerz gesehen und erlebt. Ich war damals ein junger Mann von kaum 20 Jahren. 1938, wenige Tage vor Hitlers Einmarsch in Österreich, war ich noch an verzweifelten Aktionen beteiligt, mit denen wir uns gegen den Anschluß wehrten. Dann kam das, was ich vor zwei Jahren mißverständlich als Pflichterfüllung bezeichnet habe. Ich wurde in Hitlers Wehrmacht eingezogen. Man muß das ohne Illusion und in aller Wahrheit sehen. Es gab nicht viele Möglichkeiten, sich dem Kriegsdienst zu entziehen. In der NS-Diktatur hatten Hunderttausende und schließlich Millionen keine andere Möglichkeit. Ich habe großen Respekt vor den Helden und Märtyrern dieser Zeit. Aber sie waren eben, wie immer in der Geschichte, nur einige wenige. Wir anderen in meiner Generation sind in der Maschinerie des Krieges untergegangen. In Angst und dem Bemühen, zu überleben. Dem schrecklichen Verlauf eines Krieges ist nur eines sicher. Der Tod kennt keine Fronten. Ich sage das, weil es am Ende eines Krieges nur die Wunden, die Witwen und die Familien ohne Väter gibt. Vor allem lassen Sie uns niemals vergessen, daß zu den Schrecken dieses Krieges auch noch die systematische und perfektionierte Vernichtung der euro-

93 päischen Juden durch das NS-Regime kam. Es muß uns eine heili-
94 ge Verpflichtung sein, alles zu tun, daß sich die Verbrechen dieser
95 Zeit nie mehr wiederholen.

[*Fünfte Sequenz*]
96 Die Jahre des Krieges waren eine bittere Lehrzeit, über die ich
97 nicht viel geredet habe und nicht viel reden wollte. Vielleicht war
98 das ein Fehler. Aber es war sicher keine Strategie der Verheimli-
99 chung. Wir waren damals alle glücklich, als der Krieg vorüber war
100 und haben gemeinsam versucht, eine bessere und menschlichere
101 Welt aufzubauen. Eine Lehre habe ich aus dieser Zeit gezogen. Ich
102 wollte mithelfen, daß es den Krieg nicht mehr gibt. Ich wollte für
103 den Frieden arbeiten. Ich durfte dies als Botschafter und als Au-
104 ßenminister unseres Landes und 10 Jahre als Generalsekretär der
105 Vereinten Nationen tun.

[*Sechste Sequenz*]
106 Meine Mitbürgerinnen und Mitbürger, Sie können an meinem Le-
107 bensweg seit 1945 messen, ob ich die bittere Lehrzeit des Krieges
108 bestanden habe oder nicht. Sie können selbst beurteilen, ob Ihr
109 Bundespräsident der junge Leutnant ist oder gar das Zerrbild des
110 Offiziers der Wehrmacht. Oder ob Ihr Bundespräsident ein Mann
111 ist, der Jahrzehnte seines Lebens für Gerechtigkeit, Toleranz und
112 Frieden gearbeitet hat. Ich bitte Sie, bilden Sie sich selbst das Urteil.

[*Siebte Sequenz*]
113 Meine Österreicherinnen und Österreicher. Im Zuge der neu-
114 erlichen Diskussion wurde auch die Frage nach einem vorzeitigen
115 Ausscheiden aus dem Amt des Bundespräsidenten gestellt. Ich
116 möchte hiezu in aller Klarheit Stellung nehmen. Sie haben mich
117 mit überzeugender Mehrheit in geheimer und direkter Wahl für
118 sechs Jahre zum Bundespräsidenten gewählt. Damit ist es nicht
119 mehr die Sache des Menschen Kurt Waldheim. Ich selbst habe
120 mich in den letzten 2 Jahren angesichts der Verleumdungen oft-
121 mals gefragt, ob ich das alles weiter tragen soll. Es ist ein Grund-
122 prinzip unserer Demokratie, daß man Wahlergebnisse nicht nach-
123 träglich korrigieren kann. Es ist aber auch eine Frage der Gerech-
124 tigkeit und der Fairness gegenüber der Person sowie des Respekts
125 vor dem höchsten Amt im Staat. Vor Verleumdungen, gehässigen
126 Demonstrationen und Pauschalverurteilungen darf ein Staatsober-
127 haupt nicht weichen. Wir wollen doch nicht, daß solche Methoden
128 bei einer anderen Gelegenheit gegen andere demokratische Insti-
129 tutionen zur Anwendung kommen. Gefährden wir doch nicht die
130 Selbstachtung und das Selbstbewußtsein unseres Staates. Es geht

um den Glauben an unser Vaterland. Meine Aufgabe als Bundespräsident sehe ich darin, das Funktionieren der Grundprinzipien und der Institutionen unserer Republik zu gewährleisten. Es kann dieser Aufgabe nicht dienlich sein, wenn das Staatsoberhaupt vor äußerem Druck zurückweicht und damit die Bedeutung demokratischer Entscheidungen überhaupt in Frage stellt. Ein solcher Schritt könnte zum Ausgangspunkt einer Entwicklung werden, die neue und viel ernstere Schwierigkeiten mit sich bringt. Ich habe mich seit Beginn meiner Amtsführung dem Gedanken der Versöhnung und Zusammenarbeit verschrieben und bekenne mich aller Intoleranz meiner Gegner zum Trotz auch weiterhin zutiefst zu diesen Grundsätzen. Gleichzeitig möchte ich aber klarstellen, daß ich Unzumutbarem mit aller Entschiedenheit entgegentreten werde. Über eines darf auch kein Zweifel bestehen. Nur wenn in Österreich selbst die Polemiken aufhören, können wir auch im Ausland eine Beruhigung der Debatte erwarten. Ich appelliere daher an alle Österreicher, insbesondere an alle politischen Verantwortlichen unserer Heimat, nicht Öl ins Feuer zu gießen und die Staatsinteressen vor parteiliche Interessen zu stellen. Das Staatsbewußtsein muß immer stärker sein als das, was uns trennen mag.

[*Achte Sequenz*]
Meine lieben Landsleute. Sie können mir vertrauen, so wie Sie mir vor zwei Jahren vertraut haben, als Sie mich zum Bundespräsidenten gewählt haben. Nicht jene dürfen sich durchsetzen, die Intoleranz und Zwietracht verbreiten, sondern die große Mehrheit derjenigen, denen es um unsere Heimat, um unser gemeinsames Österreich geht. Wenn wir das wollen, werden wir es gemeinsam schaffen und können mit neuer Kraft die Zukunft gestalten.

Die Ansprache läßt sich inhaltlich in acht Abschnitte teilen:
1. Einleitung: Beschreibung der gegenwärtigen Situation und Begründung der Rede (189 von insgesamt 1456 Wörtern)
2. Rückblende über die Entstehungsbedingungen des Historikerberichtes seit 1986 (313 Wörter)
3. Stellungnahme Waldheims zum und Bewertung des Historikerbericht(es) (161 Wörter)
4. Stellungnahme zu Zweitem Weltkrieg und Nazi-Regime (233 Wörter)
5. Erklärung seines (Waldheims) Verhaltens nach dem Krieg (96 Wörter)
6. Appell an die ÖsterreicherInnen, ihn nach seinem Wirken nach dem Kriege zu beurteilen (69 Wörter)

7. Stellungnahme zur Frage nach seinem eventuellen Rücktritt (330 Wörter)
8. Schluß: Appell, gemeinsam die Zukunft zu gestalten (65 Wörter)
Als Abgrenzungen bieten sich die Appelle und Anreden an die ZuseherInnen an, die Waldheim an diesen Stellen einfließen läßt. Lediglich an einer Stelle, zwischen der zweiten und dritten Sequenz, gibt es keine explizite Adressierung. Hier wird die inhaltliche Zäsur (Übergang von der Rekonstruktion der vergangenen Ereignisse hin zur Bewertung des Historikerberichtes, der ja den Anlaßfall für Waldheims Rede darstellte) durch das Gliederungssignal *nun* markiert, sowie durch den Wechsel vom erzählenden Präteritum zum Präsens.

2.3.1. Erste Sequenz

Geprägt ist diese Einleitung von einem sehr starken »Wir-Diskurs«, der auf der konstruierten Gemeinsamkeit von »Bundespräsident« und »WählerIn des Bundespräsidenten« beruht. Bereits in (3) beginnt Waldheim, das Amt des Bundespräsidenten mit seiner Privatperson gleichzusetzen, indem er zunächst abstrakt von sich in der dritten Person spricht und erst später sich selbst als persönlich Betroffenen bezeichnet. Durch die Betonung seiner Bundespräsidentenrolle macht er sich als Privatperson beinahe unangreifbar.[4] Er vergleicht zudem seine Belastung durch das Thema mit der Ermüdung der ÖsterreicherInnen insgesamt (12-13). Durch die wiederholte Adressierung der ZuseherInnen als ÖsterreicherInnen und MitbürgerInnen, also in ihrer staatstragenden Form, und durch die Fingierung eines echten Dialoges (16-17) führt er den Bogen fort bis zum letzten Satz dieser Sequenz, in dem er das zweite Paar des Wir-Diskurses aufbaut (18-19). Auf diese Weise stellt er eine Solidarisierung und Identifikation zwischen sich und den ÖsterreicherInnen her, jeder Angriff auf seine Person kann daher auch als indirekter Angriff auf die gesamte Wählerschaft uminterpretiert werden.
Inhaltlich ist die Einleitung durch viele Brüche charakterisiert. So ist der Übergang vom Anlaß der Rede zu den damaligen »Lebens-

4 Die Betonung des Amtes gegenüber der Person zieht sich von diesem Punkt an durch die gesamte Ansprache hindurch.

umständen« in (7) vollkommen abrupt und an der Oberfläche unmotiviert. Durch den Satz (7, 8) über die fehlende persönliche Erfahrung der ÖsterreicherInnen in Waldheims Lage rückt die gesamte Argumentation in die Nähe jenes Vorurteils, daß nur diejenigen, die etwas persönlich erlebt haben, auch darüber urteilen können. Indirekt wird hier demnach eine Solidarisierung mit jenem überwiegenden Teil der männlichen Kriegsgeneration gesucht, die ebenfalls in der Wehrmacht Kriegsdienst geleistet hatte. Der nächste Bruch findet sich in (12), wo Waldheim unvermittelt wieder in die Gegenwart zurückkehrt (»Vielleicht sind Sie auch schon müde«): Er werde nun selbst »die Wahrheit« erzählen.

2.3.2. Zweite Sequenz

Sie nimmt mit 350 Wörtern und 3'01", mit rund einem Viertel der gesamten Rede den größten Teil ein. Waldheim erwähnt, daß er als Kriegsverbrecher bezeichnet worden sei, dieser Vorwurf sich aber nie habe verifizieren lassen und daß er daher die Regierung um die Beauftragung einer Historikerkommission gebeten habe. Als Mandat der Historikerkommission führt Waldheim einen sehr eingeengten Auftrag an, nämlich zu prüfen, »ob ein persönliches schuldhaftes Verhalten während meines Kriegsdienstes vorliegt«. Andere Vorwürfe, nämlich die Unwahrheit gesagt, in seiner Biographie wesentliche Teile seiner Kriegslaufbahn ausgelassen, die Darstellung der Vergangenheit verharmlost zu haben etc., erwähnt Waldheim nicht. Diese Rückblende verbleibt daher zu undifferenziert.
Welche Strategien und sprachlichen Äußerungsformen verwendet Waldheim nun, um diese Inhalte zu übermitteln? Auch hier fällt zunächst der durchgehende Wir-Diskurs auf. Durch den Appell zur gemeinsamen Rekonstruktion der vergangenen zwei Jahre gelingt es ihm, Angriffe auf seine Person als Erfahrungstatsache aller ÖsterreicherInnen darzustellen (22). In der Folge baut Waldheim konsequent eine extreme Polarisierung auf, indem er seine Gegner massiv beschuldigt. Sie werden als Ankläger (25, 28) bezeichnet, die vor nichts zurückscheuen (26), lügen, manipulieren und fälschen (27, 28). Nach dieser Abwertung der anderen folgt zur Verstärkung eine Opfer-Täter-Umkehr. Waldheim wird »ohne Gnade ... verhört«, Assoziationen zu Kriminalität und Brutalität

der Gegner werden ermöglicht; nicht Waldheim habe also die Pflicht, eine Erklärung für sein Verhalten zu liefern, vielmehr quälten ihn seine Gegner in unmenschlicher Weise. Der Diffamierung der Gegner folgt eine positive Selbstdarstellung Waldheims, die mit einem Appell an seine »Landsleute« (Wir-Diskurs) eingeleitet wird (31-32): Er habe aufgrund seiner Wahrheitsliebe nicht immer alle Fragen beantworten können (35-36), obwohl er sich stets bemüht habe (33-34). Damit reagiert er – vorauseilend – auf einen von ihm nicht explizit ausgesprochenen Vorwurf, er hätte absichtlich etwas verheimlicht.
Dieser Zyklus von Dichotomisierung, Wir-Diskurs und positiver Selbstdarstellung wiederholt sich in (37-43). Wieder werden seine Gegner negativ dargestellt, implizit als Lügner und Wortbrecher, denen er sein eigenes reines Gewissen gegenüberstellt. Zum dritten Zyklus, der spiegelbildlich aufgebaut ist, leitet Waldheim mit der bereits in der Einleitung erwähnten Wahl zum Bundespräsidenten über, indem er die Präsidentschaft als »das hohe Amt ... unserer Republik« bezeichnet (43) – was der positiven Selbstdarstellung dient. Daran schließt sich seine Selbstcharakterisierung als toleranter, für Versöhnung offener Staatsmann an (45-46), dem jedoch Gegner entgegenstünden (47-48). Waldheim spricht hier vom unstillbaren (»genügte ihnen nicht« [48]) Haß seiner Gegner, die auch vor moralischen Autoritäten, wie dem ehemaligen österreichischen Bundespräsidenten Rudolf Kirchschläger, keinen Respekt hätten (48-49).

2.3.3. Dritte Sequenz

Die nächste Sequenz geht nun auf den Bericht der Historikerkommission ein. Zum einen wird die Behauptung aufgestellt, daß Teile des Berichtes falsch seien, ohne zu präzisieren, welche. Zum anderen wird die eingeschränkte Mandatsauffassung beinahe stereotyp wiederholt. Auch spricht Waldheim den Kommissionsmitgliedern zumindest teilweise ihre fachliche Kompetenz ab bzw. er vermischt Theorie und Ergebnisse (»Hypothesen und Vermutungen«; »Schlußfolgerungen«).
Die inhaltliche und emotionale Involvierung Waldheims zeigt sich besonders an Hesitationen (69) und syntaktischen Brüchen (Zeilen 68-71, die keinen syntaktisch korrekten oder sinnvoll zusammenhängend interpretierbaren Satz ergeben).

Die Länge der einzelnen Sequenzen weist darauf hin, welche Gewichtung Waldheim in der Rede selbst vornimmt. Der Anlaß der Rede, die Präsentation des Historikerberichtes und sein für Waldheim über weite Passagen belastender Inhalt nehmen in der gesamten Rede nur 124 Wörter oder 1'09", also weniger als ein Zehntel, ein. Mit keinem Wort geht Waldheim auf Kritik in den Medien oder auch von Bundeskanzler Vranitzky ein, der in der »Pressestunde« des Fernsehens am Vortag gemeint hatte, daß selbst dann, wenn etwa der formale Einwand der Mandatsüberschreitung zu Recht bestünde, dieser ja nicht die inhaltlichen Vorwürfe beseitigen würde. Eine Klarstellung von Waldheims Seite fehlt in diesem (und auch in anderen) Abschnitten. Obwohl er immer wieder eine dialogische Situation suggeriert, verharrt er auf bereits früher geäußerten Aussagen, ohne die seit seiner ersten Wortmeldung geänderte Situation (Stellungnahme anderer Persönlichkeiten und Politiker, Bekanntwerden des Historikerberichtes über die Medien, kritische Reportagen in Rundfunk und Fernsehen etc.) einzubeziehen.

2.3.4. Vierte Sequenz

Nun geht Waldheim auf die Situation nach dem »Anschluß« Österreichs ein. Er argumentiert, daß es – außer für Helden – kaum Möglichkeiten gab, sich dem Wehrdienst zu entziehen, und daß man der Judenvernichtung gedenken sollte, damit sie sich nicht mehr wiederholen könne.

Formal dominieren hier ebenfalls der Wir-Diskurs und die positive Selbstcharakterisierung. Ersterer dient in diesem Fall dazu, eine Solidarisierung mit Waldheims eigener Generation zu schaffen (72-73). Er (und alle anderen) sind nicht Agenten, sondern ausschließlich Opfer des Schicksals. Auch an anderen Stellen sticht die passive und abstrakte Darstellung dieser Passage, die sich mit den Greueln des Zweiten Weltkrieges befassen möchte, hervor. Hier sollen nur die auffallendsten Beispiele genannt werden:

(78): kam das
(80): man muß ... sehen
(80-81): es gab nicht viele Möglichkeiten
(86): in der Maschinerie des Krieges untergegangen

(88-89): »Der Tod kennt keine Fronten«.[5]
(91, 93): zu den Schrecken dieses Krieges kam (die Vernichtung der Juden dazu).
(93-94): Es muß uns ... sein
(94): daß sich die Verbrechen ... nie mehr wiederholen.

Die Bezeichnung seiner Aussage während des Wahlkampfes, er habe nur seine Pflicht erfüllt, als »mißverständlich« (78), ohne zu präzisieren, was er damals (im März 1986) behauptet hatte, wirkt verharmlosend und führt schließlich zu einer neuen Rechtfertigung: Er sei jemand, der noch sehr jung gewesen war, der selbst noch Widerstand geleistet hätte (77), der letztlich jedoch für seine Taten nicht zur Verantwortung gezogen werden könne, da er wehrlos einer übermächtigen Instanz ausgeliefert gewesen sei (86). Auch die Aussage, kein Held gewesen zu sein, wiederholt ein (widerlegtes) Argument aus dem Wahlkampf, mit dem er sich gegen nicht erhobene Vorwürfe rechtfertigt – eine Strategie, die ebenfalls schon im Wahlkampf 1986 verwendet wurde (vgl. Wodak et al. 1990, S. 29).
Die Brüche der Einleitung spiegeln sich in diesem Abschnitt: Insgesamt ist nur sehr schwer nachzuvollziehen, warum diese Passage an dieser Stelle der Rede steht. Allenfalls könnte diese Sequenz das in der Einleitung angesprochene mangelnde Einfühlungsvermögen in die Kriegszeit (im Zusammenhang mit den beiden folgenden Sequenzen) verbessern. Die Sequenz selbst enthält auch einen Bruch, wenn Waldheim auf die Vernichtung der Juden zu sprechen kommt (90-95). Es besteht hier keine inhaltliche Verbindung zum vorher Gesagten, es sei denn, man nimmt die »Wunden« am Ende des Krieges als Grundlage. In diesem Fall bedeutete dieser Einschub allerdings einerseits eine extreme Verharmlosung, andrerseits aber auch eine kaum verhüllte Aufrechnung von Untaten des Nazi-Regimes mit den gewöhnlichen Folgen eines Krieges. Die Fortführung dieses Topos in Sequenz fünf unterstreicht noch die Isoliertheit dieser Passage und erweckt den Eindruck einer Pflichtübung. Auch die gezwungen wirkende syntaktische Kohäsion (90: Vor allem) dieses Abschnittes ist nicht schlüssig und untermauert daher diese Interpretation.

5 Über die Passivierung hinaus ist diese Passage eine starke Verharmlosung und implizite Aufrechnung, da Waldheim nicht zwischen Aggressoren und Angegriffenen in diesem Krieg unterscheidet.

2.3.5. Fünfte Sequenz

Als nächstes (96 Wörter, 0'48") geht Waldheim auf sein Verhalten nach dem Zweiten Weltkrieg ein. Inhaltlich weist er den Vorwurf der Verheimlichung gewisser Phasen seines Lebens indirekt zurück und stellt die politischen Ämter, die er innehatte, in den Vordergrund, die er als Dienst am Frieden in der Welt bezeichnet. In den negativen Passagen verbleibt er im Unterschied zur positiven Selbstdarstellung passiv und relativiert sie teilweise durch Partikel (»Vielleicht war das ein Fehler (97-98), es war ... keine Strategie«).
Diese Passage ermöglicht es Waldheim aufgrund der positiven Selbstdarstellung, den Appell an die ZuseherInnen (Sequenz 6) vorzubereiten. Auch hier fällt die selektive Auswahl der inhaltlichen Argumente auf, die auf ein einziges (nicht über den Krieg reden zu wollen) reduziert werden, das dann als möglicherweise falsch dargestellt wird. Der eigentliche Anlaß der Rede, der Historikerbericht, kommt hier praktisch nicht mehr vor.

2.3.6. Sechste Sequenz

An dieser Stelle der Rede wendet sich Waldheim direkt und ausführlich an sein Publikum (106, 108, 112) und bittet es, über eine Alternative zu urteilen: nicht die Vergangenheit (besser gesagt, die weiter zurückliegende Vergangenheit), sondern die Gegenwart (besser gesagt, die jüngere Vergangenheit) sollte zählen. Die Gegenwart als Alternative zu der Vergangenheit vorzugeben, ist in solchen Kontexten ein deutliches Signal dafür, daß man auf unangenehme Fragen nicht eingehen will. In diesem Fall wird diese Interpretation insofern gestützt, als für Waldheim somit an diesem Punkt die Auseinandersetzung mit dem Bericht der Historikerkommission und mit seinem Verhalten während der letzten fünfzig Jahre endgültig abgeschlossen war.

2.3.7. Siebte Sequenz

In dieser langen Sequenz (330 Wörter, 3'13") führt Waldheim einen zweiten Topos ein und nimmt zu seinem möglichen Rücktritt Stellung. Er lehnt ihn ab, da seine Demission die Situation Österreichs nur verschlimmern würde (139). Als Gründe dafür führt er an, daß zum einen das Vertrauen in die Institutionen des Staates verschwinden könnte (128-134), zum anderen die Selbstachtung Österreichs sinken würde, sollte er äußerem Druck weichen (130-136.

Die Sequenz wird eröffnet, indem Waldheim zum dritten Mal auf seine Wahl zum Bundespräsidenten hinweist, wiederum – und an dieser Stelle am explizitesten – die Solidarisierung von Wählern und Gewähltem sucht. Unmittelbar anschließend setzt er eine explizite Verknüpfung seiner Interessen mit denen Österreichs (Wir-Diskurs): »Damit ist es nicht mehr die Sache des Menschen Kurt Waldheim« (119-120). In der Folge wiederholt sich zweimal das Wechselspiel von Abwertung der Gegner und positiver Selbstdarstellung (121-137 sowie 139-151). Im ersten Zyklus lauten die Charakterisierungen der Gegner folgendermaßen:

»Verleumdungen« (121 und 126),
»gehässige Demonstrationen« (126-127),
»Pauschalverurteilung« (127),
»solche Methoden« (128),
»äußerer Druck« (136).

Demgegenüber stellt sich Waldheim als »Staatsoberhaupt« und Bundespräsident (127 und 132) dar, der »nicht weichen« (128 und 136) darf, also seine Aufgabe trotz widriger Umstände erfüllt (Pflichtbewußtsein) und auch seine eigenen Interessen hinter die des Staates zurückstellt (Opferbereitschaft) (121-123). Hier ist die erste inhaltliche Aussage, daß er nicht zurücktreten würde, insgesamt dreimal eingebettet (123-124, 127-128, 134-136).

Der zweite Zyklus dreht die Abfolge von Selbstdarstellung und Abwertung der Gegner um: Waldheim bezeichnet sich selbst als versöhnlich und kooperativ (Toleranz) (140, 141, 142-143), dies jedoch in Grenzen (Standhaftigkeit, Entscheidungsfreude) (144). Seine Gegner hingegen werden wiederum als intolerant (141-142) bezeichnet, die ihm »Unzumutbares« (143) antun, mit »Polemiken« nicht aufhören (146) und »Öl ins Feuer gießen« (149).

Abgeschlossen wird diese Passage wieder mit einem Appell »an alle Österreicher«.

2.3.8. Die Schlußsequenz

Auch die kurze Schlußsequenz (65 Wörter, 0'33") ist durch die bisher dominanten Strategien gekennzeichnet: Zum vierten Mal führt Waldheim seine Wahl zum Bundespräsidenten (153-154) mit der bekannten Solidarisierungsabsicht an, bezichtigt die Gegner zum wiederholten Male der »Intoleranz« und der Verbreitung von »Zwietracht« (154, 155) und schließt seine Rede mit dem Appell, gemeinsam die »Zukunft (zu) gestalten« (158).

2.3.9. Zusammenfassung

Waldheims Rede am 15. Februar 1988 war als seine persönliche Stellungnahme zum Bericht der Historikerkommission gedacht und geplant, nachdem er eine Woche lang geschwiegen hatte. Inhaltlich ist die Rede von zwei Topoi gekennzeichnet: Waldheims Bewertung des Berichtes der Historikerkommission (Sequenz 3) und die Ablehnung seines Rücktrittes (Sequenz 7). Gerade jene Passage, die die zentrale Rolle in der gesamten Stellungnahme spielen sollte, befindet sich in der Mitte der Rede, also an einem eher unauffälligen Platz, und zählt insgesamt zu den kürzesten Abschnitten überhaupt. Waldheim ging also auf den Anlaß seiner Ansprache kaum ein und führte in den wenigen Sätzen dazu keine einzige Argumentation nachvollziehbar durch, sondern behauptete nur, daß der Bericht falsch sei. Durch die gesamte Rede zogen sich Argumentationsversatzstücke, die er bereits eine Woche zuvor am Abend der Berichtübergabe gegenüber zwei ORF-Reportern verwendet hatte. So sprach Waldheim in der Rede genauso wie in dem Interview von der – seiner Meinung nach – Überschreitung des Auftragsmandates durch die Kommission, obwohl bereits am Tag zuvor Vranitzky in der »Pressestunde« dieses Argument als rein formal und nicht zielführend bezeichnet hatte. Übrigens fand sich auch die Behauptung von den falschen Ergebnissen (ohne Beleg) bereits in jenem Interview. Darüber hinaus wählte Waldheim Ergebnisse des Historikerberichtes selektiv aus

und zog sich immer wieder auf die Feststellung zurück, kein Kriegsverbrecher zu sein.
Auch die Gleichsetzung seiner Person (und damit seiner Funktion als Bundespräsident) mit jenen Österreichern, die ebenfalls in der deutschen Wehrmacht gedient hatten, fand sich sowohl im Interview als auch in der Rede. Waldheim strich je nach Bedarf einmal die Besonderheit des Amtes hervor, das über seine Person hinausgehe (119-120), anderseits beanspruchte er für sich als Person Waldheim, wie andere Bürger behandelt zu werden. Hier verstrickte er sich in einen inhaltlichen Widerspruch, indem er je nach Lage und Bedarf die Argumentation umdrehte. Schließlich führte Waldheim in beiden öffentlichen Äußerungen die Unvergleichbarkeit der damaligen mit der heutigen Zeit als Argument gegen mögliche Kritik an: Wer damals nicht gelebt hätte, dürfe heutzutage nicht urteilen. Er schuf eine Immunisierungsstrategie, indem er anderen die Kompetenz der Kritik absprach.
In einem einzigen Satz (97-98: »Vielleicht war das ein Fehler«) gab es ein Anzeichen von Selbstkritik, doch auch diese Passage wurde wieder relativiert. Außerdem bezog sich diese Einsicht auf »eine bittere Lehrzeit, über die ich nicht viel geredet habe und nicht viel reden wollte«. Damit wurde der Hauptvorwurf an Waldheim, er habe gelogen, verzerrt – er habe also nur, so meint er hier, geschwiegen.
Auch bezüglich seines Rücktrittes wiederholte Waldheim seine Aussagen aus jenem Interview, daß nämlich ein Rücktritt die »Institutionen des Staates« gefährden würde. Die öffentliche Diskussion der vorangegangenen Woche, die Aufforderungen und Bitten zum Rücktritt vieler, auch prominenter Persönlichkeiten erwähnte er nicht einmal, ging auch nicht auf deren Argumente ein und beschränkte sich auf den Widerstand gegen »äußeren Druck«.
Letztlich besteht ein Widerspruch zwischen den Behauptungen Waldheims und der Form seiner Rede. Oft wiederholt (Sequenzen zwei [45-46], fünf, sechs [111-112], sieben [140-141, 143]) zog sich inhaltlich als roter Faden sein Selbstbild als friedliebend, tolerant und versöhnlich durch. Formal jedoch wurde seine Rede geprägt durch extreme Polarisierung zwischen sich selbst und jenen, die nicht auf seiner Seite stehen. Dazu versuchte er auch (vor allem über die Brücke WählerInnen-Gewählter), eine Solidarisierung mit der Bevölkerung herbeizuführen, obwohl nach dem

Wahlergebnis immerhin beinahe die Hälfte der ÖsterreicherInnen nicht für ihn gestimmt hatte. So stand die Form der Rede nicht nur in Gegensatz zu seinen verbalen Aufforderungen zu Toleranz und Versöhnung und zu seinem Selbstbild, sondern diente auch nicht der versprochenen Klärung seiner Position. Diese Rede trug schließlich weder in ihrer Form noch in ihren Inhalten zur Entspannung der damaligen Situation bei, sondern stellte in erster Linie eine beinahe trotzige, jedenfalls selbstgerechte Rechtfertigung Waldheims dar.

2.4. Die Reaktionen von Kanzler Vranitzky und Außenminister Mock auf den Historikerbericht

Der österreichische Bundeskanzler Franz Vranitzky befand sich bei seinen Stellungnahmen zum Bericht der IHK in einer heiklen Lage. Zwar war er (bzw. die gesamte Regierung) der formelle Adressat des Berichtes, doch betraf der Inhalt den Bundespräsidenten. Als Repräsentant der Sozialistischen Partei mußte Vranitzky zudem die (Waldheim-kritische) Parteilinie zu vertreten versuchen, obwohl er aufgrund des institutionellen Verhältnisses zwischen Bundespräsident und Bundeskanzler nicht ohne Rücksicht auf die Regierbarkeit des Landes agieren konnte. Eine minimale Gesprächsbasis zwischen den beiden Institutionen mußte gewährleistet bleiben, wenn eine politische Konfrontation mit nicht abschätzbaren Folgen vermieden werden sollte.[6]

6 Nach der österreichischen Bundesverfassung gibt es nur eine Möglichkeit, den Bundespräsidenten »abzusetzen«: die Bundesversammlung muß beschließen, daß der Bundespräsident sich einer »Volksabstimmung« unterziehen muß. Wenn die Mehrheit gegen den Bundespräsidenten stimmen sollte, wird er des Amtes enthoben. Wenn die Mehrheit für ihn stimmen sollte, gilt diese Abstimmung als Wahl für eine neue sechsjährige Amtsperiode. Es wäre beinahe unmöglich gewesen, die Bundesversammlung dazu zu bringen, einen solchen Beschluß zu fassen. Vranitzky wäre dann nur die Möglichkeit übriggeblieben, Waldheim zum Rücktritt aufzufordern. Da aber Waldheim wiederholt betont hatte, daß er einer solchen Aufforderung (von wem auch immer) nicht nachkommen würde, hätte Vranitzky sein politisches Prestige und auch möglicherweise sein Amt aufs Spiel gesetzt, wenn er eine explizite Rücktrittsaufforderung ausgesprochen hätte.

Außenminister Alois Mock, der damals auch Obmann der kleineren Regierungspartei war, die Waldheim als Präsidentschaftskandidaten aufgestellt hatte, interpretierte seine Position anders, nämlich als die einer Verteidigung Waldheims gegen angeblich falsche Beschuldigungen und gegenüber der Untersuchungskommission.[7]
Vranitzky zeigte sich in seinen ersten Stellungnahmen differenziert, faßte den Historikerbericht zusammen und blockte Angriffe nicht von vornherein ab, im Gegenteil, er nahm durchaus persönlich zum Bericht Stellung, ohne allerdings so weit zu gehen, den Präsidenten zum Rücktritt aufzufordern. Vor allem aber stellte Vranitzky einen konkreten und emotional nachvollziehbaren Bezug zu dem Zeitraum her, den die Historikerkommission untersucht hatte. In dem ORF-Mittagjournal (MiJ) vom 9. 2. 1988 sagte er:

> ... Ihnen zu dem ah . politischen Hauptereignis des heutigen Vormittags . eh noch einmal eine Stellungnahme geben, zum ah Vorliegen des Berichts der Historiker-Kommission. Im Zusammenhang ah mit eh . dem Bundespräsidenten Dr. Waldheim. Ich habe mich heute nacht in diesen Bericht so gut das in der kurzen Zeit möglich war, vertieft. Und ich möchte mit einer . sehr persönlichen Bemerkung beginnen. Und zwar mit einer persönlichen Bemerkung, die sich gerade . im fünfzigsten Jahr nach diesen ah . diesem Katastrophenereignis des Jahres 1938 für unser Land anbietet. Nämlich der Bericht hat neben vielen anderen Dingen und neben vielen eh derzeit politisch relevanten Fragen wieder einmal und noch einmal gezeigt, daß ah es nicht einmal ein halbes Jahrhundert her ist, daß ah auf unserem Kontinent, in unserem unmittelbaren Lebensraum und Bewegungsraum . ganz unfaßbare . Greueltaten und ah . kaum zu beschreibende Unmenschlichkeiten begangen worden sind. Und eh . daß wir sehr gut daran tun, uns gerade in diesem Jahr auch der Wurzeln und der Ausgangspunkte zu entsinnen, um vor allem jede Art von Wiederholung solcher Ereignisse zu vermeiden und zwar mit ganzer Kraft zu vermeiden. Dies als ah eine Einleitung zu dem eh Bericht der Historiker.

Mocks Äußerungen hingegen basierten primär auf einem stark ausgeprägten Wir-Diskurs, der die Gruppe der »Anderen« scharf ausgrenzte und abqualifizierte, während er die eigene Gruppe als stark und solidarisch hinstellte und eventuell Unentschlossene

7 Im einzelnen handelte es sich dabei um das »Mittagsjournal« (Hörfunk) vom 8. 2. 1988 (vor der Übergabe am Abend desselben Tages!), die »Zeit im Bild 2« (Fernsehen) vom 8. 2. 88 um 22 Uhr, das »Mittagsjournal« vom 9. 2. 1988 und die »Zeit im Bild 1« vom 9. 2. 1988.

aufrief, sich dieser starken Gruppe anzuschließen. Hier zeigten sich durchaus Parallelen zu Waldheims Rede eine Woche später. Folgende Ausschnitte wurden sowohl in den ORF-Mittag(MiJ)- und Abendjournal(AJ)-Sendungen vom 9.2.88 (kürzere Ausschnitte auch in den Zeit im Bild (ZiB)-Sendungen am selben Tag) gesendet:

Interviewer:
Müssen Sie befürchten, Herr Dr. Mock, daß die Diskussion um die Person des Bundespräsidenten im Lichte der Historiker-Kommission die Arbeit der Regierung in der nächsten Zeit und insgesamt erschwert?
Mock:
Das glaube ich nicht. Worum ich Sorge habe, ist, daß es einzelnen, kleinen Gruppen gelingt, Intoleranz und Haß und Gegensätzlichkeit, Polarisierungen in unserem politischen Leben herbeizuführen. Und ich werde alles tun, um dem entgegenzuarbeiten.

Mock griff, anders als Vranitzky, aus dem Bericht der Kommission nur einen einzigen Aspekt heraus, nämlich daß es kein persönlich-schuldhaftes Verhalten Waldheims gäbe. Dabei bezog sich Mock auch nicht auf den Bericht selbst, sondern auf mündliche Erklärungen der Wissenschaftler, die aber vertraulich, nämlich im Ministerrat und bei Privatgesprächen, gemacht worden waren, so daß sie nicht überprüfbar waren. Diese Aussage wurde stereotyp und beinahe unvariiert wiederholt (»Beschwörungsformel«).
Und im Morgenjournal am 9.2.88 (auch ZiB 2, 8.2.88) sagte er:

Für mich war es wichtig, daß die Bundesregierung ein Mandat der Kommission erteilt hat, wonach zu prüfen ist, ob ein persönlich-schuldhaftes Verhalten vorliegt. Ah die Antwort war sehr eindeutig vom Vorsitzenden, dem ah Herrn Prof. Kurz. Sie entsprach auch der Aussage von Prof. Messerschmidt, daß ah kein, einmal wieder ist festgestellt worden, daß kein persönlich-schuldhaftes Verhalten vorlag.

Mock wertete die wissenschaftliche Arbeit der Kommission ab und stellte sie letztlich als irrelevant und als Einmischung von außen hin – und das, obwohl die Regierung selbst den Auftrag erteilt hatte. Im MiJ, 9.2.88 und AJ, 9.2.88 (teilweise auch in ZiB 1 und ZiB 2 vom 9.2.88) erklärte Mock:

Ja meine Herrn, das sind keine zehn Gebote Gottes, die die Kommission verkündet. Ich möchte also deutlich sagen, die Kommission hat einen Auftrag bekommen zu untersuchen, ob während der Zugehörigkeit des

Herrn Bundespräsidenten zur Wehrmacht, also zur Deutschen Wehrmacht, ah irgendein persönlich-schuldhaftes Verhalten vorlag. Die Kommission hat auch durch den Mund ihres Vorsitzenden erklärt, daß keinerlei Beteiligungen an Kriegsverbrechen da ist, daß er keine Befehlsgewalt gehabt hat und kein persönlich-schuldhaftes Verhalten vorlag. Und dann haben die Herren der Kommission wie andere kritische Meinungen geäußert, wie das viele andere Menschen tun. Aber wie ich vorhin gesagt habe, das ist nicht die unfehlbare Wahrheit. Da haben wir unsere eigene Auffassung.

Schließlich stellte Mock auch einen Zusammenhang zwischen dem Bericht und dem Gedenkjahr her, allerdings in einer ganz anderen Weise als Vranitzky. Im MiJ und AJ vom 9. 2. 88 (teilweise auch in ZiB 1 und ZiB 2 vom 9. 2. 88) hieß es:

Interviewer: Das heißt, Sie gehen davon aus, daß eine Mehrheit der Österreicher nach wie vor hinter Amt und Person des Bundespräsidenten steht. Daß allerdings eine, wie Sie's genannt haben, fanatische Minderheit ihn weiter bekämpfen wird. Halten Sie eine solche Entwicklung ...
Mock: Nicht von einer fanatischen Minderheit, sondern von einzelnen Gruppen, die mit einem unglaublichen Maß an Intoleranz und Fanatismus eine Verleumdungskampagne fortführen, und wo wir Gefahr laufen, daß die Dämonen der Vergangenheit wieder in die Gegenwart hereingerufen werden. Und ich möchte nochmals mit großer Deutlichkeit sagen: Dieses Land ist nach 1945 wieder stark geworden, weil über alle politischen, gegensätzlichen Auffassungen oder sozialen ah Unterschiede die Gemeinsamkeit und das Bekenntnis zu den demokratischen Institutionen und zu diesem Land stärker war als das, was uns trennt. Und wir dürfen uns gerade 50 Jahre nach 1938 in keine Polarisierung hineintreiben lassen. Ganz gleich, von welcher Seite das kommt.

Der Bericht diente Mock nicht als Mahnung an die damaligen Greueltaten und Verbrechen. Vielmehr sollte einerseits die politische Auseinandersetzung durch Appelle an die Gemeinsamkeiten und Warnungen vor einer Spaltung wie vor 1938 zugedeckt und abgewürgt werden, anderseits wurde der Bezug nur *ex negativo* als Verharmlosung der Vergangenheit und Dramatisierung der Gegenwart dargestellt. Durch beide Vorgehensweisen wurde das Verhalten Waldheims, insbesondere sein Umgang mit der Wahrheit und seiner Kriegsvergangenheit, relativiert und in seiner Tragweite entschieden heruntergespielt.
Die höchsten Repräsentanten der beiden Regierungsparteien reagierten also in ihren ersten Stellungnahmen (und auch in den folgenden) sehr unterschiedlich, vor allem auch, was die Ausein-

andersetzung um den Historikerbericht und die Beziehung der Affäre Waldheim zum Gedenkjahr betraf. Diese Unterschiede entsprechen durchaus zwei verschiedenen Geschichtsbildern, die z. T. parteipolitisch geprägt sind.

2.5. Der Bericht in den Printmedien

Die Hauptgrundlage der Untersuchung bildeten die fünf größten überregionalen Zeitungen Österreichs sowie die drei täglich erscheinenden Parteizeitungen der SPÖ, ÖVP und KPÖ.[8] Das Blatt der FPÖ erscheint wöchentlich und wurde daher nur fallweise in die Analyse einbezogen, die »Grünen« haben kein eigenes Parteiorgan. Aus diesen Zeitungen wurden die Schlagzeilen vom 9. und 10. Februar 1988 ausgewählt, die Leads der Hauptberichte vom 9. Februar 1988 sowie jene Artikel, die sich inhaltlich mit dem Bericht der Internationalen Historikerkommission auseinandersetzten.

Die Frage, ob die Berichterstattung eines Massenmediums zu einem bestimmten Ereignis objektiv ist, kann u. a. deshalb nicht zufriedenstellend gelöst werden, weil sich gewisse Verzerrungen nicht nur auf seiten des Produzenten, sondern ebenso auf seiten des Bewerters aus den verschiedenen politischen und weltanschaulichen Standpunkten, aber auch aufgrund fehlender bzw. mangelhafter Information ergeben können. Insbesondere, wenn über – auch wissenschaftlich – kontroverse Themen geschrieben wird (wie es bei der Diskussion um Waldheims Kriegsvergangenheit der Fall war), sind JournalistInnen (und erst recht LeserInnen) häufig in bezug auf umfassende Information bereits überfordert. (Durch die Metapher der Mozartkugel läßt sich diese z. T. systematische Verzerrung beschreiben.)

Daher schien es sinnvoller, nach Kriterien der dem Thema angemessenen und adäquaten Berichterstattung zu suchen, um beide Quellen der Verzerrung möglichst zu reduzieren. Was die Information der Berichterstatter anbelangt, konnte davon ausgegangen werden, daß alle die gleichen Zugangsmöglichkeiten zum Bericht

8 *Neue Kronenzeitung, Kurier, Die Presse, Salzburger Nachrichten, Wiener Zeitung*; *AZ/Tagblatt* (SPÖ), *Neues Volksblatt* (ÖVP), *Volksstimme* (KPÖ).

hatten. Schwieriger ist es, Kriterien der Beurteilung von Angemessenheit zu finden, um systematische Verzerrungen feststellen zu können. Hierzu boten sich die Ergebnisse der Analyse des Historikerberichts an, der nicht unbedingt die Erwartungen der Öffentlichkeit erfüllte, nämlich eine eindeutige Antwort auf die Frage: Ist Waldheim in bezug auf Kriegsverbrechen schuldig oder nicht?[9] Die Kommission beschränkte sich aufgrund der Auftragsformulierung nicht darauf, allein diese Frage zu beantworten, sondern gab eine komplexe Antwort. Einerseits wurde die Frage nach persönlich schuldhaftem Verhalten negativ beantwortet: Waldheim habe mit großer Sicherheit persönlich keine Kriegsverbrechen begangen. Anderseits wurden im Zuge der gewünschten Evaluierung von den Mitgliedern der Historikerkommission ein umfassendes Wissen Waldheims über Kriegsverbrechen und »verschiedene Abstufungen der Mitbeteiligung« (Bericht 1988, S. 42) festgestellt. Daraus ließ sich ein objektivierbarer Parameter ableiten, nämlich welche(r) der beiden oben genannten *Makroaspekte* erwähnt wurde(n) und in welcher Weise dies geschah. Denn die »programmierte« Zweiseitigkeit des Berichts der internationalen Historikerkommission war ein guter Indikator für die Tendenz in der Berichterstattung der jeweiligen Zeitung.
Schlagzeilen (und Head) haben sowohl textuelle als auch kognitive Funktionen. Auf der Textebene sollten sie das Hauptthema des Berichtes ausdrücken und im allgemeinen eine Zusammenfassung der wichtigsten Information des Artikels sein. Normalerweise werden Schlagzeilen als erstes gelesen und sind in ihrer Aufmachung auch als Blickfang konstruiert (Garst/Bernstein 1982). Daher funktionieren sie im kognitiven Bereich als strategisches Organisationsprinzip bei der Rekonstruktion des Inhalts, bevor dieser überhaupt gelesen wird, d. h. sie beeinflussen die Interpretation des Textes in eine bestimmte Richtung, indem sie bestimmte Scripts aktivieren (vgl. Van Dijk 1990, S. 42). Schlagzeile und Lead bilden also die »Superstruktur« (Van Dijk 1980) des Textes, eine umfassende Struktur, die den Lesern als solche auch bekannt ist. Anhand der Analysen ließ sich aufzeigen, wie durch die Schlagzeilen- und Leadformulierung bestimmte Wahrnehmungsweisen und Geschichtsbilder, die sehr stark mit den

9 Über das Dilemma einer solchen Erwartung vgl. z. B. Mitten (1992), bes. Kap. 4.

Fronten, die sich seit dem Präsidentschaftswahlkampf 1986 gebildet hatten, übereinstimmten – z. T. unabhängig oder konträr zu den Ergebnissen des Historikerberichtes.
Aus den Analysen der Printmedien läßt sich zusammenfassend folgendes schließen: Der Großteil der Medien berichtete in den ersten Tagen nach der Übergabe des Kommissionsberichtes sehr ausführlich, beide Aspekte des Berichtes (keine direkte persönliche Verwicklung in Kriegsverbrechen, aber großes Wissen und falscher Umgang mit der Wahrheit) wurden referiert. Von den untersuchten Zeitungen fielen lediglich die *Neue Kronenzeitung* und das *Neue Volksblatt* (NVB) aus dem Rahmen. Erstere berichtete insgesamt sehr wenig und vorwiegend für Waldheim entlastende Fakten und wich auf »Nebenfronten« aus (wieviel bekommt die Kommission bezahlt, Österreich und ihrer Meinung nach nur vermuteter »Antisemitismus« etc.). Die Aufmachung der Schlagzeile wich durch ihre Größe und vor allem durch die Unterstreichung und das Rufzeichen am Ende der Überschrift vom üblichen Layout ab (»*Historiker fanden keine persönliche Schuld Waldheims!*«). Die Tendenz ist eindeutig zu erkennen: Nur der Waldheim entlastende Makroaspekt wurde tatsächlich genannt und durch die in einer Zeitung besonders auffallende (rote) Unterstreichung sowie die Verwendung von Interpunktionszeichen noch zusätzlich hervorgehoben. Der Vorspann war in narrativem Stil geschrieben. Mehrere Spezifika, darunter vor allem die häufige Verwendung von Elementen eines »Wir-Diskurses«, der »die Österreicher« von den nichtösterreichischen Historikern unterscheidet, ließen sich eruieren. *Die Kronenzeitung* manipulierte und verzerrte demnach mit konsequent einseitiger »Information«, mit Unterstellungen und schlicht unwahren Behauptungen. So wurde erst etwa in der Mitte des Textes die Frage der Mitwisserschaft erwähnt, wobei hinzugefügt wurde, daß diese Frage »von der Historikerkommission offengelassen wurde«. Dies ist eine unwahre Behauptung, da die Historiker sowohl im Bericht als auch in verschiedenen Pressekonferenzen und Interviews sehr klare Ausführungen zu Waldheims Wissen gemacht hatten.
Das *NVB* war nicht nur in der Auswahl, sondern auch in der Montage der Texte und im Layout der Seiten manipulativ. In manchen Textsorten kamen sogar bewußte Manipulationen und Aussagenverdrehungen vor, die beinahe den Charakter von Fälschungen bezüglich bestimmter Inhalte des Historikerberichts erreichten.

Die Waldheim-kritischen Medien (v. a. *Salzburger Nachrichten, AZ/Tagblatt, Volksstimme*) berichteten insgesamt ausführlicher und weniger manipulativ als diejenigen, die eindeutig für Waldheim Stellung bezogen (v. a. *Neue Kronenzeitung* und *NVB*). Lediglich die *Volksstimme* (KPÖ) brachte als einzige untersuchte Zeitung in den Überschriften vom 9. 2. 88 nur den Waldheim belastenden Aspekt. Der eher entlastende tauchte nur im Lead auf. Die *Volksstimme* berichtete also ebenfalls einseitig selektiv, wenn auch – im Vergleich zu den meisten anderen Zeitungen (*NVB, Neue Kronenzeitung, Kurier*) – mit umgekehrten Vorzeichen.
Aber auch jene Zeitungen, die nicht explizit dem Schema pro oder contra Waldheim zuzuordnen waren (*Kurier, Wiener Zeitung*) wie auch jene, die im Verlauf der zwei Jahre nach dem Präsidentschaftswahlkampf 1986 durchaus Waldheim verteidigt hatten (*Die Presse*), berichteten in den ersten Tagen ausgewogen, ohne feststellbare Manipulation. Allerdings war gerade in dieser letzten Gruppe auffallend, daß in bestimmten Artikeln der Tenor von Schlagzeile und darauffolgendem Bericht bzw. Lead nicht immer übereinstimmte, hier also vermutbare Lesererwartungen nicht erfüllt wurden. So versuchte etwa die Berichterstattung des *Kurier* am 9. 2. 88, vom Inhalt her beide Makroaspekte anzusprechen und sie in verschiedenen Artikeln abzudecken. Die Hauptschlagzeilen (»*Waldheim ist kein Kriegsverbrecher! Persönliche Schuld nicht nachweisbar. Aber am Balkan bestens informiert*«) waren allerdings so tendenziös, daß sie sogar von anderen, durchaus Waldheim-freundlichen Medien (z. B. *Die Presse*) aufgezeigt und angegriffen wurden. Eine möglichst große Unvoreingenommenheit der Berichterstattung wurde also in den Schlagzeilen nicht gewährleistet. Im Text und im Lead überwogen allerdings im Gegensatz zur Aufmachung durch die Überschriften die Waldheim-kritischen Elemente eindeutig. Dem Tenor des Berichtes bzw. der »Zusammenfassenden Schlußbetrachtungen« wurde hier eher entsprochen. Ähnlich verhielt es sich in der *Wiener Zeitung*. Ihre LeserInnen wurden durch die Schlagzeilen eher einseitig informiert. Ausschlaggebend für die Interpretationsrichtlinie war die Hauptüberschrift auf Seite 1 vom 9. 2. 88 (»Kein schuldhaftes Verhalten«), in der (ebenso wie im Vorspann) keine Erwähnung des zweiten Makroaspektes des Berichts zu finden war. Selbst wenn man davon ausgeht, daß der eine Makroaspekt (keine persönliche Schuld im strafrechtlichen Sinne) dem anderen übergeordnet ist,

war dieser Aufmacher nichtsdestoweniger tendenziös, da die vollständigen Inhalte des Historikerberichtes nicht wiedergegeben wurden. Erst in den nächsten Tagen wurden durch die relativ umfassende wörtliche Dokumentation der »Schlußbetrachtungen«, aber auch des Gesprächsprotokolls der Kommission mit Waldheim Informationen zur eigenen Meinungsbildung geliefert.
In der Rezeption des Historikerberichts durch die Printmedien zeichneten sich – mit Ausnahme der Schlagzeilen und Leads in der *Presse* – durchaus Kontinuitäten im Waldheimdiskurs seit 1986 ab. Der Bericht wurde je nach Einstellung der einzelnen Zeitungen, die sich bereits seit 1986 herauskristallisiert hatte, gedeutet und funktional eingesetzt, um dieser Haltung Ausdruck und Nachdruck zu verleihen. Die überraschende Ausnahme war die Darstellung der *Presse*. Bei der Schlagzeilenanalyse der ersten beiden Tage ergab sich im Gegensatz zur Berichterstattung während des Bundespräsidentschaftswahlkampfes 1986 ein ziemlich ausgewogenes Bild. Beide »Makroaspekte« des Kommissionsberichtes wurden in den Schlagzeilen annähernd gleichwertig (im selben Layout) erwähnt, ja, in manchen Berichten überwogen in den Schlagzeilen eher die für Waldheim negativen Aspekte bzw. die Differenzierung. Auch der Lead war insgesamt ausgewogen, eher kritisch als beschönigend und entsprach in seinem Duktus der Schlagzeile. In den Kommentaren wurde allerdings weitgehend die ursprüngliche Linie (Waldheim als Opfer einer Kampagne) beibehalten. Auch die Kommentare zu den Märzgedenkfeiern ließen wieder die ursprünglichen Muster in den Vordergrund treten.

2.5.1. Die Fortsetzung des Waldheimdiskurses bei den Märzgedenkereignissen am Beispiel der *Presse*

Gegenüber den eher ausgewogenen Schlagzeilen und Berichten in der *Presse* rund um die Übergabe des Historikerberichtes stand die unverhohlene Parteinahme in ihren Kommentaren bzw. Leitartikeln. So konzedierte Thomas Chorherr, Chefredakteur der *Presse*, etwa am 10. 2. 1988, daß das »Verdikt« der Historikerkommission (zwar kein Kriegsverbrecher, aber Mitwisser und Mitläufer) unteilbar sei und Waldheim mit ihm leben müßte. Doch schrieb Chorherr – und das ist der Tenor des gesamten Leitartikels –

auch von einem »Schauprozeß«[10], und auf der »Anklagebank« säße »nicht [nur] Kurt Waldheim, sondern die Republik Österreich«. Ein expliziter Wir-Diskurs wurde durch eine Abwertung der Wissenschaftler (»sechs angeblich international anerkannte Wissenschaftler«), Verschwörungstheorien und Strategien der Opfer-Täter-Umkehr ergänzt: »Als Folge [eines Rücktritts des Präsidenten, d. Aut.] gäbe es eine innere Krise, Fremdenhaß und ganz gewiß neuen Antisemitismus« (*Die Presse*, 10. 2. 1988, S. 1). Die Leitartikel zu den Märzgedenkfeiern setzten diesen Diskurs fort: Bundespräsident Waldheim wurde wieder als einwandfreie Persönlichkeit aufgebaut. In allen Artikeln war er von einem positiven Konnotat umgeben. Die Person Waldheim war mit Hochwertwörtern besetzt, wie »Moral«, »Wahrhaftigkeit, Charakter, Mut«, und er wurde als Einzelperson und Bundespräsident rehabilitiert. Die lobenden Ausführungen über Waldheim im allgemeinen und seine TV-Ansprache am 10. März faßte Chorherr in einem Leitartikel vom darauffolgenden Tag prägnant zusammen: »Noch einmal: Es ist eine inhaltsreiche, eine tiefsinnige Rede gewesen, die der Bundespräsident hielt. Er hat im übrigen noch einmal klargemacht, daß er nicht daran denke, sein Amt zur Verfügung zu stellen. Auch darüber scheint er nachgedacht zu haben.«[11] Waldheim wurde in seiner Persönlichkeit im Gegensatz zu den politischen Parteien dargestellt, von denen besonders die SPÖ immer wieder heftig angegriffen wurde.[12] Nach einer kurzen Phase in den Berichten unmittelbar nach der »Historikerbericht«-Übergabe kehrte *Die Presse* also wieder zu ihren ursprünglichen Mustern aus dem Präsidentschaftswahlkampf 1986 zurück (vgl. Gruber 1991; Wodak et al. 1990, S. 121-164).
Eine zweite Stoßrichtung nahm die Kritik an der Wissenschaftlichkeit der Historikerkommission wieder auf, indem Kommissionen als »schlechte Geschichtsschreiber« beschrieben wurden.

Die historische Wahrheitsfindung lebt vom einzelnen Wissenschaftler, der mit seiner ganzen Persönlichkeit hinter dem Werk steht und selbstverständlich auch herausgefordert werden muß. Eine Ansammlung von

10 Der Titel lautet: »Der Schauprozeß«, v. Thomas Chorherr, in: *Die Presse*, 10. 2. 1988, S. 1.
11 Th. Chorherr, »Nachdenktage«, in: *Die Presse*, 11. 3., S. 1.
12 Vgl.: »Es führt kein Weg zurück«: »Längst ist die gespaltene Zunge zum Wappenbild der SPÖ geworden, Vranitzky ein Zögling der Sinowatz-Schule im Nadelstreif«.

Einzelrecherchen hingegen, von denen einige noch dazu den Eindruck machen, es sollte trotz Munitionsknappheit herumgeballert werden, wird der Aufgabe nicht ganz gerecht.[13]

Mit dieser knappen Behauptung, die ein eher zweifelhaftes Bild wissenschaftlichen Arbeitens malt, ersparte sich der Autor eine Ausführung und Begründung seiner Aussage wie auch eine Auseinandersetzung mit den einzelnen, angeblich »herumgeballerten« [Zitat] Beiträgen. Die Selbstsicherheit, mit der der Arbeit der Historikerkommission die Qualität abgesprochen wurde, sollte hier wohl für den Wahrheitsgehalt der Behauptung selbst bürgen.

Die Presse führte also in ihren Leitartikeln den Waldheim-Diskurs mit den Strategien der vorangegangenen zwei Jahre fort, von denen vor allem ein Wir-Diskurs und die unterschiedlichsten Muster der Rechtfertigung besonders hervorzuheben sind: daß Waldheim als Präsident nicht zurücktrete, daß ganz Österreich einem »Schauprozeß« unterworfen werde usw. Dieser Diskurs, der einer verfolgten Unschuld, paßt sich ein in ein spezifisches Geschichtsbild, das von der *Presse* in der Berichterstattung zu den Gedenkfeiern vermittelt wurde und das einerseits sehr stark parteipolitisch gegen die SPÖ argumentierte, anderseits aber die Notwendigkeit und Sinnhaftigkeit eines speziellen Gedenkens nicht sah. Die Ablehnung der Gedenktage, ja überhaupt die Ablehnung des Nachdenkens über Vergangenheit, manifestierte sich in den pauschalen Beschimpfungen der Organisatoren von Symposien und Diskussionen und einer Degradierung eben dieser Veranstaltungen, eine charakteristische Ausgrenzung im Rahmen des Wir-Diskurses. Die politischen Gegner wurden nicht genannt, sondern blieben unkonkret und anonym, wie etwa in Schulmeisters Artikel »Es führt kein Weg zurück«: »Auf der Straße wird man Hrdlickas trojanisches Pferd[14], idealistische wie gesponserte Wahrheitsjünger, Haßprediger, Moralapostel und Geißlerzüge antreffen. Die Straße und die Medien in dieser Märzwoche gehö-

13 E. Washietl, »Stunde der Historiker«, in: *Die Presse*, 3. 3. 1988, S. 1.

14 Der Künstler Alfred Hrdlicka (vgl. Kapitel 4: Kampfschauplatz Kultur) baute ein hölzernes Pferd, das bei sämtlichen Anti-Waldheim-Demonstrationen mitgeführt wurde. Damit bezog er sich auf einen Ausspruch des ehemaligen Bundeskanzlers Fred Sinowatz, wonach nicht Waldheim, sondern sein Pferd bei der SA gewesen sei.

ren ihnen ...«[15] Der für die Leitartikel der Zeitung *Die Presse* (unter anderen) typische Wir-Stil unterstellt ein grundsätzliches Einverständnis der Leserschaft mit der von den Autoren vertretenen Meinung. Formulierungen wie: »Hoffen wir ...«[16] oder: »Man rechnet uns die Schuld der Eltern vor ...«[17] dienten der Herstellung von Gemeinschaft. Auch der Waldheim-Diskurs bzw. seine symbolische Bedeutung und die Sicht der Opfer paßten in dieses dichotome Geschichtsbild, in dem Österreich ausschließlich als Opfer der Geschichte gesehen wurde. Österreicher als Täter blieben ungenannt. Damit war *Die Presse* in der Darstellung der Märzereignisse in den Leitartikeln (parteipolitisch) einseitiger als selbst das Parteiblatt der ÖVP. Die Auseinandersetzung mit Geschichte war angstbesetzt und im Grunde tabuisiert. An vertrauten Denkmustern, die als abgesichertes Wissen präsentiert wurden, wurde festgehalten.

15 O. Schulmeister, »Es führt kein Weg zurück«, in: *Die Presse*, 5./6. 3. 1988, S. 1.

16 Ebd.

17 Th. Chorherr, »Nachdenktage«. Vgl. auch die *Anonymisierung* der Agenten (»man«).

3. März 1988: Das »parteiische« Gedenken

3.1. Die Beilagen in den Parteizeitungen zum März 1938

3.1.1. Einleitung

Staatliches Gedenken ist letztlich ein öffentlichkeitswirksames Herausstellen von Inhalten historischen Bewußtseins, die von einem Konsens der politischen Kultur und ihrer Hauptträger unterstützt werden. Dabei sind die Grenzen des historischen Wissens überhaupt und die Mechanismen, die ein solches konsensmäßiges historisches Bewußtsein fördern oder behindern, zu berücksichtigen. Eine der grundlegenden Annahmen der Zweiten Republik ist die negative Bewertung des im März 1938 vollzogenen »Anschlusses« Österreichs an Nazi-Deutschland. Gegen den »Anschluß« von 1938 zu sein, bereitet aber weniger Probleme als seiner zu gedenken, denn eine Darstellung der Ereignisse jener Tage, die über die bloße Verurteilung hinausgeht, müßte notwendigerweise Stellung zu verschiedenen »Meilensteinen« auf dem Wege zum »Anschluß« beziehen – innerhalb des politischen Rahmens, den die Grundwerte der Zweiten Republik bilden. Hier droht aber der staatstragende Konsens zusammenzubrechen. Die Frage liegt also nahe, ob ein solcher Konsens überhaupt existiert.
Worin besteht nun der Zusammenhang zwischen den von den drei »staatstragenden« Parteien geteilten Tatsachen über den »Anschluß« (am Beispiel des *Rot-Weiß-Rot-Buchs*) und der »Bewältigung« der März-Tage 1938? Wir haben die Berichterstattung von drei Parteizeitungen, des *Neuen Volksblattes* der ÖVP, der *AZ/Neues Tagblatt* der SPÖ und der *Neuen Freien Zeitung* der FPÖ, zum Jahr 1938 bzw. zum »Anschluß« ausgewählt. Die ersten beiden sind Sonderauflagen oder Sonderbeilagen der Tageszeitungen; das FPÖ-Blatt, eine Wochenzeitung, enthält Sonderbeiträge zu diesem Thema. Die drei Parteizeitungen sind deshalb ausgewählt worden, weil diese drei Parteien nicht nur »staatstragend« sind und zusammen über 90% der Wählerschaft vertreten, sondern auch, weil sie politische Strömungen repräsentieren, die eine gewisse Kontinuität in den politischen Kulturen der Ersten und Zweiten Republik darstellen. In Parteizeitungen sind außer-

dem die Zusammenhänge zwischen Ideologie, Wertvorstellungen und Geschichte näherliegend; sie sind daher als erläuternde Beispiele für unsere Thesen besser geeignet als »unabhängige« Zeitungen. Da aber diese Zeitungen beanspruchen, nicht nur rein parteiideologische (sprich schlicht tendenziöse) Geschichte zu schreiben, können die unausgesprochenen Barrieren zu kritischen und reflektierten historischen Erkenntnissen um so eher demonstriert werden.

Den gemeinsamen Nenner dieses »Tatbestandes« aus der Geschichte der Ersten Republik (der Weg zum »Anschluß« also) bildet eine Menge von allen Seiten anerkannter Tatsachen, deren Bewertung jedoch, je nach parteiideologischer Einstellung, unterschiedlich ausfällt. Unter anderem sind es die folgenden: die Existenz einer Tradition des »Anschlußgedankens«; parteipolitische Auseinandersetzungen in den 20er und 30er Jahren; das Ende der parlamentarischen Politik in Österreich am 4. März 1933; die Ereignisse rund um den Februar 1934; die Politiker und die Politik von Dollfuß und Schuschnigg; der Putschversuch vom 25. Juli 1934; das Juli-Abkommen vom Jahr 1936; die Berchtesgaden-Verhandlungen zwischen Schuschnigg und Hitler; die von Schuschnigg angekündigte, aber nie gehaltene Volksbefragung; das widerstandslose Hinnehmen des »Anschlusses«.

Wenn wir die drei Parteien ÖVP, SPÖ und FPÖ und ihre Geschichten im Licht der Grundwerte der Zweiten Republik betrachten, stechen einige parteispezifische »wunde Punkte« hervor. Einer Selbstlegitimation, die zum Teil versucht, solche Punkte zu erklären bzw. wegzuerklären, begegnet man auch in der Geschichtsschreibung einer »österreichischen« Geschichte des »Anschlusses«. Man sollte sich solche Selbstbilder der Parteien vor Augen halten, wenn man die Darstellungen in den drei Zeitungen betrachtet.

Die Sozialdemokraten (SPÖ) hatten es am leichtesten. Die SDAPÖ (Vorgängerin der SPÖ) war Mitbegründerin der Ersten Republik und bekam regelmäßig rund ein Drittel der Stimmen zum Nationalrat. Sie war auch Vertreterin und Verteidigerin – ideologisch und auch politisch – von parlamentarischer Verfassung und Republik. Sie war einerseits vielfach »Opfer« der antidemokratischen Entwicklungen in der Ersten Republik: aus dem Parlament ausgeschlossen im März 1933; Opfer des Dollfuß-Regimes im Februar 1934; illegal zwischen 1934 und 1938; führende

Kräfte zum Teil verhaftet, ins Exil verdrängt oder gar hingerichtet usw. Andererseits waren Sozialdemokraten überzeugte Verfechter des Anschlusses an die Weimarer Republik 1918, und einzelne haben sogar den »Anschluß« an Nazi-Deutschland 1938 akzeptiert oder als unwiderruflich bezeichnet (Karl Renner und Otto Bauer). Obwohl die SDAPÖ sich zudem immer zu parlamentarischen Kampfmitteln bekannt hatte, war sie gemäß ihrem Parteiprogramm auch bereit, unter gegebenen Umständen die Diktatur des Proletariats zu errichten, falls nämlich die bürgerlichen Parteien oder das Bürgertum schlechthin einem verfassungsmäßigen Wahlsieg der Sozialdemokraten mit einem bewaffneten Kampf zu begegnen versucht hätten. Selbst ein solches Bekenntnis war aber mit den Grundwerten der Zweiten Republik nicht vereinbar.
Das politische Vermächtnis der Dollfuß- und Schuschnigg-Regimes an die ÖVP war hingegen verhängnisvoller. Es ist zum Beispiel nicht zu leugnen, daß der christlichsoziale Kanzler Dollfuß das Parlament ausschaltete, die Sozialdemokratie und die Gewerkschaften verbot, einige ihrer Führer hinrichten ließ und eine quasi-faschistische Verfassung verkündete; oder daß der ebenfalls christlichsoziale Kanzler Schuschnigg die autoritäre Politik von Dollfuß fortsetzte, eine Zusammenarbeit mit der autonomen Arbeiterschaft prinzipiell ablehnte und bis kurz vor dem »Anschluß« auch untersagte und den »Anschluß« widerstandslos hingenommen hatte. Gleichzeitig konnte die Vorgängerin der ÖVP – was die relevanten Passagen der Moskauer Erklärung und die Gründung der Zweiten Republik betrifft – die Tatsachen als »Erfolg« für sich buchen, daß Dollfuß auch das erste persönliche Opfer der Nationalsozialisten gewesen war, daß Schuschnigg – was immer er auch gemacht haben mag – im letzten Moment die Fahne eines unabhängigen Österreichs gehißt hatte und daß sich Ständestaat-Politiker unter den ersten und wichtigsten politischen Häftlingen befunden hatten – allerdings zum Teil sozusagen *faute de mieux*, weil Sozialdemokraten und Kommunisten seit Jahren entweder im Untergrund oder im Exil gewesen waren. Im Licht der Werte der Zweiten Republik ist hier also viel Erklärungsbedürftiges zu bemerken. Inwieweit der Ständestaat der Wegbereiter des Nationalsozialismus war, bildet daher eine der wichtigsten, aber unausgesprochenen Fragen, zu deren Beantwortung die Darstellung der Ereignisse um den März 1938 beitragen soll.
Der FPÖ als österreichischer staatstragender Partei muß der hi-

storische Umgang mit dem Gedenken an den »Anschluß« wohl am schwersten gefallen sein. Die FPÖ ist die Nachfolgepartei des »Verbandes der Unabhängigen«, der nach dem Zweiten Weltkrieg wiederum unter anderem als Sammelbecken bzw. Wahlmöglichkeit für die über 500 000 ehemaligen Nationalsozialisten bei den Nationalratswahlen ab 1949 diente (Rathkolb 1986, S. 73-99; Reimann 1980; Stäuber 1974). Seit dem 19. Jahrhundert hatte es ein deutschnationales Lager in der Politik der Habsburger Monarchie wie auch in der Ersten Republik gegeben. Nach ihrem offenen und sehr starken Bekenntnis zur deutschen Nation innerhalb der Monarchie und ihrer Vorliebe für einen festen Bund mit dem wilhelminischen Reich war der wirtschaftliche Liberalismus das besondere Charakteristikum der »Deutschnationalen« bis zur Gründung der Ersten Republik. Unter den geänderten Umständen der Republik machten diese beiden Merkmale das deutschnationale Lager zum eifrigen, wenn auch nicht einzigen Verfechter eines Anschlusses Österreichs an Deutschland (Wandruszka 1954). Während der 20er und vor allem der 30er Jahre gewannen bekanntlich die Nationalsozialisten die Vorherrschaft im deutschnationalen Lager (Carsten 1978).
Nach dem Krieg lehnten der VdU und dessen Nachfolger, die FPÖ, es ab, in die rechte Ecke verwiesen zu werden, und versuchten, die Last dieser Vergangenheit damit zu bestreiten, daß sie die liberale Komponente hervorhoben und die frühere explizite deutschnationale Überzeugung in ein programmatisches Bekenntnis zur »deutschen Kulturnation« umwandelten (Reimann 1980; Skalnik 1972, S. 222 ff.). Mit der Wahl Jörg Haiders zum Bundesparteiobmann der FPÖ im September 1986 erlitten diese Bemühungen, die unter der Führung von Norbert Steger einigermaßen erfolgreich waren, einen Rückschlag. Die FPÖ bestreitet prinzipiell die Bezeichnung »Nachfolgepartei der NSDAP«, und führende FPÖ-Mitglieder (etwa Heide Schmidt und Norbert Gugerbauer) lehnen noch immer vehement den Verweis in die rechte Ecke ab. Aber die Vergangenheit des deutschnationalen Lagers und damit einer Partei, die zumindest mittelbar jenem Lager entstammt, dessen Vertreter den »Anschluß« 1938 ja vollzogen, ist nicht zu übersehen.

3.1.2. Die *AZ/Neues Tagblatt*

Die vermutliche relative moralische Überlegenheit der Sozialdemokraten spiegelt sich in den zwei »Thema«-Sonderbeilagen zur *AZ/Neues Tagblatt* vom 4. und 11. März 1988 wider. Die erste Beilage, die den Titel »Österreichs letzte Tage« trägt, beschreibt zum Beispiel das Vorhaben so:

> Wir beginnen mit Darstellungen der letzten Tage des Ständestaats: Schuschniggs Demütigung durch Hitler in Berchtesgaden, die Versuche, die Arbeiterschaft in letzter Minute – »zu wenig und zu spät« – in die Verteidigung Österreichs einzubinden, die Entwicklung der illegalen Nazipartei und die Verwurzelung des Anschlußgedankens, die nur aus einer langen Geschichte zu erklären ist (Titelblatt).[1]

Die neutrale Bezeichnung »Ständestaat« statt der häufig verwendeten »Austrofaschistischer Staat« signalisiert das Bemühen der Redaktion um eine weniger polemische Darstellung der Ereignisse. Das parteipolitische Moment wird natürlich durch die kritische Bemerkung »zu wenig und zu spät« hervorgerufen, aber die Beschreibung selbst beeinträchtigt den Anspruch auf Sachlichkeit kaum. Die Ankündigung spricht den wunden Punkt »Anschlußgedanken« zwar an, allerdings ist die Empfindlichkeit auch klar, da dieser Gedanke tief verwurzelt und »nur aus einer langen Geschichte zu erklären« sei.
Die sechs Beiträge wurden von insgesamt vier verschiedenen Autoren verfaßt. In einigen dieser Beiträge ist eine sehr polemische Sprache zu finden. Der Untertitel im Beitrag von Manfred Marschalek, »Schuschnigg soll zittern«, lautet zum Beispiel: »In Berchtesgaden kroch der kleine Diktator vor dem großen zu Kreuze«, während im Lead selbst Schuschnigg als »der österreichische Diktator« (S. I) bezeichnet wird. In einem Beitrag von Manfred Scheuch ist von »Austrofaschisten« die Rede (S. IX), und in einem anderen wird Dollfuß der »Vernichtung der österreichischen Demokratie und der Arbeiterbewegung« bezichtigt (S. X). Dagegen begnügt sich Scheuch in einem dritten Beitrag (»Der Aufruhr der ›Illegalen‹«) damit, die Ausschaltung des Parlaments 1933 bloß als »den autoritären Kurs« (S. XI) von Dollfuß zu cha-

1 »Österreichs letzte Tage«, Thema-Beilage zur *AZ/Neues Tagblatt*, Nummer 10/88, 4. März 1988. Seitenangaben bei dieser Beilage werden am Ende eines Zitats angegeben.

rakterisieren. Der Beitrag des Journalisten Georg Scheuer, »Nur für drei Wochen Freiheit«, schildert seine Erfahrung als politischer Häftling unter dem Schuschnigg-Regime kurz vor dem »Anschluß«. Scheuer bezeichnet das Schuschnigg-Regime ebenfalls nur als »autoritär«.
Die Darstellungen der oben genannten gemeinsam geteilten Sichtweisen entsprechen im großen und ganzen der offiziellen Version. Der längste Beitrag, »Nach dem Frühling kam der Winter«, betont die Bereitschaft und die Versuche seitens der illegalen Vertreter der Arbeiterschaft, Österreich gemeinsam mit den Schuschnigg-Anhängern zu verteidigen (S. VI-VIII). Hier wird erwartungsgemäß Schuschnigg gegenüber ein sehr kritischer Ton angeschlagen und eine ausschließlich positive Darstellung der Leistungen der Arbeiterführer vorgenommen. Selbst das aber paßt in die »Vorgeschichte« der Zweiten Republik hinein: Es gab nicht nur einen Widerstandsgeist gegen Hitler in der Arbeiterschaft, sondern es wurde letzten Endes eine breite Front vieler ÖsterreicherInnen für ein unabhängiges Österreich errichtet.
Der Beitrag »Tödlicher Traum vom Reich« von Manfred Scheuch behandelt die »Anschluß-Idee«, die, wie der Untertitel schreibt, »den Österreichern erst von Hitler ausgetrieben« wurde. Scheuch schreibt am Anfang, man könne die Geschichte »seit dem 17. Jahrhundert auch als eine Geschichte der Verdrängung Österreichs aus Deutschland schreiben«, und listet einige historische Daten auf (1648, 1763, 1806, 1815, 1848, 1866)[2], die diese Behauptung untermauern sollen. Er faßt weitere Entwicklungen zusammen und verschweigt keineswegs den Widerhall, den die Anschlußidee unter den Sozialdemokraten gefunden hatte. Er schreibt zum Beispiel: »Es besteht kein Grund zu verschweigen, daß damals [1918] die Sozialdemokratie der erste Träger des Anschlußgedankens war« (S. X). Daß die Sozialdemokraten die Forderung nach dem Anschluß an Deutschland bis 1933 in ihrem Programm behielten und daß die *Arbeiter-Zeitung* »bis zu ihrem Verbot 1934 im Untertitel die Bezeichnung ›Zentralorgan der Sozialdemokratie Deutschösterreichs‹« trug, wird von Scheuch erwähnt. In den kar-

2 1648: Ende des Dreißigjährigen Krieges; 1763: Endgültiger Verzicht auf Schlesien; 1806: Ende des alten Deutschen Reiches; 1815: »Wiener Kongreß«; 1848: »kleindeutsche« Lösung des Frankfurter »Vorparlaments«; 1866: österreichische Niederlage in der Schlacht von Königgrätz.

gen 20er und 30er Jahren wäre ein Anschluß an Deutschland vielen in Österreich nicht unbequem gewesen. »Mit der Machtergreifung Hitlers und der Errichtung der braunen Diktatur in Deutschland bekommt die Anschlußidee einen ganz anderen Charakter: Sie fällt nun zusammen mit den Machtansprüchen einer totalitären, faschistischen Partei.« Einer etwaigen Verantwortung der Sozialdemokratie dafür, daß in der Ersten Republik der Anschlußgedanke eine hohe Legitimation besaß, weicht Scheuch jetzt aber mit einer Erweiterung des Umfelds derjenigen aus, die die Anschlußidee nach 1933 ablehnten, aber gerade deshalb auch an sie glauben mußten:

Die Vereinigung mit *diesem* Deutschland wollen weder die Sozialdemokraten, die zusehen müssen, wie ihre Genossen jenseits der Grenze geknebelt, verfolgt, in die Konzentrationslager gesteckt werden, noch die Christlichsozialen, die sich in ihrem Mißtrauen gegen das ›preußische‹ Deutschland bestätigt sehen und mehr oder weniger offen wieder mit einer Habsburger-Restauration spekulieren.

Die Darstellung eines allgemein geteilten Anschlußgedankens sowohl durch die Christlichsozialen wie auch durch breite Schichten der Bevölkerung wird fortgesetzt. »Die Ablehnung Hitlers und der Nazis«, schreibt Scheuch,

ist aber für viele Österreicher immer noch nur ein zeitlicher Aufschub, keine grundsätzliche Haltungsänderung zum Anschluß. Nach der Ermordung von Dollfuß durch die Nazi-Putschisten singen die jungen »Vaterländischen« ihr Lied: »... Er gab für Österreich sein Blut, ein wahrer deutscher Mann ...« Zwar besinnt man sich auf österreichische Traditionen, freilich häufig auf die reaktionärsten, versucht sie aber als die besseren deutschen auszugeben (S. x).

Diese weit verbreitete Zustimmung zur Anschlußidee wird auch von Scheuch erklärt bzw. entschuldigt:

Man kann den Österreichern sicherlich am wenigsten vorwerfen, daß viele von ihnen, und keineswegs nur Nazis, dies damals als historische Notwendigkeit, wenn nicht Erfüllung alter Sehnsüchte betrachtet haben, in all den Jahren zuvor haben sie ja kaum etwas anderes erfahren, weder in den Schulen und Universitäten, noch von den politischen Parteien (S. x).

Nicht nur war es nicht »dem einfachen Mann 1938 zuzumuten«, daß der Anschluß nicht freiwillig, sondern gewaltsam durchgeführt würde, es war auch »nicht nur Opportunismus«, daß Karl Renner und Kardinal Innitzer den ÖsterreicherInnen ein »Ja« zur

Volksabstimmung über den tatsächlich erlangten Anschluß empfahlen. Denn hier

> wirkte bestimmt auch eine Überzeugung mit, die durch eine lange historische Entwicklung und Tradition genährt wurde, auf der Linken seit dem Revolutionstraum von 1848 und auf der Rechten mit der Utopie vom großen, heiligen Reich (S. x).

Daß »man« oder »der einfache Mann« sowieso jene tief verwurzelte Anschlußidee teilte, relativiert auch die Tatsache, daß Otto Bauer den »Anschluß« von 1938, wie Scheuch schreibt, »für einen irreversiblen geschichtlichen Vollzug« hielt (S. x). Die Nazi-Herrschaft in Österreich aber

> trieb den Österreichern ihre Anschlußfreude radikal aus, weckte in ihnen den Wunsch, wieder in einem eigenen Staat zu leben, brachte ihnen ein neues Selbstbewußtsein, kurz: gebar unter Schmerzen die österreichische Nation (S. x).

Scheuch schließt diese Geschichtsdarstellung mit der Bemerkung von Adolf Schärf, dem österreichischen Bundespräsidenten 1957-1965, zu deutschen Hitler-Gegnern 1944: »Der Anschluß ist tot«, und mit der Feststellung, daß der Widerstand der Österreicher »zur antifaschistischen Qualität eine weitere bekommen [hatte]: die des Ziels der Wiederherstellung des unabhängigen Österreich« (S. x). Somit schließt sich auch der Kreis: Die historische Verantwortung der Sozialdemokratie als heftige Verfechterin der »Anschlußidee« wurde politisch dadurch gutgemacht, daß einem prominenten Sozialdemokraten der Zweiten Republik die Aufgabe zufiel, den Tod eben dieser Idee deutlich zu bekunden.

3.1.3. Das *Neue Volksblatt*

Das *Neue Volksblatt* (*NVB*) veröffentlichte am 25. Februar 1988 eine 59seitige Sondernummer zum Thema »Österreich 1938-1988«.[3] Vielleicht hat das Unbehagen über die oben erwähnten Fragen aus der Zeit zwischen 1934 und 1938 bei der Themenauswahl eine Rolle gespielt. Jedenfalls kündigt das *NVB* auf der Titelseite an:

3 *Neues Volksblatt*, Sondernummer 48A, 25. Februar 1988.

Vor 50 Jahren schlug die Sterbestunde Österreichs.
Aber schon 1945 feierte es eine Auferstehung aus Not und Trümmern. Die Österreicher hatten in der Zeit, als sie nicht Österreicher sein durften, gelernt. In beispiellosen und daher beispielhaften Anstrengungen bauten sie einen Staat auf, der einen würdigen Platz im Kreis der Völkergemeinschaft einnimmt.
Die Leistungen aller – der Politik, der Wirtschaft, der Sozialpartner – werden in diesen Seiten gewürdigt; Standortbestimmungen und Zukunftsaussichten runden das Redaktionsprogramm ab.

Peter Klar weist in einer programmatischen Erklärung auf die Betonung und Farbe der Beiträge in der Sondernummer hin. »Es ist müßig, darüber zu streiten«, schreibt er, »wer nun die größere ›Schuld‹ an der so tragischen Entwicklung trage.« Diese Art vorauseilender Rechtfertigung begründet Klar so: »Fest steht, daß die Erwachsenen von damals heute längst tot sind, daß nur noch einige Greise sich erinnern können, wie es damals war, und warum es so und nicht anders geschah. Hat es also überhaupt einen Sinn, daß sich die Kinder und Enkel der Menschen von damals heute in Schuldzuweisungen üben?« Die Annahme über Geschichte und die Vergangenheit, die dieser Passage innewohnt, wonach »wie es damals war« und »warum es so und nicht anders geschah« selbstverständlich, aber jedenfalls nicht eines Erklärungsversuchs wert ist, widerspricht nicht nur unserer These, daß solche Behauptungen historisch fragwürdig sind, sondern offenbar auch Klars eigener Behauptung, daß es doch darum geht, »die Entwicklungen von damals historisch aufzuarbeiten und – gegenteiligen Erfahrungen zum Trotz – daraus zu lernen«. Dies wird in dieser Sondernummer teilweise versucht, ist aber von geringer Bedeutung, denn das

Problem Österreichs heute ist es nicht nur, seine Vergangenheit zu »bewältigen«, sondern viel mehr noch, das Heute zu bewältigen, damit die Aufgaben für die Zukunft des Landes erfüllt werden können.

Die Mehrzahl der Beiträge trägt diesem programmatischen Ziel Rechnung. Oberösterreichs Landeshauptmann, Dr. Josef Ratzenböck, beschreibt zum Beispiel 1938 als »Lehrjahr für unsere Zukunft«, ÖAAB-Landesobmann LHStv., Gerhard Possar, sieht darin einen »Anlaß für optimistische Zukunftsausblicke«, der Oberösterreichische Bauernobmann, Landesrat Leopold Hofinger, den »Mut zu neuen Wegen« usw. Trotz dieser allgemeinen Tendenz wird die Zeit vor 1938 nicht ausgeklammert. Wir wenden

uns daher den diesbezüglichen Beiträgen zu, um unsere These über die Verflechtung von Wert, Politik und Geschichte am Beispiel dieser Zeitung zu überprüfen.
Einer der überhaupt längsten Artikel in dieser Sondernummer ist der »Entwicklung der Anschlußidee« gewidmet und trägt den Titel: »Als überzeugte Österreicher noch Landesverräter waren« (S. 7-9). Der Titel selbst deutet auf die allgemeine Tendenz hin: Wenn die »Anschlußidee« für Sozialdemokraten einen wunden Punkt darstellen sollte, wie wir oben nahegelegt haben, scheint das *NVB* darin einen Trumpf für sich selbst zu sehen. Als Lead für den Beitrag wird unter anderem folgendes geschrieben:

Nach dem Untergang der Doppelmonarchie standen die Österreicher vor einem Scherbenhaufen, mit dem sie nichts anzufangen wußten. Von einem »Österreich-Bewußtsein«, wie es Ignaz Seipel und später Engelbert Dollfuß zu wecken versuchten, war wenig zu spüren, der Österreicher von seinem Denken her nicht Bürger eines Kleinstaates, der noch dazu wirtschaftlich darniederlag. In dieser Situation gewann die Idee des Anschlusses an Deutschland zunehmend an Bedeutung (S. 7).

Eine Darstellung, die die christlichsozialen Politiker Seipel und Dollfuß für die Hauptverfechter eines »Österreich-Bewußtseins« in der Ersten Republik hält, die aber gleichzeitig erkennt, daß die Anschlußidee an Bedeutung »gewann«, wird in der Folge konsequenterweise jene anonymen Kräfte aufspüren müssen, die entgegen der genannten christlichsozialen Politik die Anschlußidee eifrig vertraten. In diesem Beitrag scheint diese Darstellung dazu zu dienen, die verfassungsmäßig – wie immer, im Licht der Grundwerte der Zweiten Republik – weniger belastete Geschichte der Sozialdemokratie in der Ersten Republik durch eine Betonung der Österreich-Ideologie der Christlichsozialen einigermaßen auszugleichen.
Vor 1918, heißt es in diesem Artikel, sei die Anschlußidee »nur die Träumerei politischer Sektierer« wie Georg Schönerer gewesen. Noch bis kurz vor der »Abdankung« von Kaiser Karl 1918 sei »nur eine Minderheit« für einen »sofortigen Anschluß« gewesen:

Zu dieser gehörte Otto Bauer, dem Deutschland mit seinem höheren Industrialisierungsgrad bessere Bedingungen für die Sozialisten zu bieten schien als das agrarisch strukturierte Deutsch-Österreich mit seinen »Berglhubern«, wie christsoziale Abgeordnete von den Sozialisten in Wien abschätzig genannt wurden (S. 8).

Bauers Haltung wird in der Folge der Meinung von Viktor Adler, der eine föderative Lösung für die Habsburger-Monarchie vorschlug, irrtümlich gegenübergestellt, denn Bauer war bis zum Zusammenbruch der Monarchie auch für eine solche Lösung. Wie auch immer, in diesem Beitrag wird zwar richtig, aber nicht mit der impliziten Schuldzuweisung an Bauer vereinbar, festgestellt, daß »die Provisorische Nationalversammlung Deutsch-Österreich am 12. November 1918 zum Bestandteil der Deutschen Republik« wurde und daß vier Monate später »dieses Gesetz die einmütige [also auch mit den Stimmen der Christlichsozialen – Anm. d. V.] Bestätigung durch die Konstituierende Nationalversammlung« erfuhr (S. 8).
Obwohl das »politische Klima in Wien« 1919 »derart vom angestrebten Anschluß geprägt« wurde, »daß jeder Abgeordnete bestrebt war, nur ja nicht den Eindruck eines Anschlußgegners zu machen«, waren die Christlichsozialen in dieser Frage »bei Gott nicht« geschlossen. Wie bekannt, scheiterte der Versuch, Deutsch-Österreich an Deutschland anzuschließen, an dem Widerstand »vor allem der Franzosen, Italiener, Jugoslawen, Rumänen und Tschechen«. Dennoch ließ in Österreich die »Anschlußpropaganda« nicht nach – und zwar nicht seitens der Christlichsozialen, die über die Anschlußfrage »tief gespalten« waren:

Im Parlament freilich waren es die Sozialdemokraten, die in ihrem Anschlußeifer geradezu mit den Großdeutschen, deren erster Programmpunkt der Anschluß war, zu wetteifern schienen (S. 8).

Um diesem »Anschlußeifer« der Sozialdemokraten entgegenzutreten, kam im Mai 1922 »Prälat Ignaz *Seipel*[,] ein überzeugter Österreicher[,] ins Kanzleramt«, einer, »der auch gegenüber dem großdeutschen Partner kein Hehl aus seinem Bekenntnis zu Österreich gemacht hat« (S. 9).
Seipel, dessen Politik »auf die Erhaltung des Staates und eine neue Sinn-Gebung für Österreich« zielte, fiel es »sicher leichter als den Sozialdemokraten, die Bedingung zu akzeptieren, die England, Frankreich, Italien und die Tschechoslowakei im Oktober 1922 an die Garantie für 84 Prozent einer Anleihe von 650 Millionen Goldkronen knüpften: Österreich hatte die Verpflichtung übernommen, sich ... ›gemäß den Bestimmungen des Friedensvertrages seiner Unabhängigkeit nicht zu entäußern‹ ...« Weil er diese Bedingungen angenommen hatte, war Seipel für »die rote Oppo-

sition ... zum Landesverräter geworden, gegen den Otto Bauer nicht ›polemisieren‹ wollte, man gebe ihn nur der Verachtung preis, solange er ungefährlich sei, und man schlage ihn nieder, sobald er gefährlich werde« (S. 9). Nach 1933 sei es aber so weit gewesen, daß sich auch die Sozialdemokraten von den »Christsozialen« eines Besseren belehren lassen mußten:

> 1933, nach der Machtergreifung Hitlers, sahen auch die Sozialdemokraten im Anschluß keine Zukunft mehr. So wie die Christsozialen schon 1926 das in ihrem Programm aus dem Jahr 1918 enthaltene eingeschränkte Anschlußbekenntnis herausstrichen, erkannten jetzt auch die Sozialisten, worin der wahre Verrat an Österreich bestanden hätte (S. 9).

Der Wunsch, der dieser Darstellung innewohnt, für die ÖVP die Ehre zu beanspruchen, die früheren und daher besseren »Österreicher« gewesen zu sein, ist mit dem Versuch, den Sozialdemokraten ein höheres Maß an Schuld zuzuweisen, verbunden, denn, wie dieser Beitrag am Ende meint: »Aber über Nacht waren die Anschlußparolen nicht mehr aus den Köpfen der Österreicher herauszuholen« (S. 9).

Wenn das *NVB* hier nur andeutet, daß die Sozialisten wegen ihres Anschlußbekenntnisses Schuld an dem »Anschluß« im März 1938 trugen, werden die Beschuldigungen eindeutiger in dem Beitrag, der sich mit den letzten Tagen des Schuschnigg-Regimes befaßt. Hier geht es ziemlich offensichtlich um eine Rechtfertigung der eigenen Vergangenheit durch einen Versuch, den autoritären Ständestaat gegen ein vermeintliches Versagen der Sozialisten aufzurechnen. Wir werden hier nur einige erläuternde Beispiele bringen.

Der ebenfalls nicht unterzeichnete Beitrag mit dem Titel »Otto möchte Kaiser werden – oder wenigstens Kanzler« nimmt durch die Art und Weise der Geschichtsdarstellung Partei. Der Lead stellt fest, daß nach Berchtesgaden Schuschnigg »die Souveränität Österreichs praktisch [hatte] preisgeben müssen«, als ob dies die einzige Wahl für den Kanzler eines noch unabhängigen Landes gewesen wäre, und betont, daß auch Widerstand »zwecklos« gewesen wäre (S. 10). Nachdem Otto von Habsburgs Rat an Schuschnigg, er möge die »Befriedung nach links aktiv« betreiben, zitiert wurde, bemerkt der/die Autor/in lakonisch und ohne nähere Angabe (die ohnehin sehr schwer beizubringen gewesen wäre), daß »Frontführer Schuschnigg [dies] schon vergeblich versucht hatte« (S. 11). In einem Beitrag von Viktor Maleta mit dem Titel »›Meinen besten Freund‹ gefunden«, der die Geschichte dieser Ereignisse anhand von Erinnerungen schildert, kommt diese Aufrechnung noch klarer zum Ausdruck:

Mit dem einsetzenden Nazi-Terror, den ersten Anschlägen gegen jüdische Kaufhäuser um die Weihnachtszeit 1932, nach Hitlers Machtergreifung in Berlin; nach den Drohungen von Bayerns Justizminister und Hitlers Speichellecker Hans Frank während seines unerwünschten Besuches in Wien mit Zwangsmaßnahmen gegen Österreich nach der Verlängerung der Tausend-Mark Sperre am 27. Mai, aber allerspätestens nach der Ermordung Dollfuß' im Juli 1934 hätten die Sozialdemokraten das ideologisch Trennende hinter das patriotisch Verbindende stellen müssen (S. 24).
Viele Christlichsoziale trauten den Roten genausowenig wie umgekehrt. Gewiß, die Sozialdemokraten setzten auf die Erringung der Macht im Staate durch demokratische Wahlen, und sie meinten, das Ziel auch so erreichen zu können, aber sie hatten sich auch eine Ultima Ratio offengelassen, die den politischen Gegner mißtrauisch stimmen mußte (S. 24).
Die Ausschaltung oder besser: die Selbstausschaltung des Parlaments, an der die Sozialdemokraten mit dem Rücktritt des Ersten Nationalratspräsidenten Karl Renner aus einem relativ belanglosen Grund den entscheidenden Anteil hatten, war nicht der gefinkelte Coup Engelbert Dollfuß', wiewohl sie ihm aber nicht ungelegen kam (S. 25).
Insbesondere unter Kurt Schuschnigg hat es viele Versuche gegeben, die Vaterländische Front rot anzureichern (S. 25).
Während sich die »revolutionären« Sozialisten spät, aber doch allmählich zugänglich zeigten für die Versöhnungsversuche Schuschniggs, und Doktor Renner im Frühjahr 1937 zumindest den Boykott der offiziellen Gewerkschaften aufgab, blieb das »revolutionäre« Lager bei seinem Primat des »erbarmungslosen Klassenkampfes« und stellte sich so ungewollt in den Dienst des Berliner Braunauers (S. 25).

Es war nicht nur spät, sondern zu spät, und die Verantwortung für denselben Fehler ist nicht zu übersehen: »Erst ganz zum Schluß, als Österreich nach allem Ermessen längst verloren war, kamen die ›Revolutionäre‹ darauf, welchen Weg sie da mitbereitet hatten.« Und: »Zu dem Zeitpunkt, als die ›Revolutionäre‹ auf ihren Fehler draufkamen, war Österreich bereits abgeschrieben.«

3.1.4. Die *Neue Freie Zeitung* (*NFZ*)

Als Bemühungen, mit der Last der eigenen Vergangenheit angesichts der »Anschluß«-Gedenkfeiern fertig zu werden, müssen auch die Beiträge bzw. deren Auswahl und Zusammensetzung in der *Neuen Freien Zeitung* angesehen werden. Diese scheinen die Strategie zu verfolgen, den »Anschluß«-Gedanken per se zu relativieren und gleichzeitig ein Bekenntnis zur deutschen Kulturnation zu legitimieren. Dies erfolgt einerseits durch den Hinweis auf die breite Unterstützung, die die Anschluß-Idee unter den anderen Parteien (vor allem unter den Sozialdemokraten) der Ersten Republik genoß, und andererseits durch das Weitergeben der Meinungen von Autoren oder Autoritäten (wie z.B. Walter Simon, Viktor Frankl oder Theo Sommer), die nie in Verdacht kämen, dem deutschnationalen Lager anzugehören, deren Meinungen sich aber angeblich mit den Ansichten der FPÖ dekken.
Die wöchentlich erscheinende *NFZ* hatte am 21. Januar 1988 die Position der FPÖ zum Gedenkjahr in 16 Thesen herausgebracht (S. 8-10). Nur ein einziges Mal kam noch ein FPÖ-Mitglied zu Wort, nämlich der damalige Nationalrats-Abgeordnete Norbert Gugerbauer in einem zweieinhalbseitigen Interview am 10. März. Ansonsten wurden in der Folge ausschließlich Gastkommentare bzw. Interviews mit Wissenschaftlern oder Zeitzeugen gebracht. So erschien am 10. März in einem »Spezial« ein vierseitiges Interview mit dem Soziologen Walter B. Simon, der als Jude und Mitglied der SPÖ beschrieben wird (*NFZ-Spezial*, 10.3.88, S. I-IV). Am 17. März wurden »als vorläufige[r] Abschluß« (S. 10) die Rede von Viktor Frankl anläßlich der Gedenkveranstaltung am 10. März auf dem Wiener Rathausplatz und der Leitartikel von Theo Sommer, Chefredakteur der Hamburger Wochenzeitschrift *Die Zeit*, vom 10. März gebracht.
Die offizielle Position der FPÖ zum Gedenkjahr 1938/88, die am 21. Jänner 1988 in ihrem Parteiorgan wiedergegeben wurde, spannt den Bogen von 1918 über 1938 bis 1988. Hatte das *NVB* versucht, die Sozialdemokraten als die ernsthaftesten Verfechter eines Anschlusses an Deutschland (zumindest bis 1933) darzustellen und die Christlichsozialen als diejenigen, die als erste für ein eigenständiges Österreich eingetreten waren, so betont die *NFZ*, daß 1918 alle Parteien (Christlich-Soziale, Sozialdemokraten und

der »Verband der deutschnationalen Parteien«) für den Anschluß an Deutschland gestimmt hatten, den jedoch die »Siegermächte des Ersten Weltkrieges verboten« (S. 8).
In einem einzigen von insgesamt 17 Paragraphen wird explizit erwähnt, daß und in welcher Weise die Vorgängerparteien der FPÖ für den Anschluß an Deutschland waren. Die gesamte Darstellung ist im wesentlichen eine Rechtfertigung für den Anschluß aus damaliger Sicht. Dazu bedient sich das Positionspapier in erster Linie der Beschreibung der »Sündenfälle« der beiden anderen Parteien und betont deren »wunde Punkte«. In Absatz 4 wird z. B. festgehalten, daß alle Parteien, sogar die Kommunisten, am Anschlußgedanken trotz des Verbotes der Siegermächte festhielten. Als Wegbereiter für den »Anschluß« an Hitlerdeutschland werden die wirtschaftliche Not (Absatz 5), der »autoritäre Staat« des »›schwarzen Austrofaschismus‹« (Absatz 6) und der »schwarz-rote Bürgerkrieg« im Februar 1934 angeführt, wobei betont wird, daß den »Freiheitlichen«[4], obwohl sie sich herausgehalten hatten, die demokratische Grundlage entzogen worden sei.
Die Annexion Österreichs durch Hitler wird als »Anschluß« »in nicht gewünschter Form« bezeichnet (Absatz 10). Hier werden ebenfalls wieder »wunde Punkte« der anderen Parteien berührt. So wird hervorgehoben, daß sowohl die Kirche als auch Karl Renner (ein Sozialdemokrat und erster Kanzler der 1. Republik) bei der Volksabstimmung vom 10. 4. 1938 für den Anschluß gestimmt hätten (Absatz 12). Daraus wird abgeleitet, daß Anschlußgedanke und Nationalsozialismus ursprünglich nichts miteinander zu tun hatten und daß nicht alle, die für den damaligen Anschluß waren, als Nationalsozialisten verurteilt werden dürften. Gleichzeitig werden auch jene in Schutz genommen, »die sich in ihrem Idealismus betrogen und in ihrer Pflichterfüllung mißbraucht fühlten«. Für sie »brach 1945 eine Welt zusammen« (Absatz 14). Ihnen werden »die Opfer der NS-Zeit sowie jene, die aus Überzeugung Widerstand versucht hatten«, gegenübergestellt. Diese »empfanden 1945 als Befreiung«. Hier werden also auch Täter als Opfer ihres Idealismus und als »Verführte« beschrieben. Insgesamt gibt

4 Die *NFZ* referiert mit diesem Lexem auf ihre Vorgängerparteien, wobei dieser Begriff angesichts deren nationaler Politik wohl anachronistisch ist.

es in der gesamten Darstellung des Nationalsozialismus außer Hitler selbst keine handelnden Personen oder Personengruppen, es dominieren Abstrakta und Passiv:

Das NS-Regime errichtet eine Diktatur. Hinter der blendenden Fassade einer aufblühenden Wirtschaft und sozialer Verbesserungen breitete sich Willkür aus. Die Meinungsfreiheit wurde unterdrückt, Andersdenkende mit oft grausamen Methoden behandelt. Die Verfolgung der Juden und anderer Minderheiten steigerte sich zum verbrecherischen Genozid. In Österreich trübte sich die Stimmung zusätzlich durch die rücksichtslose Art der Gleichschaltung mit dem Altreich sowie den Verrat Hitlers an Südtirol (Absatz 13).

Für die Zeit nach 1945 wird festgehalten, daß der Staatsvertrag von 1955 ein Anschlußverbot an Deutschland enthält und sich die FPÖ zur Eigenstaatlichkeit Österreichs bekennt, aber auch betont, daß Österreich zum deutschen »Volks- und Kulturraum« (Absatz 16) gehört.

In allen Berichten der *NFZ* zu den Märzgedenkveranstaltungen werden »wunde Punkte« der FPÖ nirgends explizit angesprochen, im Gegenteil, es wird immer das freiheitliche Element der Vorgängerparteien erwähnt, nie jedoch die nationale Komponente. Dafür wird auf die Sündenfälle der anderen Parteien ausführlich Bezug genommen.

Die Grenzen zwischen »der Vergangenheit« und »unserer (parteiischen) Vergangenheit« sind also etwas undicht. Der gemeinsame Nenner dieser Darstellungen von Parteizeitungen ist wahrlich klein; das Gedenken des »Anschlusses« bleibt unentrinnbar mit dem Versuch verbunden, die Geschichte so »nützlich« zu machen, wie sie eben sein kann. Voltaire soll einmal Geschichte als »eine Menge Tricks, mit denen wir den Toten einen Streich spielen« bezeichnet haben.

3.2. Der Club 2 »Gott schütze Österreich«

Am Vorabend[5] des 50. Jahrestages des Einmarsches der Hitlertruppen in Österreich, also am 10. März 1988, sendete der ORF einen Club 2 mit sieben Zeitzeugen, die die Ereignisse um den 10. bis 12. März 1938 live miterlebt hatten. Diskussionsleiter war der Chef des Aktuellen Dienstes, Horst Friedrich Mayer, ein promovierter Historiker.
Als repräsentativer Beitrag des halböffentlichen Diskurses, der nicht zufällig auf dieses symbolträchtige Datum gesetzt wurde, soll anhand dieses Clubs[6] der Frage nachgegangen werden, welche Fragestellungen zu Österreichs jüngerer Vergangenheit wie beleuchtet werden konnten.

3.2.1. Die Zusammensetzung der Diskussionsrunde

Die Teilnehmerin und die Teilnehmer wurden durch Einblendungen folgendermaßen charakterisiert:

Mayer: Horst Friedrich Mayer, Diskussionsleiter;
Massiczek: Albert Massiczek, ehemaliger Nazi;
Schwager: Irma Schwager, Vorsitzende des Bundes Demokratischer Frauen;
Bronner: Gerhard Bronner, Schriftsteller und Kabarettist;
Maleta: Alfred Maleta, ehemaliger Nationalratspräsident;
Spitzy: Reinhard Spitzy, ehemaliger Diplomat;
Birsak: Friedrich Birsak, Brigadier i. R.;
Lovrek: August Lovrek, monarchistischer Jugendführer.

5 Genaugenommen überschritten die deutschen Truppen Österreichs Grenze in der Nacht vom 11. auf den 12. März, allerdings nach Mitternacht. Am 10. März 1938 hielt Schuschnigg seine »Abdankungsrede«, die auch auszugsweise im »Club« wiedergegeben wird.
6 Der Club 2 ist eine live-übertragene Diskussionssendung zu aktuellen Problemen politischer, sozialer oder kultureller Art, die zweimal wöchentlich im Spätabendprogramm gesendet wird. Die Runde setzt sich meist aus 7-9 DiskutantInnen und einem/er Moderator/in zusammen; dabei handelt es sich um ExpertInnen, Laien und Betroffene. Insofern erlaubt die Analyse dieser Sendung die Gegenüberstellung polarer Meinungen. Die DiskutantInnen involvieren sich meist sehr stark und vergessen oft die Künstlichkeit der Situation (vgl. Wodak 1983, 1988, 1989a, 1989b; Lalouschek 1985).

3.2.2. Der Verlauf der Diskussion

Mit einer Dauer von 2 Stunden und vierzig Minuten gehört dieser Club zu den längeren Diskussionssendungen. Nachdem die berühmte Abschiedsrede des damaligen österreichischen Bundeskanzlers Schuschnigg vom 11. März 1938 eingespielt worden war und der Diskussionsleiter einige einleitende Worte gesprochen hatte, stellte er die Gäste kurz vor und erklärte, daß die eingeladene Rosa Jochmann (eine deklariert antifaschistische Widerstandskämpferin, deren Teilnahme für die Diskussion sicher nicht unwichtig gewesen wäre) im letzten Moment aus familiären Gründen abgesagt hätte. Darauf erhielt jede/r der sieben TeilnehmerInnen das Wort, um zu erzählen, wie sie die Geschehnisse um den 10., 11. und 12. März 1938 erlebt hatten. Dies wurde sehr ausführlich getan, so daß diese Runde ein Drittel der Sendezeit in Anspruch nahm. Auffällig war hier, daß die meisten TeilnehmerInnen die Schilderung der Erlebnisse dazu benutzten, sich selbst ins rechte Licht zu rücken und eine Rechtfertigung ihrer Vergangenheit zu geben. Die »Geschichten«, die sie erzählten, waren wohl formuliert und gut aufgebaut, hatten offensichtlich ihre eigene narrative Struktur und wirkten durch Aufbau und Sprache oft wie Anekdoten.

Nach den Erzählungen der TeilnehmerInnen eröffnete der Diskussionsleiter das Gespräch mit der Frage nach Gefühlen und Gedanken der Teilnehmer vor 50 Jahren. Die Diskussion entwickelte sich sehr schnell von den Geschehnissen im März 1938 weg zu allgemeinen Fragen im Zusammenhang mit der nationalsozialistischen Vergangenheit Österreichs, nämlich zur Rolle der deutschen Wehrmacht und des Wehrdienstes. Obwohl der Diskussionsleiter immer wieder bemüht war, zum Thema »Zeitzeugen des März 1938« zurückzuführen, begann er im Widerspruch zu seinen eigenen Vorgaben ziemlich unvermittelt eine Diskussion über den Hitler-Stalin-Pakt, indem er Schwager diesbezüglich adressierte und sie als Kommunistin damit direkt angriff. Daraus entwickelte sich ein Konflikt hauptsächlich zwischen Bronner und Schwager, der einen großen Teil der restlichen Zeit beanspruchte. Dieser Konflikt erklärt sich aus den unterschiedlichen ideologischen Positionen der beiden Personen: Schwager, Angehörige der Kommunistischen Partei Österreichs, verteidigte noch immer die damalige Linie der Sowjetunion. Bronner, ein Sozial-

demokrat, vertrat bezüglich des Stalinismus eine scharf kritische Position: die österreichische Sozialdemokratie der Nachkriegszeit hatte immer stark gegen die KPÖ opponiert. Diese Spaltung der Linken war schon in der Zwischenkriegszeit vorhanden.
Daran anschließend kehrte die Diskussion wieder zum Thema »Anschluß« (hätte er verhindert werden können oder nicht) zurück, wobei von allen TeilnehmerInnen hauptsächlich die eigene Position wiederholt wurde, ohne daß eine Diskussion in Gang kam. Erst als Schwager erneut den Zweiten Weltkrieg als verbrecherischen Krieg bezeichnete, belebte sich die Diskussion durch heftige Proteste. Mayer nahm Schwager zögernd und ambivalent in Schutz und leitete durch eine längere Ausführung zu den Gedenkfeiern am Rathausplatz die Schlußrunde ein. Der Reihe nach faßten die TeilnehmerInnen zusammen, welche Lehren sie aus dieser Vergangenheit ziehen würden. Ganz unerwartet und zu Mayers Bedauern noch vor der laufenden Kamera fragte Schwager den Diskussionsleiter in seiner Funktion als Chefredakteur des Aktuellen Dienstes, warum eine Demonstration ihrer Organisation zu den Gedenkveranstaltungen nicht vom ORF übertragen worden war. Der über die Person Stalins ausgebrochene Konflikt zwischen Bronner und Schwager setzte sich bei einem anderen Thema fort (demonstriert man, um ins Fernsehen zu kommen? – eine zynische Frage Bronners hinsichtlich des von Schwager angeschnittenen problematischen Themas der Informationsselektion von Medien). Bei der abschließenden Vorstellung einiger Bücher bat Schwager Mayer, auch die Broschüre des Bundes demokratischer Frauen »Frauen im Widerstand« zu präsentieren, eine Bitte, der Mayer etwas herablassend nachkam. Als Abschluß dieses – besonders angesichts des Alters der DiskutantInnen – doch sehr langen Clubs las Mayer ein Gedicht von Julius Raab, einem früheren Bundeskanzler und Obmann der ÖVP, vor und verabschiedete sich von den ZuseherInnen mit einem »Gute Nacht«.

3.2.3. Die Gruppendynamik

Ein Element, das den Verlauf der Diskussion wesentlich mitbestimmte, war sicherlich das hohe Alter (66-80 Jahre). Es machte sich einerseits durch Müdigkeit und Konzentrationsschwäche bemerkbar, anderseits durch ein gewisses Desinteresse der Teilnehmer an den Aussagen der anderen Diskutanten, möglicherweise eine Folge des in diesem Alter meistens bereits vollständig abgeschlossenen und unverrückbaren Lebens- und Geschichtsbildes. Auf der anderen Seite wurde dadurch aber auch gleichzeitig die ganze Bandbreite an individuellen, aber typischen Geschichtsbildern vertreten.

Schwagers Anteil an dem geschilderten Konflikt bestand bis zu einem gewissen Grade darin, daß sie sich als moralische Instanz installierte, die durch ihren geleisteten Widerstand legitimiert war. Gleichzeitig war sie jedoch nicht imstande, andere Teilnehmer nach Gefühlen, etwa bezüglich des »Anschlusses«, zu fragen. Die Tatsache, daß Schwager noch 1988 Stalin verteidigte und verteidigen durfte[7], bewirkte implizit auch ein Gefühl von Neid bei den anderen, die mit ihrer Vergangenheit (Nationalsozialismus und Austrofaschismus) zumindest an der Oberfläche brechen mußten. Die Verweigerung von Einsicht auf beiden Seiten verhinderte daher auch ein Verständnis füreinander und eine nachhaltige Auflösung des Konfliktes.

Bronner, der den von Mayer initiierten Konflikt weiterführte und damit eine eher unerwartete Konstellation entstehen ließ (die beiden Juden und Anhänger von linken politischen Bewegungen agierten gegeneinander und suchten Koalitionen mit dem politischen Gegner), war allerdings in seinem Gesprächsverhalten kooperativer und hilfreicher. Er fragte immer wieder bei den anderen Diskutanten (außer bei Schwager) nach, präzisierte oder problematisierte deren Aussagen und nahm in gewisser Weise die Funktion des Leiters der Gruppe ein, obwohl er quantitativ relativ wenig zu Wort kam. Dies hatte seinen Grund darin, daß Mayer Bronners Fragen wiederholt unterbrach und abwürgte, so z. B. als Bronner die sich abzeichnende Heroisierung der Wehrmacht im Zweiten Weltkrieg problematisierte: Mayer, der dieses Thema selbst angeschnitten hatte (!), meinte plötzlich, die Diskussion

7 »Dürfen« ist hier nicht im Sinne von »gerechtfertigter Verteidigung« gemeint, sondern verweist lediglich auf die Tatsache, daß eine solche Verteidigung – unabhängig von ihrer moralischen Gerechtfertigtheit – öffentlich nicht tabuisiert (wohl aber heftig angegriffen) wird. Stalins Verbrechen zu brandmarken mag durchaus gerechtfertigt und moralisch verpflichtend sein, allerdings sollte der Kontext einer solchen Kritik berücksichtigt werden. In einer Diskussion über NS-Vergangenheiten gewinnt sie zwangsläufig *aufrechnenden Charakter*.

würde zu weit führen. Bronner, der durch sein Wissen, seine politische Position und seine Eloquenz (wohl als einziger) imstande gewesen wäre, den trügerischen Konsens der restlichen Gruppe (außer Schwager) mit dem Diskussionsleiter und die damit verbundenen Mythisierungen und Legendenbildungen aufzubrechen und dies auch wiederholt versuchte, wurde mit formalen Argumenten, die auch die Hilflosigkeit des Diskussionsleiters ausdrücken, zurückgehalten. Die Einseitigkeit der Gesprächsrunde wurde dadurch besonders deutlich.

Massiczek stellte sich als ehemaliger, illegaler SS-Angehöriger dar, der aber durch die Rede Schuschniggs und einige andere Informationen über Grausamkeiten der Nazis ziemlich bald »bekehrt« worden sei und sich dem katholischen Widerstand zuwandte. Als »bescheidener« Mensch (Eigendefinition), der nicht anderen ins Wort falle und sich in den Vordergrund dränge, fühlte er sich in der Diskussion zeitweise benachteiligt und wurde daraufhin öfters vom Diskussionsleiter explizit zu Äußerungen aufgefordert.

Maletas Beiträge sind vor allem durch eine auffallend eitle Selbstdarstellung gekennzeichnet: Die Imagebildung als Widerstandskämpfer gegen die nationalsozialistische Okkupation (»Verhaftung am Schreibtisch«) war ihm wichtiger als die Lebenserhaltung (von einem britischen Abgeordneten angebotene Flucht ins Ausland). Auch seine Selbststilisierung als zukünftiger Retter und Wiederaufbauer des »Vaterlandes« paßte in diese Imagebildung. Dennoch wurde anhand seiner Ausführungen am ehesten nachvollziehbar, was damals (1938) »wirklich geschah«. Im Unterschied zu Birsak nahm Maleta die Nationalsozialisten bereits zum damaligen Zeitpunkt als Gegner ernst und bagatellisierte sie nicht.

Spitzy erhielt (im Unterschied zu Schwager) von Mayer viel Zeit, seine Biographie ohne Bezug auf den 10. März 1938 darzustellen. Spitzys Schilderung enthielt einige Brüche und Widersprüche (er selbst distanzierte sich in diesem Club nie von seiner damaligen Tätigkeit als Sekretär des Nazi-Außenministers Ribbentrop), die von Mayer nicht aufgegriffen und geklärt wurden, so z. B. als Spitzy erzählte, daß er anstelle eines Juden in dessen Position als Erster Sekretär kam. Tabuisierungen, Verdrängung und mangelnde historische Reflexion wurden also hier besonders deutlich.

Birsak schilderte seine Aufgabe, den österreichischen Bundesprä-

sidenten Miklas vor den Nationalsozialisten militärisch zu schützen, in einer slapstick-ähnlichen Art, aus der deutlich hervorgeht, daß die Nazis militärisch nicht ernst genommen wurden. Auch die indirekte Selbstdarstellung wirkte wenig distanziert und eher unkritisch in bezug auf den Nationalsozialismus – und dies, obwohl Birsak von Mayer als österreichtreuer Offizier eingeführt worden war. Diese Einstellung ließ sich nicht durchhalten, v. a. auch, weil Birsak im Verlauf der Sendung erwähnte, wie er als Angehöriger der deutschen Wehrmacht versuchte, an die Front versetzt zu werden, um sich – wie seine damaligen Offizierskollegen – auch endlich auszeichnen zu können. Diese Widersprüche wurden vom Diskussionsleiter nicht weitergeführt, sondern tabuisiert.
Lovrek schließlich zeichnete als Monarchist ein anderes Welt- und Geschichtsbild, daß nämlich Österreich von den Westmächten damals »verraten und verkauft worden sei«. Als Bronner diese Sichtweise in Zweifel zog und diskutieren wollte, unterbrach Mayer jeden Ansatz von Klärung, sobald Lovrek ihn, um Hilfe bittend, ansah. Lovrek schloß sich unter Bezugnahme auf Maleta, allerdings explizit ausformuliert, der Norm an, daß Flucht vor dem Feind unanständig gewesen wäre (»Ich würde mich in den Tod hinein genieren, wenn wir ah wenn wenn ich überhaupt nur daran gedacht hätte wegzulaufen«). Dies kann durchaus als nicht einmal unterschwelliger Angriff auf Schwager und Bronner, die zuvor ihre Flucht nach Belgien bzw. in die Tschechoslowakei beschrieben hatten, gewertet werden. Aber auch dieser »Mythos des Dableibens« wurde nicht hinterfragt, etwa bezüglich der Judenverfolgungen und -vertreibungen.
Mayer unterband also jede Art von kontroversieller Diskussion (außer bezüglich Schwager) bereits von Beginn an. Nicht zuletzt aufgrund der Diskussionsleitung muß dieser Club bezüglich des Umgangs mit der eigenen Vergangenheit als einseitig, relativierend, tabuisierend, verschleiernd und aufrechnend gewertet werden.

3.2.4. Einige Strategien des Umgangs mit Österreichs »Vergangenheiten«

Es fällt auf, daß von den eingeladenen TeilnehmerInnen sehr unterschiedliche Geschichtsauffassungen vertreten wurden, die wohl auch in breiten Kreisen der österreichischen Bevölkerung mehr oder weniger konkret vorhanden waren. Wie sehen einige solche Geschichtsauffassungen nun aus, welche Funktion können sie haben, und wie wurde in diesem Club mit ihnen umgegangen? Diese Fragen und die Frage, welche »Legenden« in diesem Zusammenhang gebildet wurden, möchten wir hier aufgreifen.

3.2.4.1. Legendenbildung: Die Wiedererstehung Österreichs

Bereits aus den Überlegungen zur Gruppendynamik dieses Clubs und der vorhergehenden Analyse ist hervorgegangen, daß der Diskussionsleiter einen wesentlichen Anteil an einer eher einseitigen Darstellung der jüngeren Vergangenheit Österreichs hatte. Zu einer undifferenzierten, verschwommenen Wahrnehmung geschichtlicher Ereignisse gehörte aber auch die Bildung von Mythen und Legenden, die weder vom Diskussionsleiter noch von den anderen Teilnehmern hinterfragt wurden. Mythen (vgl. Edelman 1977 und Kap. 1.) sind *per definitionem* rationaler Überlegung nicht zugänglich und dienen zur Errichtung einer kollektiven Sicht bestimmter Ereignisse (im folgenden etwa des heroischen Widerstands gegen die Nazi-Okkupation und die Selbststilisierung zu demokratischen Freiheitskämpfern). So stellte sich z. B. Maleta als jemand dar, der bereits am 11. März 1938 von der Wiedererstehung Österreichs gewußt hätte und deshalb nicht geflohen wäre, weil das Land mutige Männer zum Wiederaufbau gebraucht hätte.

... Aus der inneren Überzeugung heraus, daß wir in der Bevölkerung nicht den Eindruck erwecken dürfen, daß wir es uns richten, ich habe ... geglaubt . in mir war die felsenfeste Überzeugung, daß Hitler trotz aller Erfolge sich auf die Dauer nicht wird durchsetzen können und in dieser Stunde einer möglichen Wiedererrichtung Österreichs müssen Männer da sein, die dem Westen den Beweis geliefert haben, daß sie für diesen Staat alles riskiert haben . also bin ich dorthin marschiert und bin an meinem Schreibtisch verhaftet worden und dann ins Gefängnis eingeliefert worden. Das waren meine unmittelbaren Erlebnisse an diesen Tagen (0:19,57[8])

Noch deutlicher wird Maleta etwas später (1:08,17):

Es hat ja Hunderte und Tausende . Gefangene des Naziregimes gegeben. Da war doch nur eine Wahl, entweder *einzurücken* oder an die Wand gestellt und erschossen zu werden. Und ich hab mir gedacht . davon hat das Vaterland nix . ich werd . das Hitlerregime wird einmal zu Ende sein. Und wir sind dann berufen, ein neues freies Österreich aufzubauen. Und daher . ich hab mich ja in der Wehrmacht nicht besonders hervor getan, net wahr. Ich bin ja ah net . Offizier gwesn und . hab auch keine Orden und Auszeichnungen ah ah . bekommen. Man ist einfach mitgelaufen, um zu überleben. Und dann da zu sein, wenn die Stunde der Geschichte schlägt, wo ein neues, freies Österreich möglich ist.

In dieser Darstellung aus der Perspektive des Jahres 1938, als Maleta, wie er selbst an anderer Stelle sagte, überzeugter Anhänger des Schuschnigg-Regimes war, drehte er den Spieß um und stellte sich als Verfechter eines freien Österreich dar. »Frei« sein kann zunächst einmal bedeuten, frei von der Okkupation. Über die Staatsform dieses »freien« Landes ist damit natürlich noch nichts ausgesagt. In seiner teleologischen Deutung impliziert jedoch die Bedeutung »frei« auch die neue Staatsform der Zweiten Republik, d.h. die Demokratie. Maleta gab sich in dieser Selbstdarstellung also auch als Verfechter der Demokratie aus. Die unausgesprochene Prämisse, die einer solchen Aussage zugrunde liegen muß, ist die, daß alle Regierungsformen, die nicht so diktatorisch und verbrecherisch wie der Nationalsozialismus waren, in ihrem Grunde zumindest demokratische Züge in sich getragen hätten. Hier dient also diese Legendenbildung, die auf einem anachronistischen Widerspruch beruht, einer indirekten Relativierung des Ständestaates und seiner diktatorischen Formen.

3.2.4.2. Harmonisierung: Der »Geist der Lagerstraße«

Mayers Harmoniebedürfnis, das über weite Strecken Klärungen verhinderte, wurde auch von anderen Teilnehmern aufgegriffen. So postulierte auch Lovreks Äußerung bezüglich des »Geistes der Lagerstraße« diese Harmonisierung und stellte eine Verdrängung

8 Diese Angaben geben den Zeitpunkt der Äußerung innerhalb des Clubs in Stunden, Minuten und Sekunden an.

von ideologischen und politischen Unterschieden, von Schuldigen und Opfern, von Toten und Überlebenden dar. All dies sollte zugunsten einer diffusen Gemeinsamkeit »weggeschoben« werden. Auch die nicht-politischen Opfer der Nationalsozialisten, die Juden, die keine Gelegenheit hatten, sich am »Geist der Lagerstraße« zu beteiligen, wurden schlicht »vergessen«. Mayer schloß sich an diese phasenweise sogar explizit formulierte Verdrängung Lovreks nahtlos an und machte einen, an Schwager zuvor kritisierten, Sprung in die Gegenwart, indem er eine Fernsehübertragung (!) nannte, in der diese nicht näher differenzierte Gemeinsamkeit seiner Meinung nach sehr eindrucksvoll dargestellt worden sei.

Mayer: Das ist ein Riesensprung in die Gegenwart.
Schwager: Das sind heute ja die Lehren, die man ziehen kann. Also bitte, man muß sie doch ziehen, net.
Lovrek: Sicher, gnädige Frau, die haben wir ja jetzt schließlich und endlich *alle* gezogen. Und ich will Ihnen jetzt einen Vorschlag machen.
Schwager: Bitte.
Lovrek: Den Geist der Lagerstraße. Damals sind wirklich *alle*
Schwager: Ja
Lovrek: Österreicher, ganz wurscht, ob der rot, grün oder schwarz oder irgendeiner Farbe angehört hat, nicht wahr, davon überzeugt gewesen, daß es *keine* Fehler mehr geben soll, wie sie gemacht *wurden*. Das wird von niemanden von uns bestritten.
Massiczek: Im Widerstand war es genauso wie in der Lagerstraße.
Lovrek: Natürlich, ja. Und jetzt ist der Moment wieder da, gnädige Frau.
Schwager: Ja. Ja.
Lovrek: Und jetzt ist der Moment wieder da, nicht wahr. Ein bißl andere Vorzeichen, aber es ist *fast* dasselbe große Schicksal, das da vor uns steht. Jetzt müssen nämlich alle zusammenhalten, nicht wahr. Es muß alles *weggeräumt* werden, das da irgendwie ah . sagen wir als als . nicht zu nehmende *Hürde* da ist. Sondern es gibt überhaupt nur eines und das klingt, das klingt. Ich weiß Herr Bronner, Sie können lachen was Sie wollen. Sie können noch so viel lachen, sondern ich mach Sie auf *eins* aufmerksam, nicht wahr. Wenn die Österreicher es *nicht zustand* bringen in dieser Situation jetzt, alles was sie trennt. Das klingt nämlich so furchtbar phantastisch, es ist es nicht, nicht wahr. Alles, was sie trennt wirklich einmal wegzuschieben und sich zu sagen, *so* jetzt, nicht wahr, alles was da auf uns zukommt, nicht wahr, müssen *wir gemeinsam* meistern, nicht wahr. Dann werden wir *bestimmt* diese Hürde wieder nehmen. Genauso wie wir die ganzen, das ganze tausendjährige Reich überdauert haben, nicht.

Mayer: Ich weiß net, wer von Ihnen zumindest sich die Fernsehübertragung, die dann in der Zeit im Bild 2 zusammengefaßt ist, davon gesehen hat, ich meine die Kundgebung heute vor dem Wiener Rathaus, wo also eine ganze Reihe . von Rednern aller politischen Lager aufgetreten ist. Und es war für mich eigentlich sehr eindrucksvoll, da zu sehen, wie ungefähr, es werden nach Schätzungen dreißig-, bis vierzigtausend Personen gewesen sein, die hier den Rednern zugehört habn. Also etwa einen Viktor Frankl, den ich heute schon genannt habe. Aber auch einen Fritz Bock, einen Bruno Kreisky eh ... eh Dr. Soswinsky beispielsweise. Eh . wie die Leute da nicht nur *aufmerksam* zugehört haben, sondern auch selber begriffen haben, worum es *allen* geht, die dort gesprochen haben, einvernehmlich gegangen ist. Das waren für mich sehr eindrückliche Bilder. Und ich hab mir dann die Nachrichtensendungen, die Spätnachrichtensendungen anderer Fernsehstationen übers Kabel angesehen und ich kann, konnte feststellen, daß man diese Kundgebung ..., die ja keine politische Manifestation gewesen ist, sondern mh . die eigentlich einfach ein Sichversammeln auf dem Rathausplatz zum 50jährigen Gedenken dessen, was vor fünfzig Jahren passiert ist, gewesen ist. Wie sehr die ausländischen Nachrichtensendungen darauf eingegangen sind. Ein bißl möglicherweise wird das, was Sie, Herr Lovrek, eben gesagt haben, vermutlich eh . den Österreichern in diesen Tagen bewußter und bewußt sein. Ich habe jedenfalls das Gefühl, wir haben das mit einer ziemlichen Anteilnahme ah . da beobachtet und verfolgt. Wenn eine Wirkung, wie die von Ihnen jetzt vorgeschlagene, davon ausgeht, so soll es nicht nur mich subjektiv freuen als Bürger dieses Landes, der sich viele Dinge doch sehr aufmerksam und auch . mit Anteilnahme ansieht ... in diesem Sinn also würde ich auch für mich selber Lehre da draus ziehen. Ich weiß net, wer von Ihnen dort gewesen ist und sich das angesehen hat. (2:15,45)

Bezeichnenderweise wurde der Vergleich zwischen dem »Geist der Lagerstraße« und den gegenwärtigen Problemen um Waldheim von Bronner nonverbal (Lachen) massiv in Zweifel gezogen. Lovrek ließ sich in seiner Strategie der Relativierung und Verharmlosung nicht beirren und wurde von Mayer bestärkt, der zwei Minuten lang von eindrucksvollen Erlebnissen sprach, ohne auch nur ein einziges Mal eines dieser Erlebnisse oder der nun »begriffenen« Probleme namentlich genannt zu haben. Verdrängung und Euphemisierung überwogen, sprachlich drückten sie sich durch unklare Referenzen, vor allem über nicht präzisierte Deiktika (dessen, was vor fünfzig Jahren passiert ist; wir haben das mit einer ziemlichen Anteilnahme ah . da beobachtet etc.) aus. Wie diffus solche Konzepte von »Einigkeit« und »Gemeinsamkeit« sind, die in Wirklichkeit nur dazu dienen, Konflikte bezüglich der unaufgearbeiteten Vergangenheit Österreichs zuzudecken und zu verdrängen, könnte nicht eindrucksvoller bestätigt werden. Ausschlaggebend war ja für Mayer auch nicht die eigene Überzeugung, sondern die Reaktion der Medien, vor allem der ausländischen Medien (Imagearbeit), die den Beweis lieferten, daß Österreich sich tatsächlich gebessert habe.

3.2.4.3. Verharmlosung und Relativierung: War die deutsche Wehrmacht »hochanständig«?

Aus dem Interesse des Diskussionsleiters läßt sich deutlich eine Schwerpunktsetzung auf folgende Themenkomplexe erkennen: a) Man konnte sich dem Wehrdienst nicht entziehen; b) wer im Nazi-Krieg gekämpft hat, sich vielleicht sogar ausgezeichnet hat, kann dennoch Gegner des Nationalsozialismus gewesen sein; c) die Wehrmacht war »gut«, »hochanständig« und eigentlich gegen Hitler.[9] Schwager wandte sich zunächst aufgrund eines Artikels, der den Diskussionsteilnehmer Birsak als im Rußlandfeldzug hoch dekorierten Offizier lobte, gegen diese Heroisierung des Soldatentums und fragte am Beispiel von, an alle Haushalte ausgeteilten, Soldatengedenkmedaillen, welches »Vaterland« denn diese gepriesenen Soldaten verteidigt hätten. Darauf erfolgte eine erste massive Verharmlosung durch Spitzy:

Schwager: Stellvertretend für alle österreichischen Soldaten, welche zwischen 1939 und 1945 für ihr Heimatland kämpften, wurden diese 27 Medaillen da geprägt. Und ich frage mich nur, für welches Heimatland haben, ist denn da gekämpft worden. Nicht für die Frauen im Hinterland. Das war für die *Nazis*. Und für die, für Auschwitz und für, für diese Ziele. Dafür, *daß man ein Land nach dem anderen* . ah . ah . jetzt müßte mans wissen. Ich gebe absolut zu, daß damals das viele Menschen nicht so gesehen haben. *Aber jetzt* müßte man das doch wissen, nicht, jetzt müßte man wissen, wie schrecklich, was für ein Unglück.
Spitzy: Wer hat denn das geschrieben? Narren gibts ja immer, nicht.
Schwager: Bitte?
Bitte?
Spitzy: Narren gibts ja immer.

9 Vgl. hierzu in letzter Zeit: Browning (1992); Bartov (1985, 1987) sowie Manoschek (1993).

Doch auch der Diskussionsleiter fiel Schwager hier ins Wort und lenkte vom eigentlichen Thema ab. Maleta, Lovrek und Birsak nutzten daraufhin die Gelegenheit, um aufgrund ihrer persönlichen Erlebnisse zu argumentieren, daß die Wehrmacht im Grunde antinazistisch und gegen Hitler eingestellt gewesen wäre (vgl. Messerschmidt 1969; Messerschmidt/Wüllner 1987). Der Diskussionsleiter ließ sie dabei über sehr lange Strecken gewähren, obwohl er bereits vorher die Bitte geäußert hatte, wieder zum Thema zurückzukehren.

Maleta: Bitte? Das ist eine sehr interessante Frage . weil die mir die Möglichkeit gibt, auf etwas hinzuweisen, was in vollkommene Vergessenheit geraten ist. Ah . die deutsche . die Führung der deutschen Wehrmacht . war ja im Grunde *antinazistisch*. Das waren doch die alten *Barone*. Aus Oberschlesien und die die alten *deutschnationalen*. Die haben doch nur vom Proleten Hitler geredet. Und daher hat ja dann Hitler diese ganze Wehrmachtsführung abgesetzt und ausgewechselt und seine Trabanten eingesetzt. Also die . *mein* Kommandant. Mein Kommandant . *mein Major* .. war ein deutscher Baron, ein norddeutscher Adeliger. Ein Freiherr von, ich weiß den Namen jetzt nicht mehr. Und ich kann mich an viele gemeinsame Gespräche erinnern. Er hat gewußt, ich bin KZler, ich habe ihm das erzählt. Und ah . wir haben dann gemeinsam übern Hitler geschimpft und haben gesagt, das muß ein böses Ende nehmen. Das heißt, da waren ja viele Gemeinsamkeiten vorhanden.

Einzig Bronner versuchte immer wieder, diese allgemeine Sichtweise über die deutsche Wehrmacht, die zu Beginn sogar vom Diskussionsleiter suggeriert worden war, anzugreifen und als Fehleinschätzung (Mythos) zu entlarven, allerdings ohne großen Erfolg, da er keinerlei Unterstützung erhielt. Im Gegenteil, er wurde als erster vom Diskussionsleiter unterbrochen:

Birsak: Denn die deutsche Wehrmacht war damals noch hoch anständig.
Bronner: Wie konnte sie sich dann nicht gegen die Gestapo durchsetzen?
Birsak: Bitte?
Lovrek: Wieso sie sich nicht gegen die Gestapo durchsetzen konnte.
Bronner: Wenn sie so Anti-Hitler war und die Macht hätte sie ja gehabt. Und die Waffen.
Schwager: Die Waffen vor allem.
Birsak: Bitte, Herr Bronner. Ich höre die Worte . hätten und warum nicht und so weiter . sehr ungern. Das sind lauter Spekulationen, die man *in keiner Weise* begründen kann.
Bronner: Das sind keine Spekulationen, das ist eine Frage, die mich interessieren würde. Und nicht nur mich.

Birsak: Genauso . genauso würde mich interessieren . interessiert es viele Leute . warum hat das *Bundesheer* nicht geschossen beim Einmarsch.
Bronner: Weil das Bundesheer zu schwach war. Die deutsche Wehrmacht war stark genug. Die war mit Abstand die stärkste Macht der Welt.
Birsak: Damals, damals nicht.
Bronner: Im 40er Jahr?
Birsak: Ja (...)
(...)
Birsak: Im Jahr 38, da waren unsere Soldaten wesentlich besser ausgebildet.
Lovrek: Weshalb hat denn der Hitler, nicht wahr, die . seine Schreikrämpfe gekriegt gegen seine Generale, nicht wahr, wie er einmarschiert ist.
Mayer: Da sind wir Gott sei Dank von selber beim Thema. Ah . wenn auch durch einen Umweg bei der Frage . die ich vorher gestellt hätte. War das, was 1938 passiert ist, ein militärischer Erfolg des Nachbarlandes, das uns was aufgezwungen hat. Hätten wir die Möglichkeit gehabt, Frage Bronner, uns zu wehren, Planungen hats gegeben.
Bronner: Entschuldigung, das war nicht meine Frage. Warum das Bundesheer sich nicht gegen die Wehrmacht zur Wehr gesetzt hat. *Nein!* Meine Frage, warum die Wehrmacht sich nicht gegen die Gestapo und die SS zur Wehr gesetzt hat.
Birsak: Das war die Frage.

Vom Diskussionsleiter initiierte Verharmlosungen wurden von einigen Diskussionsteilnehmern bereitwillig aufgegriffen und weitergesponnen, Gegenargumente wurden nach kurzer Zeit abgeschnitten bzw. tabuisiert, wenn andere Möglichkeiten und Versuche (Ablenkung, Wortverdrehung etc.) nichts mehr fruchteten. Der Diskussionsleiter hatte, sich der feinen Nuancen der Sprache bedienend, Andeutungen, Anklänge in den Raum gestellt, ohne sie auszuformulieren. Er hatte seine subjektiven Meinungen nicht explizit ausgesprochen, sondern sie hinter allgemeinen Feststellungen des scheinbar »objektiven Diskussionsleiters« (vgl. Nowak 1983) verborgen. Ein solches Gesprächsverhalten des Diskussionsleiters erweckt sehr stark den Eindruck der Manipulation.

3.2.4.4. Tabuisierung: Hat es einen Austrofaschismus gegeben?

Eine spannungsgeladene Diskussion, die sich über die gesamte Vorstellungsrunde hinweg durchzog, war die um den »Austrofaschismus« (vgl. Kap. 1.3.). Hatte es ihn gegeben oder nicht? Schwager, die den Begriff als erste ins Gespräch einbrachte, war eindeutig der Meinung, es hätte ihn gegeben. Dies entspricht auch der offiziellen Linie der KPÖ, aber selbstverständlich nicht nur ihrer:

Schwager: Ich hab allerdings . also vor . vier Jahre vorher ah 34 war ja . ab 34 war ja die austrofaschistische Diktatur, und da gabs ka keine Parteien. Also in diesen vier Jahren hat man ja schwer Anschluß gefunden zu einer politischen Bewegung.

Auch Bronner vertrat in seinem ersten Redebeitrag diese Geschichtsauffassung, wenn er sich auch nicht explizit auf Schwager bezog:

Bronner: Schuschnigg. Es war damals eine kurze Zeit . ich würde sagen zwei drei Wochen, wo man ungehindert und ungestraft mit . drei Pfeilen am Revers herumgehen konnte . man hat sich gegenseitig gegrüßt, »Freundschaft«, und man hat das Gefühl gehabt, daß es zu einem Aufbruch ... man hat gehofft, daß die Zeit des Austrofaschismus jetzt zu Ende geht . daß irgend etwas passieren könnte was so ähnlich wird, wie seinerzeit eine Demokratie gewesen ist ... es war (Lachen) ums medizinisch auszudrücken, ein klassischer Fall von Euphorie . Zur gleichen Zeit fanden fast jeden Abend irgendwo in der Innenstadt oder in dem Arbeiterbezirk, wo ich damals gewohnt hab, Demonstrationen für Schuschnigg statt hin und wieder.

Im Unterschied zu Schwager war er zu jener Zeit bereits »politisiert«, d. h. er stand den Sozialdemokraten nahe, und empfand diese Koalition aller österreichtreuen Gruppierungen auch als etwas suspekt. Klar war für ihn 1934 ein Bruch der Demokratie, auf deren Wiederherstellung er in diesen Tagen vor dem 10. März 1938 hoffte.
Der Diskussionsleiter hingegen schloß sich dieser Interpretation der Geschichte vor der Annexion Österreichs nicht uneingeschränkt ein. Zunächst einmal deuten einige Formulierungen darauf hin, daß er den einzigen Bruch in Österreichs jüngerer Geschichte ausschließlich im Jahr 1938 sah:

Mayer: ..., aber immerhin, wir habens noch erlebt, ... daß Österreich wieder das gewordn ist, was es bis neunzehnhundertachtunddreißig, bis zu diesem elften . März geblieben is, und das, was Sie ebn gehört ham, das war morgen um neunzehn Uhr fünfzig vor fünfzig Jahren, die Ansprache, die letzte Ansprache des Bundeskanzlers, und die Dame und die Herrn in der ...

Etwas später, nach der Vorstellungsrunde, entschuldigte sich Mayer dann – möglicherweise aufgrund einiger erboster Anrufe beim ORF – für diese Formulierung und erklärte sie damit, daß er mit »was es bis 1938 geblieben is«, ausschließlich dessen geographische Ausbreitung bzw. Existenz gemeint hätte. Allerdings zeugt eine derartige Formulierung trotzdem von einer unterschwelligen Ambivalenz bezüglich Österreichs Geschichte vor 1938.

Die Liste der tabuisierten Themen ließe sich noch fortsetzen: Wer waren die Opfer des Nationalsozialismus?; der Mythos des »Dableibens« bzw. das Vorurteil der »feigen Emigranten«, die den »leichteren« Weg gewählt hätten; Entnazifizierung (immerhin waren einige Diskutanten Mitträger des NS-Regimes) – dies sind nur einige Fragestellungen, die überhaupt nicht angesprochen wurden. Die Strategie der Tabuisierung, mit der ja auch eine Geschichtsumschreibung Hand in Hand geht, erweist sich somit als eine der markantesten in diesem Club.

3.2.5. Zusammenfassung

Nun läßt sich natürlich fragen, wie weit dieser Club repräsentativ war. Sicherlich sind seine Aussagen nicht im statistischen Sinne verallgemeinerbar. Wohl aber läßt sich sagen, daß die Auswahl der TeilnehmerInnen immer nach einem bestimmten Schlüssel der Ausgewogenheit getroffen wird, der ja auch hier vorhanden war. Die vertretenen Meinungen repräsentierten daher ein breites Spektrum zumindest dieser Generation. Als zweites Argument für die Repräsentativität kommt hinzu, daß das Datum für diese Sendung ja nicht zufällig war und sehr wohl Symbolcharakter hatte. Dies wurde vom Diskussionsleiter in der Einleitung auch angesprochen. Um so entlarvender war auch seine Fehlleistung über die Wiedererstehung Österreichs, wie es vor 1938 gewesen sei. Letztlich war der Diskussionsleiter als Chef des »Aktuellen

Dienstes« selbst in gewisser Weise repräsentativ für die Sendung. Die Auseinandersetzung um Österreichs Vergangenheit(en) war durch ihre Verharmlosung, Relativierung und Tabuisierung ein wesentlicher Bestandteil des Diskurses im Gedenkjahr 1988 – und dies entspricht auch der offiziellen Geschichtsschreibung »einer« Geschichte, nämlich der »Opfer«-Geschichte, etwa in Schulbüchern.[10]

10 So ist z. B. besonders auffallend, daß in einigen der österreichischen Schulbücher für den Geschichtsunterricht österreichische Juden überhaupt nicht vorkommen, sondern nur deutsche Juden (Wodak/Kissling 1990, S. 89-94).

4. Kampfschauplatz Kultur

Zwei das Gedenkjahr wesentlich mitprägende Ereignisse, die eher dem Kultur- als dem Innenpolitik-»Ressort« zuzuordnen sind, nahmen eine Stellvertreterfunktion an, nämlich die ideologischen Auseinandersetzungen um unterschiedliche Geschichtsbilder und -auffassungen im Kulturbereich abseits einer die österreichische Innenpolitik argwöhnisch beobachtenden »Weltöffentlichkeit«. Bei dem einen Ereignis handelte es sich um die Aufstellung eines »Mahnmals gegen Krieg und Faschismus«[1] durch Alfred Hrdlicka; bei dem anderen um die Uraufführung des Theaterstücks »Heldenplatz« von Thomas Bernhard unter der Regie von Burgtheaterdirektor Claus Peymann.

4.1. Der Streit um ein Mahnmal

Zur Funktion öffentlichen bzw. staatlichen Gedenkens gehört zweifelsohne auch die Errichtung und Enthüllung von Denk- und Mahnmälern. Sind sie doch meist steingewordene Zeugen gemeinsamer Geschichtsauffassung und im Medienzeitalter besonders dazu geeignet, ins rechte Licht gerückt zu werden. Die Errichtung eines Mahnmals zum Gedenken an die Opfer des Nationalsozialismus paßte also ohne weiteres in den Kontext dieses Gedenkjahres. Mehr oder weniger überraschend entzündete sich jedoch eine Reihe von Konflikten rund um die Errichtung, die sehr eng mit unterschiedlichen Auffassungen (Geschichtsbildern) über den Umgang mit Österreichs nationalsozialistischer Vergangenheit in Zusammenhang stand. Daß ein Mahnmal ein stärkeres und vor allem nachhaltigeres Zeichen

1 Dieser offizielle, von Hrdlicka gewählte Titel spiegelt einen theoretischen Ansatz bzw. einen Faschismusbegriff wider, der unter Umständen sowohl den »Austrofaschismus« des österreichischen Ständestaates (1934-38) als auch den Nationalsozialismus einschließen könnte, aber nicht muß. Die Mehrdeutigkeit des Begriffs »Faschismus« könnte daher in ÖVP-Kreisen einen zugrundeliegenden »wunden« Punkt bzw. ein »rotes Tuch« für die parteipolitische Auseinandersetzung dargestellt haben.

setzt als etwa Gedenkreden im allgemeinen, kann die Ausgangssituation noch verschärfen. Die zwei hier untersuchten Beispiele boten auch Kontinuitäten zum Waldheim-Diskurs an. Es ist deshalb nicht verwunderlich, wenn sich ähnliche Polarisierungen (sowohl in der Medienlandschaft als auch in der Parteipolitik) bildeten, wobei auffallend ist, daß die Blöcke zum Thema »Hrdlicka-Denkmal« beinahe identisch waren mit denen zu den Themen »Waldheim« und »März-Gedenken«, was treuen Verfechtern der Pro-Waldheim- und Hrdlicka-Linie nicht unbemerkt blieb. In einem Kommentar unter dem Titel »Kulturkampf als Machtkampf« formulierte Otto Schulmeister, der Herausgeber und Leitartikler der *Presse*:

Wo die SPÖ wirtschafts- und sozialpolitisch nicht mehr fuhrwerken kann wie bisher, suchen ihre Restideologen dem Partner wenigstens kulturpolitisch Mores zu lehren. ...
Schon ein Gramsci sah die fällige Umstellung der Strategie voraus, auf Österreich angewendet bedeutet sie, daß Sozialstruktur, Tradition und Moral dieses Landes nur evolutionär zersetzt werden können. Ein Kampf um die Macht läßt sich also auch als Kulturkampf führen. Und tausend Nadelstiche können dennoch im Ganzen die Wucht eines Hiebes ergeben.
Wir lachen über das Hrdlicka-Theater, wir vergessen, was gestern war, doch in dem Bauch des Holzpferdes, das Waldheim verhöhnen sollte, reisen noch ganz andere mit. (*Die Presse*, 23.7.1988, S. 1)

Im letzten Satz wird die explizite Verknüpfung des Waldheim-Diskurses mit jenem um das Mahnmal geleistet, als Verbindungsstück dient Hrdlickas deklarierte Gegnerschaft zum Bundespräsidenten. Nicht zuletzt deshalb bildeten sich wohl dieselben Fronten wie zuvor, kam die Diskussion (insbesondere deren Heftigkeit) um das Mahnmal und im besonderen um die Person Hrdlickas einer Verschiebung von der politischen auf die kulturpolitische Ebene gleich.
Alfred Hrdlicka selbst hat sein Denkmal und dessen Funktion einmal folgendermaßen beschrieben:

Die Stätte wird betreten durch das Tor der Gewalt. Das sind 2 Granitblöcke, 1 Meter 50 hoch jeweils. Auf diesen zwei Blöcken steht jeweils ein großer Block Carraramarmor asymmetrisch. 4 Meter 20 und 3 Meter 40. Die Blöcke stehen nur 90 cm auseinander. Wenn Sie's betreten, hat das sowas wie was Beängstigendes, Zusammenstürzendes. Wenn Sie durch dieses Tor durchgehen, treffen Sie auf den straßenwaschenden Juden, der aus Bronze gegossen ist. Der ist nicht höher als 80 cm. Aus diesem unheimlichen Gefälle, aus diesem Größenunterschied, können Sie ermessen, was ist der Einzelne gegen die Gewalt. Dann kommen Sie zu einem Stein, dem Kalkstein, 1 Meter 20 hoch. Und dahin verschwindend eine Figur in den Stein hinein, um zu zeigen, daß die Leute, die den Keller betreten haben, die die Opfer waren an Ort und Stelle, haben den Hades betreten, die Hölle betreten. Wie wir wissen, hat es noch Tage lang Klopfzeichen aus den Kellern von dem Gebäude gegeben. Die Leute im Keller wurden verschüttet und sind unten erstickt und verhungert. Der Orpheus betritt den Hades, ist zugleich auch ein Gruß an die Staatsoper und an die Albertina. Denn ich wollte ein Denkmal an Ort und Stelle machen. Und danach kommt dann noch einmal ein großer Abschlußstein. Das ist ein aufgeschliffener Granit, in dem roh hineingemeißelt ist die Unabhängigkeitserklärung vom 27. April 1945. Denn Österreich hat sich bereits unabhängig erklärt, da hat das Großdeutsche Reich noch gar nicht kapituliert. Das finde ich einen ganz entscheidenden Punkt, daß dieses Denkmal nicht nur ein Negativdenkmal ist, ein schreckliches Denkmal, sondern daß der Ausblick also auf die Zweite Republik auch da ist (zitiert nach ORF-Mittagsjournal vom 26. 7. 1988).

4.1.1. Eine unendliche Geschichte: Die Stellungnahmen von PolitikerInnen[2]

Die Arena ist bekannt: der Albertinaplatz hinter der Wiener Staatsoper. Kurz vor Kriegsende zerstörte eine Bombe das Gebäude des Philiphofs. Auch bis in die Gegenwart lagen noch mehr als 100 Tote in der Erde unter einem nicht besonders großen Rasenplatz, der als Standort für Alfred Hrdlickas Mahnmal gegen Krieg und Faschismus vorgesehen war. Aber der immer stärker werdende Verkehr drängte bereits in den 60er Jahren die Pietät gegenüber den Bombenopfern in den Hintergrund. Man befand in Wien, daß dies ein idealer Standort für eine Tiefgarage wäre. 1973 schlossen Bund und Stadt Wien einen Tauschvertrag. Darin hieß es unter anderem, daß für die Dauer des Bestehens einer Tiefgarage sich die Stadt Wien im Interesse der »Graphischen Sammlung Albertina« verpflichte, das Grundstück oberirdisch unverbaut zu lassen, natürlich abgesehen von den notwendigen Eingangsbauten

2 Nach Beiträgen im »Mittagsjournal« des ORF (26. 7. 1988), im *profil* (18. 7., 25. 7. und 28. 11. 1988), in der *Presse* und in der *AZ* (Berichterstattung im Zeitraum vom 26. 1. bis zum 29. 7. 1988).

und Lüftungsanlagen für die Garage. Das Grundstück sei ferner mit Grünanlagen und Bäumen auszugestalten. Und einzelne oberirdische Kioske geringeren Ausmaßes seien nur mit der Vorgabe zu errichten, daß dadurch der Charakter des offenen Grünraumes dieser Parzelle nicht beeinträchtigt werde.

Soweit die erste Linie der Geschichte. Sie kreuzte im Sommer 1988 die zweite Linie, die 1978 begann, als die Stadt Wien erstmals mit Alfred Hrdlicka, einem bekannten zeitgenössischen Bildhauer, über ein »Antifaschismus«-Denkmal verhandelte. Ursprünglich sollte es vor der Ruprechtskirche stehen. Aber dort baute man eine Tiefgarage, weshalb Hrdlicka den Auftrag 1982 zurückgab. Wiens Bürgermeister, Helmut Zilk, war damals Kulturstadtrat, und Hrdlicka erzählt, daß die beiden dann auf die Suche nach einem anderen Platz für das Mahnmal gegangen seien. Der Blick von der Albertinarampe hinter der Oper hinunter auf den Platz hätte die Sache entschieden. Der Albertinaplatz und kein anderer sollte es sein. Am 30. September 1983 beschloß der Wiener Gemeinderat einstimmig, also auch mit den Stimmen der ÖVP, darunter jener des damaligen Wiener Parteiobmannes Erhard Busek[3], die Errichtung eines Denkmals gegen Krieg und Faschismus durch Alfred Hrdlicka.

Damit war aber auch der Boden für das Gefecht 1988 vorbereitet, das in den vorangegangenen fünf Jahren immer nur ganz kurz und folgenlos aufgeflackert war. Während nämlich die ÖVP meinte, damals sei nicht über den Standort entschieden worden, sagte die SPÖ das sehr wohl. Und im Vertrag, den die Stadt Wien dann mit Hrdlicka schloß, wird der Albertinaplatz dezidiert erwähnt. Als Kosten für das Mahnmal waren 5,5 Millionen in Aussicht genommen. 1986 sollte das Denkmal laut Vertrag fertig sein. Vor allem Politiker verwendeten das Thema nun zu einer weiteren Polarisierung zwischen den großen politischen Lagern (wie bereits im Waldheim-Diskurs). So waren die SPÖ und die »Grünen« geschlossen für die Errichtung des Denkmals auf dem Albertinaplatz, während in der ÖVP einige die Meinung vertraten, man müsse einen anderen Platz suchen, und/oder andere der Ansicht waren, man müsse einen anderen Künstler für ein solches Denkmal beauftragen. Die FPÖ forcierte (im Einklang mit der *Kronen-*

3 Dies ist insofern nicht ohne Pikanterie, als Busek sich 1988 *gegen* die Errichtung des Mahnmals auf diesem Platz aussprach.

zeitung) eine Volksbefragung zum Denkmal, wobei nicht klar wurde, ob die Bevölkerung über den Platz der Aufstellung, über den Künstler oder über beides befragt werden sollte.
Zunächst wurde die Auseinandersetzung vor allem auf lokaler, d. h. städtepolitischer Ebene ausgetragen: Am 26. Januar meldete sich Wiens Kulturstadträtin Ursula Pasterk zu Wort und zeigte sich zuversichtlich, daß die Grundsteinlegung des Denkmals noch im März (etwa anläßlich der »Anschluß«-Gedenkveranstaltungen) erfolgen könnte. Wenige Tage später, am 30. Jänner, konterte der ÖVP-Gemeinderat Robert Kauer mit einer Reihe von Argumenten, die die spätere Diskussion prägten: (1) Die Rechte der Bombenopfer auf dem Albertinaplatz würden durch den Bau des Denkmals gestört (»Viele wollen nicht, daß die letzte Ruhe der mehr als hundert Bombenopfer gestört wird, die seit dem 12. März 1945 unter den Ruinen des Philiphofes liegen«; zitiert nach *AZ/Tagblatt*, 30. 1. 1988); (2) bereits 1973 habe es einen Vertrag zwischen Bund und Stadt gegeben, daß die Fläche unverbaut bleibe; (3) der Morzinplatz (Standort des Gestapo-Gebäudes) sei als Platz geeigneter. Alfred Hrdlicka entgegnete am selben Tag, er hätte kein »Denkmal auf Radln« gestaltet, das man beliebig von Platz zu Platz verschieben könnte.
Am 10. Februar bestritt der Kultursprecher der ÖVP und seinerzeitige Vizebürgermeister, Erhard Busek, seine Zustimmung zur Errichtung des Denkmals gegeben zu haben. Er schlug als Kompromiß den Morzinplatz oder den Schwarzenbergplatz vor. Dessenungeachtet bestätigte eine Wocher später der Planungsstadtrat Günther Sallaberger[4] (SPÖ), daß er das Denkmal besichtigt habe und mit der Planung der Fundamente (statische Berechnungen) begonnen werde. Am 1. März meinte Stadtrat Hannes Swoboda (SPÖ), schon in bezug auf die Gegenargumentation, daß der Albertinaplatz der würdigste Standort und Hrdlicka der prominenteste Künstler Österreichs seien. In der Folge meldeten sich u. a. die Gemeinderäte Kauer (ÖVP) und Hilmar Kabas (FPÖ) auf der einen, die Stadträte Sallaberger und Swoboda auf der anderen Seite mit bereits bekannten Argumenten wiederholt zu Wort.
Am 21. Juni erhielt die Diskussion neue Nahrung, weil Wissen-

4 »Ich bin sehr beeindruckt von dem, was er gemacht hat. Ich kann mir absolut vorstellen, daß dieses Denkmal eine Bereicherung für die Kulturlandschaft in unserer Stadt ist« (zitiert nach *AZ/Tagblatt*, 18. 2. 1988).

schaftsminister Hans Tuppy ankündigte, von der Finanzprokuratur ein Rechtsgutachten zum Denkmalbau einholen lassen zu wollen. Dieses wurde am 5.7. veröffentlicht und nahm negative Stellung zum Denkmal. Dazwischen und vor allem danach gab es heftige Polemiken gegen Tuppy, u. a. von Bürgermeister Zilk, Pasterk, der Österreichischen Gesellschaft für Kulturpolitik und besonders von SPÖ-Generalsekretär Heinrich Keller, der sogar den Rücktritt Tuppys forderte: »Bei aller sonstigen Auseinandersetzung innerhalb der Koalition, daß nicht nur die Auseinandersetzungen in personellen Angelegenheiten eine Zumutung sind, sondern auch das Verbleiben des Herrn Wissenschaftsministers in dieser Funktion« (ORF-Mittagsjournal, 5.7.1988).
Damit entwickelte sich die Auseinandersetzung zu einer bundesweiten Diskussion um das Mahnmal. Bis zur Entscheidung Zilks am 26.7.1988 meldeten sich u. a. verschiedene Nationalratsabgeordnete aller Parteien, die Klubobmänner von SPÖ und ÖVP, die Bundesministerin für Kultur, weiterhin die Parteisekretäre, ja sogar Bundeskanzler Franz Vranitzky[5] und Vizekanzler und ÖVP-Obmann Alois Mock[6] zu Wort, jeweils im Sinne der eigenen Partei und mit bereits bekannten Argumenten. Auch FPÖ-Obmann Jörg Haider nahm Stellung und meinte zu Hrdlicka, daß dieser faschistische Ideen unterstütze. Er war somit einer der wenigen Politiker (und der einzige Spitzenpolitiker), der auch gegen die Person Hrdlickas polemisierte, und zwar in der Form einer Aufrechnung, indem er Faschismus und Kommunismus/Stalinismus gleichsetzte und dem Bildhauer Hrdlicka folglich das moralische Recht absprach, ein Mahnmal gegen Krieg und Faschismus zu bauen.
Am 20. Juli bereiteten die Kulturstadträtin Pasterk und der Obmann der SPÖ Wien und Finanzstadtrat Hans Mayr das Terrain für Zilks Entscheidung: Rechtlich gäbe es keine Hindernisse mehr[7], Hrdlicka sei ein »Jahrhundertkünstler«, eine Volksabstim-

5 »Wenn die Gemeinde Wien mit Hrdlicka übereinkommt, dieses Denkmal zu bauen, dann soll es mir recht sein« (zitiert nach *AZ/Tagblatt*, 13.7.1988).
6 »Ich habe alles dagegen, daß das Denkmal dort gebaut wird« (zitiert nach *Kurier*, 19.7.1988). Außerdem meinte Mock auch, Hrdlicka habe sich mit seinen Äußerungen zu Stalin selbst moralisch abqualifiziert (ebd.).
7 Dies wurde in einem Gegengutachten der Rechtsexperten der Stadt

mung sei kein taugliches Mittel, um über Kunst zu entscheiden (Pasterk) und – als neue Argumente – (Mayr) das Denkmal sei eine Bringschuld gegenüber den »jüdischen Mitbürgern«, man müsse zwischen dem Künstler und seiner politischen Meinung unterscheiden und die Hatz gegen Hrdlicka sei mit derjenigen gegen Brecht nach 1945 vergleichbar.[8] Das waren die ersten inhaltlich motivierten Argumente, die in der gesamten Diskussion von PolitikerInnen bis dahin verlauteten und über rein rechtliche Standpunkte und Fragen hinausgingen.

Die Polemiken wurden immer stärker. Und alle warteten auf eine Stellungnahme des wirklich Zuständigen, nämlich Bürgermeister Zilk. Dieser aber war im Urlaub und schwieg beharrlich bis zum 26. Juli. An diesem Tag gab er schließlich in einer dreiviertelstündigen Erklärung die Entscheidung für den Bau des Denkmals auf dem Albertinaplatz bekannt – und zwar zum ehestmöglichen Termin. Nach einer (pflichtschuldigen) Protestrunde (Busek, ÖVP-Justizsprecher Michael Graff und Tuppy[9] auf Bundesebene; FPÖ Wien-Obmann Erwin Hirnschall, Richard Schmitz, Obmann der ÖVP Innere Stadt auf Landesebene) schwoll der Streit – vor allem in der Resonanz der Medien – rasch ab, der Bau begann noch am 3. August, nachdem der zuständige Wirtschaftsminister Robert Graf von seiten des Bundes keine Einsprüche dagegen angemeldet hatte. Das zu »sieben Achteln« (Hrdlicka) fertiggestellte Mahnmal konnte am 24. November enthüllt werden. ÖVP-Obmann Mock hatte die Empfehlung ausgegeben, daß die ÖVP der Enthüllungsfeier fernbleiben solle. Auch die Politiker der FPÖ waren bei der Einweihung nicht anwesend. Die Gedenkreden wurden

Wien festgehalten. Später schloß sich auch die Finanzprokuratur, die das erste – negative – Gutachten für den Wissenschaftsminister erstellt hatte, der Argumentation der Stadt Wien an und rechtfertigte ihre falsche Entscheidung damit, daß ihr unzulässigerweise nicht alle entscheidungsrelevanten Unterlagen zur Verfügung gestellt worden seien.

8 Damals hatten einige Kulturredakteure, allen voran Friedrich Torberg und Hans Weigel, gegen Versuche, Stücke von Bertolt Brecht zu inszenieren, erfolgreich angeschrieben.

9 Tuppy berief sich weiterhin auf seine Interpretation des Vertrages zwischen Bund und Gemeinde Wien, wonach »im Interesse der Bevölkerung und des städtebaulichen Ensembles dieser Platz unverbaut« bleiben müsse. Die Errichtung des Denkmals sei »eine Verletzung des Prinzips der Rechtsstaatlichkeit«. (vgl. z. B. *AZ/Tagblatt*, 28. 7. 1988).

von der Historikerin Erika Weinzierl, die eine Grußbotschaft des kürzlich verstorbenen Dichters Erich Fried vorlas, von Bischofsvikar Josef Zeininger, Superintendent Werner Horn und Oberrabbiner Paul Chaim Eisenberg als Vertretern der Religionsgemeinschaften gehalten.
Der fehlende Block zum Tor der Gewalt sollte ursprünglich am 1.9.1989 (50 Jahre Ausbruch des Zweiten Weltkrieges) ergänzt werden; die Aufstellung wurde aber nach Auskunft des Rathauses auf den 22.6.1991 verschoben (50 Jahre Invasion der deutschen Wehrmacht in die Sowjetunion), da der Künstler bisher noch nicht »geliefert« hätte. Letztlich wurde der fehlende Teil ohne viel Aufhebens bereits am 21.6.1991 aufgestellt.
Im Juli 1990 flackerte die nach dem 25. Juli ziemlich rasch verebbende Diskussion um das Denkmal anläßlich seiner Renovierung und einer Diskussionsveranstaltung der Israelitischen Kultusgemeinde mit Alfred Hrdlicka in einigen Zeitungen noch einmal kurz auf.
Wie sehr das Thema von PolitikerInnen nicht nur qualitativ besetzt wurde, wird dadurch illustriert, daß sich in den Monaten Juni bis Anfang August, also auf dem Höhepunkt der Diskussion, ingesamt 49 verschiedene Stimmen zweiundneunzigmal zu Wort meldeten, das heißt, daß durchschnittlich jeden Tag fast 1½ Stimmen zum geplanten Denkmal in den Medien zu Wort kamen.

4.1.2 Resümee: Einige allgemeine Anmerkungen zum Mahnmal Hrdlickas

In der gesamten Debatte um die Aufstellung des Denkmals ging es nicht einmal am Rande um künstlerische oder ästhetische Fragen, sondern so gut wie ausschließlich um folgende Standpunkte: (1) Soll das Mahnmal auf dem Albertinaplatz oder auf einem anderen Platz stehen (Albertinaplatz: ja oder nein)?; (2) ist Hrdlicka als Kommunist und »Stalinist« als ausführender Künstler geeignet (Hrdlicka: ja oder nein)?
Im Rahmen der parteipolitischen Polarisierung durch die Politiker konnte keine inhaltliche Diskussion um das geplante Denkmal mehr geführt werden. Die Argumentationsstrategien waren demnach auch gekennzeichnet durch eine Verschiebung auf scheinbar sachliche Fragen der Platzwahl und die Person des Künstlers. Daß

die unterschiedlichen Standpunkte auch zu Standpunkten der Parteien wurden, förderte den *Bekenntniszwang*, wobei in der Tat Gleichungen aufgestellt wurden, die durch Argumente nicht zu durchbrechen waren: Wer gegen das Denkmal von Hrdlicka auf dem Albertinaplatz war, wurde gleichzeitig auch zum Verweigerer von Vergangenheitsbewältigung und Befürworter jener Einstellungen stilisiert, die die »Vergangenheit ruhen lassen« wollen. Daß es abseits dieser Polarisierung durchaus Argumente gegen das Denkmal gab, die nicht unbedingt mit der fehlenden Bereitschaft zur Auseinandersetzung mit der nationalsozialistischen Vergangenheit zusammenfallen, ging unter:

- die Art der Entscheidungsfindung (keine – internationale – Ausschreibung samt Wettbewerb, sondern Vergabe durch einen Kulturstadtrat);
- die Art der Durchführung von einem ästhetischen bzw. kunstkritischen Standpunkt aus: Können die NS-Greueltaten überhaupt bildnerisch in einer konkreten Form dargestellt, geschweige denn bewältigt werden?;
- die Namengebung des Denkmals, in der wesentliche Differenzierungen wegfallen, da keine Unterschiede mehr etwa zwischen Nationalsozialismus und (österreichischem) Faschismus, zwischen Bombenopfern und Opfern des industriellen Massenmordes, zwischen Kriegs- und NS-Verbrechen gemacht werden. In quasi sozialpartnerschaftlicher Manier wird für alle etwas geboten;
- die Intention des Denkmals: es wird mit der zweiten Skulptur (einem knieenden, straßenwaschenden Juden) der Ausgrenzung und letztlich Vernichtung der Juden durch die Nationalsozialisten und in der dritten Skulptur (Orpheus betritt die Unterwelt) der Bombenopfer des Philipphofes aus den letzten Kriegstagen gedacht. Auch dies kann als eine Gleichsetzung und Verharmlosung der NS-Taten interpretiert werden und ist im Grunde die Konsequenz aus der Gleichsetzung von »Krieg« und »Faschismus«. Damit können sich alle (Aggressoren und Angegriffene) beinahe unterschiedslos als Opfer sehen. Zudem ermöglicht die Kombination mit dem vierten Element (Stein der Republik) die Interpretation, daß zur Entstehung der Zweiten Republik die Gewalt (erstes Element »Tor der Gewalt«), die Demütigung der Juden und die Opfer des Krieges als historische Kausalität notwendig gewesen wären.

All diese Fragen können hier natürlich nicht gelöst werden, es ist in unserem Zusammenhang nur wichtig zu betonen, daß gerade die Diskussion dieser und anderer möglicher Fragen ausblieb.[10] Die Polarisierung – und zwar die parteipolitische Polarisierung – verhinderte eine Differenzierung von Standpunkten, was die bisher analysierten »Sprachen der Vergangenheiten« zu charakterisieren scheint. Denn auch die gesamte Waldheim-Debatte war über weite Strecken von dieser Polarisierung und dem Mangel an Differenzierungsmöglichkeiten gekennzeichnet: Nicht Problematisierung und Neuorientierung, sondern Bekenntnis waren also im Jahr 1988 in der öffentlichen Diskussion vor allem gefragt. Die Personalisierung auf Hrdlicka, der hier stellvertretend als Kristallisationspunkt herhalten mußte (wollte?), verstärkte diesen Effekt noch zusätzlich.

4.2. »Heldenplatz«

4.2.1. Die Geschichte

Erstaunlich parallel, wenn auch konzentriert auf einen Zeitraum von nur ca. einem Monat, verlief die »öffentliche Erregung« um die Inszenierung des Thomas-Bernhard-Stückes »Heldenplatz« durch Burgtheaterdirektor Claus Peymann im Herbst des Gedenkjahres 1988. Das Stück war eine Auftragsarbeit des Burgtheaters an Thomas Bernhard, das zum hundertjährigen Bestehen des Burgtheatergebäudes am Ring uraufgeführt werden sollte. Durch widrige Umstände (einige SchauspielerInnen hatte ihre Rollen zurückgegeben, »Probenfetischist Peymann« [Sigrid Löffler im *profil* vom 19. 9. 1988] kam in Verzug) wurde der Premierentermin verschoben (ein Faktum, das unter der Leitung von Peymann am Burgtheater des öfteren vorkam und im folgenden auch weidlich diskutiert wurde).
Bereits Anfang August hatte die Wochenzeitschrift *profil* einzelne Passagen aus dem streng geheimgehaltenen Text, also ohne Kon-

10 So sind etwa auch die Reaktionen mancher Juden erwähnenswert, die sich in der Figur des knieenden Juden zum zweiten Mal als gedemütigte Opfer repräsentiert empfanden (vgl. z. B. Beckermann 1989). Die Israelitische Kultusgemeinde in Wien hatte sich hingegen positiv zum Mahnmal geäußert.

text und ohne Wissen über das Stück, mit der Generalargumentation veröffentlicht, daß Bernhard »ein weiteres Mal« dasselbe Stück mit denselben Schimpfexzessen, die bereits aus anderen Werken bekannt seien, geschrieben habe und aus einem »geplanten Skandal« wohl nichts werde.[11] Einige Auszüge:

Die Zustände sind ja wirklich so / wie sie achtunddreißig gewesen sind / es gibt jetzt mehr Nazis in Wien / als achtunddreißig / jetzt kommen sie wieder / aus allen Löchern heraus / die über vierzig Jahre zugestopft gewesen sind / du brauchst dich ja nur mit irgendeinem unterhalten / schon nach ganz kurzer Zeit stellt sich heraus / es ist ein Nazi / sie warten alle nur auf das Signal / um ganz offen gegen uns [Juden] vorgehen zu können.
Die Universität ist ja auch voller Idioten / steiermärkische Trottel, salzburgische Idioten als Kollegen / Von meinen Kollegen sind ja neunzig Prozent Nazis / hat der Vater gesagt / entweder sie vertreten den katholischen / oder den nationalsozialistischen Stumpfsinn / gemein und niederträchtig sind sie alle / die Stadt Wien ist eine einzige stumpfsinnige Niederträchtig keit.

Doch *profil* irrte mit der Feststellung, daß daraus kein Skandal würde: Am 7. Oktober nahmen sich die *Neue Kronenzeitung* und die *Wochenpresse* des nach wie vor geheimgehaltenen Stücks an und brachten weitere aus dem Zusammenhang gerissene Zitate in Umlauf. Gleichzeitig wurden in der *Wochenpresse* auch Gerüchte um einen vorzeitigen Rücktritt Claus Peymanns als Burgtheaterdirektor lanciert. Konflikte zwischen Ensemble und Direktion wurden in der Folgediskussion als ein Kolonialisierungsversuch der österreichischen Kulturnation durch »bundesdeutsche Provinzkünstler« interpretiert, ein Feindbild war damit wieder gefunden, eine Verschiebung von der impliziten Aufforderung des Stückes, sich mit der eigenen, österreichischen Vergangenheit auseinanderzusetzen, zu einem Kulturkampf des kleinen Österreich gegen das große Deutschland (und das Ausland insgesamt) wurde inszeniert.
Insbesondere die *NKZ*, wie bereits bei der Auseinandersetzung um das Mahnmal, agitierte heftig gegen die geplante Inszenierung. Starkolumnist Richard Nimmerrichter (»Staberl«) schrieb in der Zeit vom 8. Oktober bis zur Premiere am 4. November insgesamt sechs Kolumnen, sechs weitere zum selben Thema stammten von anderen Kolumnisten dieser Zeitung, darunter eine vom Eigentümer unter einem (allgemein bekannten) Pseudonym. Und ähnlich

11 Alle Zitate aus *profil*, 19.9.1988.

wie bei der Kampagne gegen das Hrdlicka-Mahnmal richtete die *NKZ* auch wieder ein spezielles Leserforum (diesmal »Das freie Wort«) ein. Darüber hinaus wurden insgesamt drei ganze Titelseiten mit Balkenschlagzeilen dem »Skandal« gewidmet.
Die Kampagne ging sogar so weit, daß die *NKZ* wenige Tage vor dem 50. Jahrestag zum Gedenken an die Judenpogrome am 9. November 1938, als Wiens Synagogen und Bethäuser in Flammen aufgingen, mit der Fotomontage eines brennenden Burgtheaters Eigenwerbung betrieb – unter anderem mit dem Textslogan »... uns ist nichts zu heiß!«
Und fast erwartungsgemäß fehlte auch nicht der Hinweis aus der konservativen Presse, daß Politik auch mit Hilfe von Kulturkämpfen gemacht würde: »Aber daß Kultur – Parlamentsdebatte, aber auch Budgetrede haben es gezeigt – in Österreich längst zum gesellschaftspolitischen, ja zum ideologischen Instrument geworden ist, muß man wissen. Dann erkennt man, was auf dem Spiel steht« (*Die Presse*, 21. 10. 88, S. 1). Als allerdings bekannt wurde, daß die »Beschimpfungen« von Thomas Bernhard einem remigrierten Juden in den Mund gelegt werden, wurde die Kritik etwas moderater, die kontextlose Zitierung schlug in gewisser Weise zurück, es stellte sich paradoxerweise letztlich heraus, daß mit den Reaktionen der Öffentlichkeit die Aussagen des Stückes über weite Strecken bestätigt wurden.

4.2.2. Der Auftritt von PolitikerInnen

Bei so viel Einsatz der meisten Medien inklusive des größten Boulevardblattes war es nicht verwunderlich, daß eine Reihe von PolitikerInnen sich zu diesem Kulturkampf äußerte. Den Reigen eröffnete der Zentralsekretär der SPÖ, Heinrich Keller, am 8. Oktober, also bereits einen Tag nach den ersten Meldungen der *NKZ*. Nicht als Generalsekretär, aber als »Bürger Keller« lehnte er das Stück als »absichtliche Provokation« ab. Tags darauf forderte Alois Mock, Vizekanzler, Außenminister und Obmann der ÖVP, die Absetzung des Stücks. Hans Mayr, der Obmann der SPÖ Wien, fand es auch als »Privatmann falsch, dieses Stück zum 100. Geburtstag des Burgtheaters aufzuführen«.
Bundespräsident Kurt Waldheim nannte am 11. Oktober das Stück eine »Beleidigung des österreichischen Volkes« und meinte,

»wenn diese Freiheit [von Literatur und Kunst, d. Aut.] jedoch in einer Art und Weise mißbraucht wird wie in dem Stück ›Heldenplatz‹, dann ist das Burgtheater nicht die Bühne für eine solche Aufführung. Ich halte dieses Stück für eine grobe Beleidigung des österreichischen Volkes und lehne es daher ab« (zitiert nach einem Interview im *Kurier*, vom 11. 10. 1988).
Am 12. Oktober nahm der Obmann der FPÖ, Jörg Haider, ein Zitat von Karl Kraus zu Hilfe und meinte, es auf Peymann ummünzend: »Hinaus aus Wien mit dem Schuft!«; der damalige Kultursprecher der ÖVP, Erhard Busek, rief tags darauf zu einem Zuschauerboykott gegen das Stück auf. Ende Oktober lehnten der seinerzeitige Nationalratspräsident, Leopold Gratz (SPÖ), und der Landeshauptmann von Vorarlberg, Martin Purtscher (ÖVP), das geplante Stück ebenfalls ab.
Alle diese Kommentare erfolgten, ohne daß irgendeiner der Politiker oder Redakteure die Möglichkeit gehabt hätte, den gesamten Text zu lesen – auch diese Parallele zum Mahnmal Hrdlickas ist verblüffend. Es entsteht tatsächlich der Eindruck, daß das auflagenstärkste Boulevardblatt nur ein Hölzchen zu werfen brauchte und Politiker aller Couleurs es mehr oder weniger dankbar aufschnappten. Aufgestaute Aggressionen aus dem ganzen Jahr schienen sich nun problemlos an einem relativ unbeliebten Ausländer (Peymann) als Sündenbock entladen zu können. Der »Kulturkampf« hatte – so könnte man zynisch meinen – fast befreienden Charakter für die Beteiligten.

4.2.3. Was niemand kannte: Das Stück[12]

Das Stück besteht aus drei Akten (deren Inszenierung bei der Premiere über vier Stunden dauerte). Sein Inhalt läßt sich – etwas ironisch – als »Familientag am 17. März 1988 im Hause Schuster« beschreiben. Man versammelt sich zum Begräbnis von Professor Josef Schuster. In der ersten Szene erzählt Frau Schittel, die Wirtschafterin des Verstorbenen, dem stumm bleibenden Hausmädchen Herta noch einmal die Biographie des Professors, obwohl

12 Nach der im Suhrkamp-Verlag erschienenen Ausgabe und den Darstellungen im Programmheft, der *Frankfurter Allgemeinen Zeitung* vom 7. 11. 1988, der *Basler Zeitung* vom 7. 11. 1988, *Theater heute*, Nr. 12/88.

diese sie schon längst kennt: Ein Wiener Jude und Wissenschaftler, nach 1938 samt Familie in die Emigration nach Oxford gegangen, kehrt 1955 nach Wien zurück, wegen der Musik. Er bezieht eine Wohnung am Heldenplatz, wo Hitler nach dem Einmarsch hunderttausend jubelnde Österreicher begrüßt hatte. Seine Frau, eine Essigfabrikbesitzerin, leidet unter der Wohnung, da sie immer wieder Hitlers Stimme und den Jubel der Massen hört, weshalb sie sich in die Irrenanstalt Steinhof zurückzieht. Vor der Entscheidung, wegen des zunehmenden Antisemitismus ein zweites Mal nach Großbritannien zu emigrieren, hat der Professor Selbstmord begangen.
Der zweite Akt spielt im Volksgarten, die Schwestern Anna und Olga kommen von der Beisetzung des Vaters. Anna sucht nach Gründen für den Selbstmord des Vaters (wachsender Antisemitismus) und steigert sich in eine typisch Bernhardsche Suada, die ihr Onkel Robert übernimmt und weiterspinnt.
In dem dritten Akt versammelt sich die Trauergesellschaft im leergeräumten Eßzimmer der schon verkauften Wohnung zum Leichenmahl. Onkel Robert entwickelt eine Vision des Untergangs der Menschheit und beneidet seinen Bruder, der die Kraft hatte, »sich ganz einfach auf den Döblinger Friedhof zu retten«. Am Ende des Stücks halluziniert die Witwe wieder die Jubelrufe vom Heldenplatz, die Tischgesellschaft hört sie nicht. Dann fällt die Frau Professor Schuster »mit dem Gesicht voraus auf die Tischplatte. Alle reagieren erschrocken«. Dunkel. Der Vorhang fällt (bei der Premiere 43 Minuten Jubel und Buhrufe).

4.3. Zusammenfassung

Im Streit um die Errichtung eines Mahnmals »gegen Krieg und Faschismus« und die Inszenierung des Theaterstücks »Heldenplatz« kamen weniger unterschiedliche Geschichtsbilder zum Tragen, als vielmehr eine Verschiebung von der politischen auf die Ebene der Kultur. Die Polemik, die im Gedenkjahr von der *NKZ* begonnen wurde, hatte die Funktion, auf einem unbedenklich erscheinenden Feld jenen Diskurs verschärft fortzusetzen, der »die Vergangenheit ruhen lassen« wollte. Die Parteinahmen der Zeitungen sahen ähnlich wie bereits bei der Übergabe des »Historikerberichtes« aus – ein weiteres Indiz für die Stellvertreterfunktion der Auseinandersetzung. Während sich bei der Mahnmal-Diskussion die Polemik auch zu einer parteipolitischen Auseinandersetzung zwischen SPÖ und der Grünen Alternative auf der Seite der Befürworter und der ÖVP und FPÖ auf der Seite der Gegner entwickelte, verliefen die Grenzen bei der Diskussion um das Stück »Heldenplatz« nicht ganz so eindeutig. Namhafte Politiker der SPÖ hatten sich de facto für eine Zensur des Stückes ausgesprochen. Diese seltsame und neuartige Koalition bestätigt unsere Meinung, daß ein Sündenbock geschaffen werden sollte, dem man – neu vereint – entgegentreten konnte. Lediglich Wiens Kulturstadträtin Pasterk (die das Stück gelesen hatte) und Bundeskanzler Vranitzky sowie – mit Abstrichen – die Bundesministerin für Kultur, Hawlicek, enthielten sich derartiger Äußerungen bzw. verteidigten die Aufführung. Ein Konsens im Sinne öffentlichen Gedenkens war in diesen Fällen nicht gegeben, allerdings wurde der Streit vordergründig um »sachliche« Fragen – wie einerseits Standortwahl und Bestimmung des ausführenden Künstlers, andererseits darum, ob Peymann als Ausländer die »österreichische Mentalität« des Burgtheaters überhaupt begreifen könne – geführt, nicht so sehr um die Inhalte des Gedenkens und Erinnerns an die NS-Kriegsverbrechen bzw. eine Reflexion der Haltung Österreichs gegenüber den vertriebenen Juden. Die zeitliche Nähe zum Novemberpogromgedenken verlieh dem Streit zusätzliche Brisanz. Die Verschiebung hatte demnach Ventilfunktion und konnte relativ gefahrlos für die Auseinandersetzung zwischen unterschiedlichen Geschichtsauffassungen (sowohl bezüglich der parteipolitischen Unterschiede als auch bezüglich der »Lebenslüge«) genutzt werden. Nicht umsonst bezeichnete der Herausgeber der *Presse*, Otto Schulmeister, den »Kulturkampf« als Kampf um die politische Macht.

Daß allerdings ein Massenblatt, die *NKZ*, mit der Berufung auf das »gesunde Volksempfinden«, wie es in den Leserbriefspalten zum Ausdruck kam, eine derartige Meinungsführerschaft übernehmen konnte, wirkt doch alarmierend, wenn es auch in diesen beiden Fällen mit seinen Kampagnen (noch) nicht erfolgreich war.

5. Zum Gedenken ohne Bedenken: Die »Reichskristallnacht« im Gedenkjahr

5.1. Der Novemberpogrom in den Serien und Berichten der österreichischen Zeitungen

5.1.1. Einleitung

Im ersten Kapitel haben wir die Metapher der Mozartkugel eingeführt. Diese Metapher sollte dazu dienen, u. a. zwei Thesen über den Begriff Vergangenheitsbewältigung bzw. über die Geschichtswissenschaft zu erläutern. Die erste These lautet, daß die Vermittlung von Geschichtsbildern sehr stark mit politischen oder ideologischen Werten verbunden ist. Unter Umständen kann dieses Auseinanderklaffen von Geschichtsbildern ein öffentliches Gedenken, das auf konsensfähige gemeinsame Inhalte zielt, gefährden. Eine zweite These, die die Metapher erläutern sollte, betrifft die (Un)Zuverlässigkeit historischer Darstellung, selbst wenn eine parteipolitische Voreingenommenheit aus mehreren Gründen auszuschließen ist. Zur Erinnerung stellt in dieser Metapher die Pistaziencreme ganz im Zentrum der Mozartkugel die historischen Quellen, die Marzipan-Schicht HistorikerInnen, die Nougatcreme die nichtspezialisierte Intelligenz und die Schokolade-Schicht die Bevölkerung im allgemeinen dar.

In diesem Kapitel wollen wir uns der nichtspezialisierten Intelligenz widmen, die das öffentliche Geschichtsbild in Österreich zum Novemberpogrom maßgebend geprägt hat. Wir hoffen damit nahezulegen, daß die Geschichtsbilder, die der breiten Bevölkerung vermittelt werden, selbst bei bestem Willen dieser Intelligenz einer gewissen Einseitigkeit nicht entbehren.

Die Datenbasis umfaßt die Serien aller nationalen unabhängigen Zeitungen sowie zweier Parteizeitungen und eines (wöchentlichen) Nachrichtenmagazins zum 50. Jahrestag des Novemberpogroms.[1] Wir haben diese Serien nach folgenden Einordnungs-

1 Folgende Zeitungsartikel wurden untersucht: »Jagd auf Menschen und Milliarden. Warum in der ›Reichskristallnacht‹ vor 50 Jahren die Bestien

kriterien untersucht: ob und wie die VerfasserInnen in der Kontroverse zwischen »Intentionalisten« und »Funktionalisten« Stellung bezogen und wie sich dies auf ihre Texte auswirkte; inwiefern diese JournalistInnen den Novemberpogrom als lang vorher geplant sehen; ob und wie die verschiedenen AutorInnen die Frage über Mittäter- oder Mitwisserschaft sowie über die autonome Rolle von ÖsterreicherInnen bei diesem Pogrom stellen.

entfesselt wurden«, von Dieter Lenhardt, *Die Presse*, 9. November 1988, S. 3; »Die Kristallnacht – Auftakt zur Endlösung«, von Clemens M. Hutter, *Salzburger Nachrichten*, 5. November 1988, S. 27; »Die Nacht, in der die Synagogen brannten. Wiener Juden erzählen über ihre Erlebnisse am 10. November 1938«, von Manfred Marschalek, *Neue AZ/Neues Tagblatt*, 4. November 1988, *Thema*-Beilage: »Als die Tempel brannten. Der Pogrom vom November 1938 – ›Reichskristallnacht‹«, S. II–IV; »Vorspiel zum Holocaust. Das November-Pogrom wollte Vernichtung der Juden«, von Manfred Scheuch, ebd., S. V–VII. »›Arisierung‹: Der nackte Raub. Die Wiedergutmachung blieb lückenhaft«, von Gerhard Plott, ebd., S. VIII–X; »Wohnungspolitik auf nazistisch. Antisemitismus ersetzt Sozialreform«, von Tina Baum, ebd., S. X–XI; »Von Auschwitz profitiert. Wie der November 1938 auf Österreich lastet«, von Georg Hoffmann-Ostenhof, ebd., S. XII; »›Einige Sekunden blieb alles still‹«, von Burgl Czeitschner, Hubertus Czernin und Ernst Schmiederer, *profil* Nr. 45/7, November 1988, S. 62–75; »Was war und nie mehr sein wird«, von Erika Wantoch, *profil* Nr. 46/14, November 1988, S. 77–82; »Die Hetze begann als Hetz«, von Aurelius Freytag, Boris Marte und Thomas Stern, *Wiener Zeitung*, 4. November 1988, *Extra*-Beilage, S. 1; »›Schlag sie tot, die Hunde!‹ Das Wiener ›Gmüat‹, wie es sich in Zeugenaussagen, Aktennotizen, Briefen und Feuerwehrchroniken darstellt«, von Peter Stiegnitz, ebd., S. 3; »Der blutige Auftakt zur Endlösung«, von Stefan Galoppi, *Kurier*, 6. November 1988, S. 5 (Teil 1 von zwei Teilen einer Serie »Als das Gewissen schwieg«); »›Wo gehobelt wird, fallen eben Späne‹«, von Daniela Kittner, *Kurier*, 7. November 1988, S. 5. (Teil 2); »Hat Besinnung einen Sinn?« von Peter Landesmann. Gastkommentar, ebd., S. 5; »Als die Synagogen brannten«, von Georg Markus, *Neue Kronen Zeitung*, 6. November 1988, S. 30–31; »Der Himmel war rot«, von Wolfgang Wagner, *Neues Volksblatt*, 7. November 1988, S. 3; »Österreich im November des Jahres 1938. Eine Lokalchronik des Terrors« (APA/red), *Der Standard*, 9. November 1988, S. 6; »Gedenken mit Abscheu« (Auszüge aus der Rede Vranitzkys zur »Reichskristallnacht«), ebd., S. 6; »›Glühende Bosheit, grinsender Hohn. ...‹« (Auszüge eines Zeugenberichts von Ernst Benedikt)«, ebd., S. 7.

Fast alle KommentatorInnen, die eine Meinung über den Zusammenhang zwischen der »Reichskristallnacht« und der »Endlösung« in ihren Beiträgen geäußert haben, vertreten stärkere oder schwächere Versionen der »Intentionalisten«-These. Die einzige Ausnahme war das Nachrichtenmagazin *profil*, in dem zu der Bedeutung der »Reichskristallnacht« in Zusammenhang mit der »Endlösung« überhaupt keine Stellung bezogen wird. Auffallend ist, daß keine/r der AutorInnen Kenntnis von dieser akademischen Auseinandersetzung zeigt. Die meisten schreiben sogar so, als ob sie nie über die Annahmen, die ihren Ausführungen zugrunde liegen, nachgedacht hätten.
Ähnlich gehen die meisten Beiträge in den Zeitungen – gleichfalls angenommen, aber unausgesprochen – von einer Vorplanung des Novemberpogroms aus. Hier bildet Manfred Scheuchs Beitrag in der »Thema«-Beilage der *Neue AZ/Neues Tagblatt* (im folgenden *AZ*) die einzige Ausnahme, wo der Bericht in der Zeitung über eine »Lokalchronik des Terrors« (*Der Standard*) hinausgeht. Scheuchs Analyse selbst wäre zwar prinzipiell mit einer nicht »planmäßigen« Interpretation der »Reichskristallnacht« vereinbar, seine Sprache läßt aber eine gewisse Ambivalenz erahnen. Es ist wahrscheinlich nicht zufällig, daß sowohl die historiographischen Auseinandersetzungen den AutorInnen wenig oder gar nicht bekannt sind als auch die zugrundeliegenden Annahmen wie Folgerungen aus diesen Interpretationen meistens unausgesprochen bleiben.

5.1.2. *Die Presse*

In dem Artikel zur »Reichskristallnacht«, »Jagd auf Menschen und Milliarden. Warum in der ›Reichskristallnacht‹ vor 50 Jahren die Bestien entfesselt wurden«, stellte sich Dieter Lenhardt die Frage nach dem »Sinn« des Novemberpogroms. Er scheute sich auch nicht davor, sich einem anderen, angesichts der ganzen Waldheim-Diskussion weitaus heikleren Fragenkomplex zu widmen, nämlich: »Hätten die nichtjüdischen Deutschen einschreiten können? Warum hat es auch nachher nirgends im Volk nachdrückliche, vernehmbare, von größeren Gruppen getragene Proteste gegeben?« Die Pogrome im November 1938 können laut Lenhardt

... als eine Art Startschuß zum Holocaust verstanden werden ... Darin und in ihrer heutigen scharfen Zeichnung liegt aber auch eine Gefahr für Aufklärung und historische Erziehung. »Nur« 100 Todesopfer, wo es doch später einige Millionen waren? Wird da nicht überzeichnet?
Wir wissen: es wird nicht. Die eiskalte, gezielte Willkür, die in jenen Novembertagen zutage trat, die »tätliche Erklärung« einer großen Menschengruppe zum Freiwild kann durchaus als Übergang zur Vernichtungsphase, zur »Endlösung« verstanden werden.

Zusammen mit seiner an einer früheren Stelle geäußerten Meinung, daß – abgesehen von den »meist spontanen«, an Juden begangenen Morden – »alles geplant und streng organisiert« geschehen sei, und seiner Anführung genauer wirtschaftlicher und politischer Motive der nationalsozialistischen Führung für die Aktionen gegen Juden bezieht Lenhardt relativ klar für die »Intentionalisten« Stellung. Um aber zu diesem Schluß kommen zu können, mußte Lenhardt einige wichtige Differenzierungen zwischen den Motiven einzelner Nazi-Führer unterlassen.
Lenhardt beschreibt drei Szenen, zwei vom 9. November, eine vom 12. November, die zusammengenommen »recht gründlich Motive und Hintergründe der sogenannten ›Reichskristallnacht‹« erhellen.[2] Am 9. November im Münchner »Alten Rathaus«, bei einem Treffen mit »Alten Kämpfern«, die sich zu einem Kameradschaftsabend einfanden, um des »Tages der Erhebung« (des gescheiterten Hitler-Putsches) zu gedenken, erhielt Hitler die Nachricht vom Tod des Legationsrats Ernst vom Rath. Nachher sprach Hitler »sehr eindringlich«, aber leise und kaum hörbar mit Reichspropagandaminister Goebbels. »Neben vielen anderen Hinweisen«, schreibt Lenhardt über dieses Gespräch, »macht diese Szene klar, daß die Novemberpogrome 1938, die reichsweite Judenverfolgung vor genau 50 Jahren, nicht hinter dem Rücken Hitlers von Scharfmachern des NS-Regimes, sondern mit Billigung des Führers und wohl sogar auf dessen ausdrücklichen Wunsch veranstaltet worden sind.« Hitler selbst »sah die Gelegenheit zu einer ›umfassenden Propagandaaktion‹ und wählte das ihm am plausibelsten erscheinende Aktionsvehikel: Vergeltung für einen ›Anschlag des Weltjudentums‹, als den er die Schüsse auf vom Rath hinstellte (so der Historiker Joachim Fest).«
Die Unterredung zwischen Hitler und dem Reichsführer Hein-

2 Alle nicht näher gekennzeichneten Zitate stammen aus dem Artikel in der Tageszeitung *Die Presse*. Die Reihenfolge wurde hier geändert.

rich Himmler um 23.30 Uhr führt Lenhardt als zweiten Hinweis sowohl auf Motive der SS als auch auf eine Mitschuld Hitlers an: »Dann erst [d. h. nach dieser Unterredung] brach die Hölle über die deutschen Juden herein.« »Für die SS wiederum«, schreibt Lenhardt, »aber wohl auch für Leute vom Schlag eines Goebbels, war die schlagartig einsetzende Menschenjagd vor allem ein Mittel zu jenem Zweck, den dieser Tage der Präsident der Israelitischen Kultusgemeinde Wien, Paul Grosz, treffend so formulierte: ›Das Pogrom sollte die Volksgenossen in die Komplizenschaft treiben, es sollte sich danach niemand wundern, wenn Juden (aus Menschen) zu ›Sachen‹ gemacht wurden‹.«

Mit der berüchtigten Aussage des für den Vierjahresplan zuständigen Hermann Göring bei einer am 12. November 1938 im Reichsluftfahrtsministerium stattgefundenen Besprechung, wonach ihm lieber gewesen wäre, »ihr hättet 200 Juden erschlagen und hättet nicht solche Werte vernichtet«, schließt sich laut Lenhardt der Kreis der Motive für den Novemberpogrom. »Für Göring hatte das Judenpogrom hingegen vor allem den Sinn, Geld in Form jüdischen Vermögens zur Ankurbelung der Rüstung zu beschaffen; daneben waren sich die Machthaber darin einig, daß endlich der Resteinfluß – nämlich die wirtschaftliche Potenz – der in vielen Etappen bereits gebrochenen deutschen Juden beseitigt werden sollte.«

Das Bild, das Lenhardt zeichnet, ist das einer einheitlichen nationalsozialistischen Führung, deren Hauptfiguren alle – wenn auch aus unterschiedlichen, aber einander ergänzenden Motiven – durch den Novemberpogrom ihre Ziele erreichen wollten. »Historisch strittig«, schreibt Lenhardt, sei nur »der Erfolg dieser Entsolidarisierung« gegenüber den Juden, wie auch »die Deutung der Tatsache, daß sich reichsweites Schweigen über die Greuel der ›Reichskristallnacht‹ breitete«. »Historisch strittig« ist jedoch viel mehr, als Lenhardt zugibt; unumstritten ist nur die »schreckliche Zweitage-Bilanz« des Novemberpogroms.

Daß der Pogrom nicht überall systematisch geplant war, heißt natürlich weder, daß die Aktionen »spontan« waren, noch daß Hitler von diesen keine Kenntnis hatte. Lenhardt, der in der Unterredung zwischen Goebbels und Hitler im »Alten Rathaus« den wesentlichen Schritt zum Novemberpogrom sieht, hat zweifellos recht. Richtig ist auch, daß Göring keine moralischen Skrupel gegen die gewaltsame Vertreibung der Juden aus der Gesellschaft besaß, wie seine zynische Bemerkung auf der Sitzung vom 12. November zeigt. Nur, aus der Hauptverantwortung Goebbels' für die »Reichskristallnacht«, aus dem so gut wie sicheren Mitwissen und der daraus abzuleitenden Mitschuld Hitlers an dem Pogrom sowie aus dem Fehlen jeglichen moralischen Gefühls bei Göring folgt nicht notwendigerweise, daß sich die gesamte Nazi-Führung über die Art und Weise des Ausschlusses der Juden aus der Wirtschaft und der Gesellschaft einig war. Tatsache ist, daß Göring wiederholt für einen schrittweisen und systematischeren, »gesetzmäßigeren« Ausschluß der Juden aus der Wirtschaft, daher dezidiert gegen eine »wilde Kommissarwirtschaft«, eingetreten ist. In einer Rede am 26. März 1938 sagte Göring z. B.:

Als Beauftragter für den Vierjahresplan beauftrage ich den Reichsstatthalter in Österreich zusammen mit dem Bevollmächtigten des Reiches, in aller Ruhe die notwendigen Maßnahmen zur sachgemäßen Umleitung der jüdischen Wirtschaft zu treffen, das heißt zur Arisierung des Geschäfts- und Wirtschaftslebens, und diesen Prozeß nach unseren Gesetzen rechtlich, aber unerbittlich durchzuführen (zitiert nach Rosenkranz 1968, S. 12).

In einer Besprechung vom 14. Oktober 1938 im Reichsluftfahrtsministerium wiederholte Göring seinen lange gehegten Wunsch, die »Judenfrage müsse mit allen Mitteln angefaßt werden«, denn die Juden »müßten aus der Wirtschaft 'raus. Unter allen Umständen zu verhindern«, führte er fort, »ist aber die wilde Kommissarwirtschaft, wie sie sich in Österreich ausgebildet hat. Diese wilden Aktionen müßten aufhören, und die Erledigung der Judenfrage darf nicht als Versorgungssystem untüchtiger Parteigenossen angesehen werden« (Protokoll, zitiert nach Rosenkranz 1968, S. 21). Noch stärker war seine Abschätzigkeit gegenüber dieser Art von Maßnahmen bei jener Sitzung im Reichsluftfahrtsministerium, in der er die von Lenhardt zitierte Bemerkung fallen ließ. »Ich weiß natürlich«, meinte Göring,

je größer, umfangreicher und gewinnbringender das Unternehmen [der Enteignung der Juden] ist, um so stärker wird sich der Drang auch all der Herren Gauleiter und Statthalter von den verschiedenen Seiten bemerkbar machen, in den Besitz dieser Anteile zu kommen. Damit werden große Versprechungen auf Verschönerung der Hauptstädte und so weiter gemacht werden. Das kenne ich alles. Das geht nicht. Wir müssen hier zu einer ganz klaren, für das Reich gewinnbringenden Aktion kommen (Protokoll, zitiert nach Rosenkranz 1968, S. 20).

Görings Ablehnung einer »wilden« Eliminierung »jüdischen Kapitals« war nicht politisch, sondern rein wirtschaftlich begründet. Juden, die ihre Arbeit verloren hatten, aber noch nicht ausgewandert waren, sollten zumindest vorübergehend zum Teil vom Staat versorgt werden. Schlecht geführte oder in Konkurs gehende Betriebe würden zudem keineswegs helfen, den Vierjahresplan zu realisieren. In einer ungünstigen wirtschaftlichen Lage (Vorbereitungen auf den Einmarsch in die Tschechoslowakei, was sich zunächst mit dem München-Abkommen[3] erübrigte, usw.) war es finanziell sinnvoller, eine Politik der langsamen, allmählichen Zwangsausschaltung der Juden aus der Wirtschaft unter Berücksichtigung der Auswanderung zu gestalten. Ein blitzartiger rücksichtsloser Ausschluß der Juden hätte die Wirtschaft unnotwendigerweise sehr belastet.
In der Tat scheint sich die letztere Linie, die vor allem politisch begründet und hauptsächlich von Goebbels vertreten wurde, durchgesetzt zu haben. Das Vorbild war Österreich. Mit den vollendeten Tatsachen der »Reichskristallnacht« konfrontiert, stellte sich Göring allerdings auf die neue Situation schnell ein. Bei der Sitzung am 12. November hörte sich Göring gespannt die Schilderung der Erfolge und Pläne des »ostmärkischen« Finanzministers Hans Fischböck an. Laut Protokoll lief das Gespräch so ab:

Göring: Wenn wir die gesamten jüdischen Geschäfte, die jetzt zu sind, noch vor Weihnachten schließen wollten, kämen wir in die Bredouille.
Fischböck: Wir haben darüber in Österreich schon einen genauen Plan, Herr Generalfeldmarschall. In Wien gibt es 12 000 jüdische Handwerksbetriebe und 5000 jüdische Einzelhandelsgeschäfte. Für diese zusammen 17 000 offenen Läden lag die endgültige Planung für alle Gewerbebetriebe schon vor dem Umbruch vor. Von den 12 000 Handwerksbetrieben sollten nahezu 10 000 endgültig gesperrt und 2000 aufrechterhalten werden. Von den 5000 Einzelhandelsgeschäften sollten 1000 aufrechterhalten, das heißt arisiert, und 4000 geschlossen werden ... auf Grund von Untersuchungen für jede einzelne Branche nach den örtlichen Bedingungen abgestimmt,

3 Das Münchner Abkommen zwischen Deutschland, Großbritannien, Frankreich und der Tschechoslowakei wurde am 29. September 1938 unterzeichnet. Laut diesem Abkommen wurden Teile des Sudetenlandes an Nazi-Deutschland angeschlossen. Hitler hat also mit Diplomatie erreicht, was er sonst nur durch einen Einmarsch in die Tschechoslowakei hätte erreichen können. Vorbereitungen auf eine solche militärische Aktion, die dann im März 1939 erfolgte, waren aber in den vorhergehenden Monaten unternommen worden.

mit allen zuständigen Stellen erledigt und kann morgen herausgehen, sobald wir das Gesetz bekommen, das wir im September erbeten haben....
Göring: Die Verordnung werde ich heute machen.
Fischböck: ... Wir haben also die Absicht, für alle diese Geschäfte zusammen eine wirtschaftliche Verwertungsquelle zu schaffen, die sich darum kümmert, daß diese Waren [der liquidierten Geschäfte] verwertet werden ... daß man sie der betreffenden Branche übergibt, die sie dann wieder auf die arischen Geschäfte aufteilt, die sie entweder kommissionsweise oder fix abnehmen. Es handelt sich jetzt ... um die 3000 restlichen Geschäfte, die nach der Branchenplanung zur Arisierung bestimmt sind. Für etwa die Hälfte dieser Geschäfte sind konkrete Käufer da, deren Kaufverträge so weit geprüft sind, daß sie sofort genehmigt werden können ... Für die restlichen zirka 1500 Geschäfte sind die Verhandlungen in sehr vielen Fällen auch schon sehr weit fortgeschritten. Wir sind der Ansicht ..., daß man sich selbst noch einen Endtermin setzt, der etwa bis Ende des Jahres sein kann. ...
Göring: Das wäre hervorragend ... Ich muß sagen, der Vorschlag ist wunderbar. Dann würde in Wien, einer der Hauptjudenstädte sozusagen, bis Weihnachten oder Ende des Jahres diese ganze Geschichte wirklich ausgeräumt sein. ... (Protokoll, zitiert nach Rosenkranz 1968, S. 23-24).

Göring stellte am 18. November 1938 auch eine »[s]ehr kritische Lage der Reichsfinanzen« fest. Trotzdem erfolgte eine »Abhilfe zunächst durch die der Judenschaft auferlegte Milliarde und durch die Reichsgewinne der Arisierungen jüdischer Unternehmer« (zitiert nach Adam 1988, S. 92). Durch den Novemberpogrom hat Göring also sehr wohl die Juden »aus der Wirtschaft 'raus« bekommen, allerdings in einer Form, die er nicht bevorzugt hatte. Seine Ziele waren nicht anders als die eines Goebbels, Heydrich, Himmler oder Hitler. Aber diese gemeinsamen Ziele erlaubten und hatten mehr als eine einzige Strategie zu ihrer Realisierung. Görings prinzipielles *Interesse* an der Ausschaltung der Juden kam aber nicht einem *Motiv* zu einem solchen schlagartigen Pogrom, das dieses Interesse realisieren sollte, gleich.
Der einzige, der allem Anschein nach ein klares *Motiv* für gerade diese Art von Abrechnung mit den in Deutschland lebenden Juden hatte, war offenbar Goebbels. Nicht nur konnte eine große Straßenaktion der SA das seit dem Röhm-Putsch gesunkene Prestige der »alten Kämpfer« etwas aufbessern oder sogar die Vorherrschaft für die NSDAP und ihre Gliederungen angesichts Görings expliziter Absicht, Parteiinteressen den Bedürfnissen des

Vierjahresplans zu unterwerfen, wieder erringen.[4] Durch einen derartigen gewaltsamen Schlag gegen die Juden in Deutschland, der zweifelsohne dem Judenhaß Hitlers wie auch dessen Wunsch nach einer schnelleren und radikaleren Lösung der »Judenfrage« in der Wirtschaft entsprach, konnte Goebbels auch seinen persönlichen Ruf beim Führer, der in der letzten Zeit einige Zweifel an der Kompetenz seines Propagandachefs hatte erkennen lassen, einigermaßen retten. In diesem Kontext war das Attentat eines polnischen Juden auf den Diplomaten vom Rath geeignet, wie Adam schreibt, »alle Probleme Goebbels' mit einem Schlage zu lösen, wenn es gelang, das Attentat propagandistisch zu nutzen. Ohne Zweifel erkannte Goebbels sofort, daß dieses Attentat die einmalige Gelegenheit bot, die Judenpolitik des Dritten Reiches entscheidend und in verschärfter Form weit voranzutreiben« (Adam 1988, S. 91). Allerdings wurden die »antijüdischen Maßnahmen, die dem Pogrom folgten ... keineswegs durch ihn hervorgerufen«, so Herbert Rosenkranz; »sie waren höchstens durch ihn beschleunigt worden« (Rosenkranz 1968, S. 27). Bei dem »klug inszenierte[n] und gewissenlos betriebene[n]« Novemberpogrom ging es »um die Behebung einer finanziellen Notlage des Reichs, um die endgültige Ausschaltung der jüdischen Deutschen aus der Wirtschaft. Gewünscht war nach dem Willen Hitlers ihre Vertreibung aus der deutschen Öffentlichkeit in eine diskriminierte und kriminalisierte Randexistenz in der nationalsozialistischen Gesellschaft«. Wenn der Pogrom nicht als Auftakt eines nur durch außenpolitische Überlegungen verhinderten Plans zur Vernichtung der europäischen Juden zu sehen ist, eröffnete er doch »weitere Perspektiven«, da der Novemberpogrom »in Umrissen den Willen auch zur physischen Vernichtung erahnen« ließ (Adam 1988, S. 92-93). Und darin waren sich die Machthaber sehr wohl einig.

Einige Aspekte von Lenhardts Sprachgebrauch sind allerdings etwas verwirrend. Er verwendet wiederholt und ausschließlich Wörter wie »deutsch« oder »Deutschland« in Zusammenhang mit den November-Ereignissen. Die »Hölle« der Pogrome brach laut Lenhardt »über die deutschen Juden herein«; er fragt: hätten die »nichtjüdischen Deutschen einschreiten können«?; er stellt fest,

4 »Die Arbeitsfront [DAF] bekäme keine Rohstoffe und keine Arbeiter mehr für ihre Aufgaben. Ebenso müssen alle anderen parteimäßigen Forderungen rücksichtslos zurücktreten«. 14. Oktober 1938, zitiert nach Rosenkranz (1968), S. 19.

das Recht habe sich »längst aus jenem Deutschland verabschiedet« usw. Es ist nicht klar, aus welchen Gründen Lenhardt diese Schreibweise gewählt hat, und er hat keine explizite Begründung dafür angeführt. Es ist natürlich richtig, daß das ehemalige Österreich bis November 1938 als »Ostmark« in das Deutsche Reich eingegliedert worden war und dessen »arische« Bevölkerung dadurch zu deutschen Staatsbürgern geworden war. Richtig ist auch, daß die Befehle und Weisungen zur »Reichskristallnacht« aus den Partei- und Sicherheitsstellen in München und Berlin, also aus dem deutschen »Altreich«, stammten. Angesichts dieser politischen Tatsachen wäre es daher durchaus legitim, den Pogrom (oder die Pogrome, die von Lenhardt bevorzugte Ausdrucksweise) als »deutsches« Phänomen zu betrachten und den Sprachgebrauch konsequent nach der damals geltenden Staatszugehörigkeit der innerhalb der Grenzen des ehemaligen Österreich lebenden nichtjüdischen Bevölkerung zu richten. In diesem Fall fielen jegliche Bedenken wegen eines solchen Sprachgebrauchs weg, und dies ließe möglicherweise die Vermutung zu, daß Lenhardt zu der sprachlichen und politischen Zugehörigkeit der ehemaligen Österreicher und damaligen »Ostmärker« zu Deutschland auch eine moralische (was die Judenverfolgung betrifft) hätte hinzufügen wollen.
Lenhardts inhaltliche Darstellung scheint aber von seiner sprachlichen Praxis abzuweichen. Denn obwohl er die »schreckliche Zweitage-Bilanz« für das damalige »Großdeutschland« angibt, betrachtet Lenhardt den Novemberpogrom nicht ausschließlich als ein Ereignis des Altreiches. Er scheint sogar dem Raum des ehemaligen Österreich (der »Ostmark« also) eine gewisse autonome Bedeutung für diese Ereignisse beizumessen, ohne dies explizit zum Ausdruck zu bringen. Er führt z. B. die Zahlen der in der »Ostmark« (Wien und Innsbruck) zerstörten Synagogen und der ermordeten und verhafteten Juden an, erwähnt aber keine entsprechenden Zahlen über die Zerstörungen und Opfer der »Reichskristallnacht« in München, Berlin oder Hamburg. Lenhardt setzt sich also mit den »Ostmark«-spezifischen Opfern, nicht aber mit den »Ostmark«-spezifischen Tätern auseinander.
Eine solche Lücke ist angesichts der Vorreiterrolle Österreichs bei der im Dritten Reich durchgeführten Judenverfolgung, die in der zugänglichen und einschlägigen Literatur zur »Reichskristall-

nacht« genau dokumentiert ist und in vielen anderen Zeitungsartikeln zum Novemberpogrom hervorgehoben wurde, sehr überraschend. Laut Herbert Rosenkranz zum Beispiel, Autor eines Standardwerkes zur »Reichskristallnacht« in Österreich, wurde die »Ostmark« »das Exerzierfeld für antijüdische Nazipraktiken, die in Deutschland selbst erst nach dem Novemberpogrom angewandt wurden«. Die von der »ostmärkischen« Naziführung unter Fischböck bereits durchgeführten und die geplanten Maßnahmen stießen auf die große Bewunderung Görings, ja errangen für das Gesamtreich Vorbildcharakter. Rosenkranz zeigt, daß Österreich als »Vorbild« eine längere Tradition besaß. Die Legalisierung von Staatsgewalt gegen Juden durch die an Himmler übertragene Vollmacht, »auch außerhalb der sonst hierfür bestimmten gesetzlichen Grenzen« agieren zu dürfen, erfolgte in Österreich bereits am 18. März 1938. Die jüdische Gemeindeinstitution wurde am selben Tag geschlossen, und ihre Mitarbeiter wurden verhaftet; sie durfte erst am 3. Mai 1938 wieder aufmachen, allerdings nur mit den von Adolf Eichmann ausgewählten und erlaubten Gemeindeführern. Auch die Praxis der »Sühneleistung«, die nach dem Novemberpogrom in Höhe von 1 Milliarde Reichsmark den Juden auferlegt wurde, hat ihren Präzedenzfall in Österreich: Nach dem »Anschluß« wurde von den österreichischen Juden eine Geldstrafe von 300 000 Schilling als Vergeltung für ihre Beteiligung an Schuschniggs Wahlfonds (u. a. für die für den 13. März 1938 geplante Volksbefragung über Österreichs Unabhängigkeit) eingefordert. Die Vertreibung der Juden aus der Wirtschaft ist – wie aus Fischböcks Ausführungen zu entnehmen ist – in der »Ostmark« viel weiter vorangetrieben worden als im »Altreich«. Nicht zuletzt wurde die Arbeit von Eichmann und seinen Mitarbeitern bei der Organisation der für das Deutsche Reich kostenlosen jüdischen Auswanderungen später von allen Seiten der Naziführung anerkannt und hoch belohnt (Rosenkranz 1968, S. 11-14, 21-27; siehe auch Botz 1988, S. 397-411). Es mutet daher etwas seltsam an, daß Lenhardt nirgends auf diese spezifische Rolle österreichischer Nationalsozialisten hinweist.

In diesem Zusammenhang könnten wir Lenhardts Frage nach der Möglichkeit der nichtjüdischen Deutschen nachgehen, gegen die Verfolgung von Juden einzuschreiten, sowie seiner Frage, warum es »nirgends im Volk nachdrückliche, vernehmbare, von größeren Gruppen getragene Proteste gegeben [hat]«, vielleicht eine neue

Bedeutung beimessen. Läßt Lenhardts Darstellung der Alleinverantwortung der »deutschen« Naziführung für den Novemberpogrom eine gewisse Beschönigung des »ostmärkischen« Beitrags ahnen, eignet sich seine Frage, ob »nachdrückliche, vernehmbare, von größeren Gruppen getragene Proteste« zu erwarten gewesen wären, dazu, die in nichtnationalsozialistischen Gliederungen organisierte Bevölkerung erheblich zu entlasten.
Lenhardts Fragestellung selbst ist äußerst eng. »Das Volk«, schreibt er, »war unmittelbar kaum beteiligt, schon deshalb nicht, weil es nicht durfte.« Zwei denkbare Interpretationen dieses Satzes scheinen uns möglich, und weder die eine noch die andere trifft zu. Da es außer Zweifel steht, daß die spezifischen Maßnahmen, die unter dem Begriff »Reichskristallnacht« verstanden werden, hauptsächlich von in Zivil gekleideten Nationalsozialisten durchgeführt wurden, kann die Behauptung, daß die nicht in nationalsozialistischen Gliederungen organisierte Bevölkerung daran nicht beteiligt sein dürfe, nur folgendes bedeuten: entweder (1) daß diese Bevölkerungsgruppen bei den Aktionen gegen Juden physisch nicht anwesend waren (vielleicht weil die Nazis es verboten oder zumindest verhindert hätten) und daher nicht nur nicht durften, sondern daran auch nicht beteiligt sein konnten; oder (2) daß die physisch anwesende nichtnationalsozialistische Bevölkerung von einer etwaigen Beteiligung von den Nazis selbst zurückgehalten wurde.
Es gibt aber keine Hinweise, daß die Nazis spezifische Vorkehrungen getroffen hätten, um die Anwesenheit der Bevölkerung bei den Aktionen oder deren Beteiligung daran zu verhindern. Im Gegenteil: die vorgenommenen Ausschreitungen sollten als »spontaner« Ausbruch des »Volkszorns« gelten. Eine möglichst große Beteiligung des »Volkes« war daher äußerst wünschenswert. Bei den Nazis hatte jedoch nicht diese breite Beteiligung, sondern die Durchführung der gewaltsamen Angriffe auf »das Judentum«, ob mit oder ohne »Volk«, Priorität. Es geschah dann, daß das »Volk« zum Beispiel an den besonders gräßlichen Ausschreitungen in Innsbruck oder an denen in Salzburg tatsächlich »kaum beteiligt« war, nicht, weil es nicht »durfte«, sondern bloß, weil es sich nicht ergeben hatte. In Wien dagegen waren in der Nacht, aber insbesondere am Vormittag des 10. November, im 2. Bezirk sehr viele Zuschauer anwesend, und wenn die Nazis diese etwas zurückgehalten hatten, geschah es nur, um ein Lyn-

chen von Juden zu verhindern. Lenhardts Pauschaldarstellung von Ereignissen, die in diesem Zusammenhang kein einheitliches Bild zeigen, stimmt daher nicht einmal in dem von ihm gemeinten Sinn.

In seinen Ausführungen zu dieser Frage läßt Lenhardt aber überdies jede Art von Beteiligung außer acht, die über die von SA-Einheiten und anderen Gruppen durchgeführten Brandlegungen in Synagogen oder die physischen Mißhandlungen von Juden hinausgeht. Nur eine so enge Betrachtung von Beteiligung kann daher den großen Beifall bei breiten Bevölkerungsschichten, den die Aktionen gegen Juden vor allem in Wien hervorriefen, einfach übersehen; nur so kann Lenhardt ohne Widerspruch die Meinung vertreten, daß das »Volk« an diesen Aktionen »unmittelbar kaum beteiligt« war. An einer anderen Stelle des von Lenhardt zitierten Berichts vom SS-Hauptsturmführer Trittner über die Ereignisse in Österreich hieß es zum Beispiel: »Mitleid ... wurde fast nirgends laut, und wo sich solches dennoch schüchtern an die Oberfläche wagte, wurde diesem von der Menge sofort energisch entgegengetreten, einige allzu große Judenfreunde wurden festgenommen« (zitiert nach Rosenkranz 1968, S. 41). Der Sicherheitsdienst in Wien berichtete am 10. November:

Kurz nach dem Bekanntwerden der Aktionen sammelte sich vor der Dienststelle der Kreisleitung eine große Menschenmenge an, die diese Aktion durch Zurufe freudigst begrüßte. Bei den Ein- und Ablieferungen konnte man die Bevölkerung schwer von Mißhandlungen der Juden zurückhalten. Öfters durchbrachen viele, darunter meistens Arbeiter, die Absperrketten und verprügelten die Juden. Man hörte dabei vielfach die Rufe wie: »... Schlagt sie tot, die Hunde. Lernt ihnen in Dachau die Arbeit« und anderes mehr.

Interessant ist die Beobachtung, daß Leute, die bisher der nationalsozialistischen Bewegung fremd gegenüberstanden, durch diese durchgreifende Aktion sich der Stimme der nationalsozialistischen Bevölkerung anschlossen ... (zitiert nach Rosenkranz 1968, S. 42).

Man muß natürlich vorsichtig sein, wenn man solche Quellen zitiert; denn in ihren Berichten haben NSDAP-Gauleiter den Novemberpogrom möglicherweise derart beschrieben, d. h. die Unterstützung der Bevölkerung betont, da sie sich Vorteile von der Nazi-Führung erwarteten. In diesem Fall stimmt aber diese Einschätzung mit der Erinnerung eines Wiener Juden, Moritz Fleischmann, ziemlich genau überein:

Wir wurden auf das Polizeikommissariat in die Juchgasse im 3. Bezirk gebracht. Überall verfolgt, begleitet von der sogenannten Bevölkerung, von einem Mob; von dort wurden wir hinübergeführt in den »Sophiensaal«, wo schon ein großer Teil der jüdischen Bevölkerung des 2. Bezirks versammelt war.
Was sich dort abspielte, war das Unerhörteste an Geheul und Schreien und Ausschreitungen seitens der Wiener Bevölkerung. Wir wurden dann auf Wagen geladen und wurden weggeführt. ... Die Straßen waren gesäumt von solchen, die nur unser Leben und unser Blut haben wollten (zitiert nach Rosenkranz 1968, S. 42-43).

Aus solchen Darstellungen, die auf eine große Beteiligung der nichtnationalsozialistischen Bevölkerung eindeutig hinweisen, kann aber nicht eine einheitliche Zustimmung dieser Wiener Zuschauer abgeleitet werden. Der SS-Berichterstatter Trittner selber bemerkte einige »allzu große Judenfreunde«, während der SD-Bericht die »verbissenen roten Kreise« erwähnt, »welche nach wie vor ihr Motto ›Die Juden sind auch Menschen‹ gelten« ließen. Das Bild ist daher nicht einmal in der »Ostmark« ein einheitliches. Die »Reichskristallnacht« rief in Wien Zustimmung von vielen und Abscheu bei einigen hervor; woanders war die breitere Bevölkerung überhaupt nicht dabei – was die Frage nach einer weiter gefaßten Beteiligung gegenstandslos erscheinen läßt. Lenhardts Pauschalbemerkung, daß die nichtnationalsozialistische Bevölkerung, die den Ausschreitungen zuschaute, an diesen »unmittelbar kaum beteiligt« sein »durfte«, ist nur aufgrund einer unvertretbar engen Fragestellung überhaupt verständlich und wirkt daher letzten Endes verharmlosend.

5.1.3. Die *Salzburger Nachrichten*

Wie die meisten Autoren in den untersuchten Zeitschriften-Serien ist auch Clemens Hutter von den *Salzburger Nachrichten* ein großer Verfechter der »Intentionalisten«-These. Sein Artikel, »Die Kristallnacht – Auftakt zur Endlösung«, fängt z. B. mit einem Hitler-Zitat aus dem Jahr 1922 und einer aufschlußreichen Schlußfolgerung an:

»Wenn ich einmal wirklich an der Macht bin, dann wird die Vernichtung der Juden meine erste und wichtigste Aufgabe sein. Sobald ich die Macht dazu habe, werde ich z. B. in München auf dem Marienplatz Galgen neben

Galgen aufstellen lassen, und zwar soviele, wie es der Verkehr zuläßt. Dann werden die Juden gehängt, einer wie der andere, und sie bleiben so lange hängen, bis sie stinken. So lange bleiben sie hängen, wie es nach den Grundsätzen der Hygiene überhaupt möglich ist. Sobald man sie abgeknüpft hat, kommen die nächsten dran, und das geschieht so lange, bis der letzte Jude in München ausgetilgt ist. Genauso wird in den anderen Städten verfahren, bis Deutschland vom letzten Juden gereinigt ist.«
Das kündigte der wütende Antisemit und noch unbekannte Adolf Hitler 1922 an.
16 Jahre später, in der Nacht zum 10. November 1938, fallen die braunen Horden im Deutschen Reich »spontan« über die Juden her: ...
[Dann folgt eine Zusammenfassung von den Greueltaten der »Reichskristallnacht«]
Dieser Pogrom auf Juden im Dritten Reich ging als »Kristallnacht« in die Geschichte ein. Sie markierte für die Juden das Ende des Weges in die Rechtlosigkeit und das Wetterleuchten der »Endlösung«, wie sie Hitler bereits am 16. September 1919 in einem »Juden-Gutachten« an den Ausschuß der »Deutschen Arbeiterpartei« vorgeschlagen hatte: »Das letzte Ziel des Antisemitismus aber muß unverrückbar die Entfernung der Juden überhaupt sein«.

Hutter erkennt, daß die Maßnahmen, die in Zusammenhang mit dem Novemberpogrom unternommen wurden, darauf abzielten, wie er schreibt, »die von 1933 bis 1938 durch Auswanderung auf 250 000 Menschen halbierte jüdische Bevölkerung Deutschlands unter verschärften Druck zu setzen, um das Reich ehestens ›judenfrei‹ zu bekommen«, aber dies nur »vordergründig«. Er zitiert die SS-Zeitschrift »Das Schwarze Korps« vom 23. November 1938, wonach die Juden zuerst ihres Kapitals beraubt [z. B. die »Sühneleistung« für die Tat Grynszpans] und dann kriminalisiert werden müßten. »Das Resultat«, schrieb die Zeitung, »wäre das Ende des Judentums, seine totale Vernichtung«. Hutter dazu: »Erstmals fällt der Begriff Vernichtung, den Hitler selbst seit 1922 nie gebraucht, obschon sein absurder ›arischer‹ Rassismus an Deutlichkeit nichts zu wünschen übrig ließ.« Die Öffentlichkeit, meint Hutter weiter, habe davon keine Notiz genommen. »Sie erhielt erst nach dem ›Tag der Machtergreifung‹ Hitlers, dem 30. Januar 1933, gräßlichen Anschauungsunterricht über Hitlers Grundthese ... Binnen sechs Jahren wird die ›Endlösung der Judenfrage‹ mit mehr als 250 Gesetzen vorbereitet.«
Trotz dieser Gesetzgebung habe Hitler zwar sein Ziel – »die Entfernung der Juden« – nicht erreicht, kündigte aber im Jänner 1939

an, daß »die Juden die letzten Folgen« zu erleiden haben werden. Sollte es »dem internationalen Judentum gelingen«, führte er fort, »die Völker noch einmal in einen Weltkrieg zu stürzen, dann wird das Ergebnis nicht der Sieg des Judentums sein, sondern die Vernichtung der jüdischen Rasse in Europa«. Hutter beurteilt diese Aussage so: »Im Klartext: Erst mit Hitlers Angriffskriegen auf Polen, Westeuropa, den Balkan und die UdSSR wird die ›Endlösung der Judenfrage‹ spruchreif, denn Hitler verklammert militärische Strategie mit rassistischer Ideologie.«

Das Zitat am Anfang des Artikels, in dem Hitler in grausamer Weise die »Vernichtung« der Juden in Deutschland versprach, sobald er die Macht erlange, stammt aus dem Jahr 1922, also aus der Zeit vor Hitlers Festungshaft in Landsberg am Lech (d. h. von Ende 1923 bis Ende 1924). Werner Maser, Autor einer Standardbiographie über Hitler, schreibt, daß Hitlers Vorstellungen über die Juden vor 1923 noch sehr stark von den Ereignissen des Ersten Weltkrieges geprägt waren und daß sich jene »in mancher Hinsicht gravierend von den Vorstellungen, die er seit 1925 verfocht«, unterschieden (Maser 1989, S. 235).

Es ist daher legitim zu fragen, inwiefern solche Zitate, die sehr wohl von der »Vernichtung« der Juden sprechen, als die programmatische Ankündigung einer Judenpolitik zu begreifen sind, zu deren Realisierung nur die Macht und die Gelegenheit fehlte. So gedacht, bestünde zwar eine klare Linie zwischen diesen (und anderen) Aussagen Hitlers und der tatsächlichen Vernichtung europäischer Juden durch Nazi-Deutschland, in der die »Reichskristallnacht« nur »das Wetterleuchten der ›Endlösung‹« darstellt. Es ist aber nicht einmal sicher, daß »Entfernung der Juden überhaupt« mit deren physischer »Vernichtung« bei Hitler gleichgesetzt werden sollte. In einer Passage, die im selben Brief Hitlers, aber vor der von Hutter zitierten Stelle steht, schrieb Hitler, daß das Ziel seines Antisemitismus »zur planmäßigen gesetzlichen Bekämpfung und Beseitigung der Vorrechte des Juden [führen muß], die er zum Unterschied der anderen zwischen uns lebenden Fremden besitzt (Fremdengesetzgebung). Sein *letztes* Ziel aber muß unverrückbar die Entfernung der Juden überhaupt sein«.[5] Eine

5 Brief von A. Hitler an A. Gemlich, 16. 9. 1919, in Claussen (1987), S. 192 (Hervorhebung d. Aut.). Siehe zu diesem Punkt auch Mitten (1992), Kapitel 2.

Auffassung, die solche Zitate in quasi-teleologischen Zusammenhang mit der von den Nazis nach 1933 verfolgten Judenpolitik bringt, trägt der in der einschlägigen Literatur unumstrittenen Tatsache zu wenig Rechnung, daß die Nazi-Judenpolitik zur Zeit des Novemberpogroms ausschließlich auf »Auswanderung« (sprich Vertreibung) der sich im Deutschen Reich befindenden Juden gerichtet war – eine Politik also, die mit der massenweisen physischen Vernichtung nicht nur nicht gleichgesetzt werden soll, sondern auch die planmäßige Vernichtung der Juden Europas erheblich erschwert hätte, ja damit einigermaßen in Widerspruch stünde (Graml 1988; Marrus 1987).

Einige von Hutters Behauptungen sind zudem irreführend. Er schreibt z. B.: »Also verordnete Warschau gegen diese Menschen bürokratische Schikanen, denen sich aber 17000 Juden nicht beugten, weshalb sie am 29. Oktober 1938 ihre polnische Staatsbürgerschaft verloren.« Vielmehr ist wahr, daß diese polnischen Staatsbürger ihre Staatbürgerschaft am 31. Oktober verloren *hätten*. Denn am 9. Oktober 1938 erließ die polnische Regierung eine ergänzende Verordnung zu einem im März beschlossenen Gesetz, wonach jene Polen, die seit mindestens fünf Jahren im Ausland gelebt haben, am 30. Oktober 1938 ihre polnische Staatsbürgerschaft verlieren würden, wenn sie nicht vorher von einem zuständigen polnischen Konsulat ein entsprechendes Sondervisum in ihrem Paß erhielten. Diese Verordnung betraf, wie die deutschen Behörden schnell erkannt hatten, vor allem die 50000 in Deutschland und Österreich lebenden Juden: Die polnische Regierung wollte diese 50000 zu den 3,5 Millionen polnischen Juden nicht hinzukommen lassen. Wenn diese betroffenen Juden bis zum 30. Oktober das erforderliche Sondervisum nicht bekommen sollten, hätten sie ihre polnische Staatsbürgerschaft verloren, das heißt, sie würden staatenlos. Für die antisemitische deutsche Regierung hätte dies eine unerträgliche Situation hervorgerufen, da eine Abschiebung staatenloser Juden nach irgendeinem anderen Land (noch vor dem Krieg) beinahe unmöglich gewesen wäre. Daher beschloß das Nazi-Regime, dieser Regelung zuvorzukommen, indem es diese in Deutschland lebenden polnischen Juden (darunter auch die Familie Grynszpan) *vor* dem Stichtag am 30. Oktober nach Polen deportierte. Heydrich gab die entsprechende Weisung, die in Frage kommenden Polen abzuschieben, was in der Tat in der Nacht vom 28. auf 29. Oktober durchgeführt wurde. Die meisten dieser Juden bewegten sich kurzfristig in einer Art Niemandsland zwischen Deutschland und Polen, aber letzten Endes mußte Polen sie tatsächlich aufnehmen (Thalmann/Feinermann 1987, S. 37-38).

5.1.4. Die *Wiener Zeitung*

Die Autoren des Kommentars, »Die Hetze begann als Hetz«, Aurelius Freytag, Boris Marte und Thomas Stern, haben hohe Ansprüche: Nicht nur beschreiben sie die Ereignisse um die »Reichskristallnacht«, sie stellen auch Thesen über deren Bedeutung sowohl für die Nationalsozialisten als auch für die Geschichte des »Antijudaismus« auf; sie fassen jene Geschichte über die Jahrhunderte dicht zusammen, bieten aber gleichzeitig eine Interpretation über den Zusammenhang zwischen dieser Geschichte und dem Umgang mit dem Nationalsozialismus und dem Antisemitismus nach dem Zweiten Weltkrieg an; nicht zuletzt umfaßt ihre Analyse einige der damals aktuellsten politischen Entwicklungen in Österreich. Den Rahmen, innerhalb dessen sowohl der Novemberpogrom als auch die ihrer Meinung nach unzureichende Auseinandersetzung mit dem Nationalsozialismus eingebettet sind, bildet der Antisemitismus. Es ist beinahe unvermeidlich, daß ein solcher anspruchsvoller Zeitungskommentar, der nicht einmal eine ganze Seite füllt, Mängel an detaillierteren Informationen über den Novemberpogrom aufweist. Dies ist aber für diesen Artikel ohne Bedeutung, und er ist auch nicht deshalb angreifbar, denn dieser Aufsatz ist nicht ein Beitrag über die »Reichskristallnacht« schlechthin; vielmehr bietet er eine Argumentation bezüglich der Wege des Antijudaismus in Österreich an, für die der Novemberpogrom selbst nur den Anlaß darstellt. Es lohnt sich aber, sich mit dieser Argumentationskette auseinanderzusetzen, denn trotz (oder vielleicht wegen) ihres breiten historischen Hintergrunds bleiben uns die Autoren eine nicht widersprüchliche Erklärung der Bedeutung oder des Sinns der »Reichskristallnacht« schuldig.
Die Einleitung dieses Artikels stellt nicht nur fest, daß in der Nacht vom 9. auf den 10. November »ein ungeheuerer Pogrom« an den Juden verübt wurde, sondern auch, daß dieser Pogrom in Wien »schlimmer als anderswo« war. Wo aber andere Zeitungs-

artikel den geplanten und zentral gesteuerten Charakter der »Reichskristallnacht« betonten, geht dieser Kommentar in die entgegengesetzte Richtung, greift dabei aber auch wieder zu weit:

> Dieser Pogrom war die gewalttätige und mörderische Entladung jenes Antisemitismus und jahrhundertealten Judenhasses, den beinahe die gesamte damalige Bevölkerung teilte ... Viele Deutsche und Österreicher mordeten und plünderten in dieser Nacht, und viele schauten mit Wohlwollen dem ganzen Treiben zu. Der Pogrom war publizistisch und propagandistisch vorbereitet worden, und doch hatte es keine klaren zentralen Befehle und keine wirkliche Leitung gegeben.

Begründet wird diese genaue These zum Novemberpogrom durch die Feststellung, »daß entgegen dem straff sich darstellenden Führerprinzip die Befehle im Dritten Reich oft äußerst unbestimmt und die ressortmäßigen Zuständigkeiten unklar verteilt waren und daß die Ideologie nicht deutlich ausformuliert war«.
Letztere Behauptung gibt eine in der einschlägigen Literatur zum Nationalsozialismus konsensmäßig akzeptierte Beschreibung der Funktionalisierung des nationalsozialistischen Machtsystems wieder, und als solche ist sie kaum umstritten. Etwas problematischer scheint jedoch der Versuch, diese allgemeine These als Begründung für die mehr oder weniger »spontanen« Ausschreitungen gegen Juden in der »Reichskristallnacht« anzuführen.
Es ist wohl bekannt, daß weder der von Goebbels beauftragte Artikel im *Völkischen Beobachter* vom 8. November noch Goebbels' Radio-Hetzrede im »Alten Rathaus« am 9. November *direkte Befehle* enthielt, Synagogen und Bethäuser niederzubrennen, jüdische Geschäfte zu zerstören und zu plündern oder Juden zu verhaften, zu mißhandeln oder zu töten. Die Andeutungen in diesem Artikel und in dieser Rede wie auch in anderen deutschen Zeitungen waren allerdings »klar« genug, um selbst »unbestimmte« Anweisungen genauestens zu verstehen und durchführen zu können. Die *Deutsche Allgemeine Zeitung* etwa schrieb in ihrer Berliner Ausgabe am 8. November:

> Das jüdische Attentat in der Deutschen Botschaft in Paris wird, darüber soll sich niemand täuschen, die schwersten Folgen für die Juden in Deutschland haben, und zwar auch für die ausländischen Juden in Deutschland ... Sie dürfen erzitternd erkennen müssen, daß das in Paris gefallene Wort von den Rassengenossen sehr zweischneidig ist (zitiert nach Thalmann/Feinermann, 1987, S. 79).

In der oben erwähnten Rede um 22.00 Uhr am 9. November wies Goebbels auf judenfeindliche Kundgebungen in den Gauen Kurhessen und Magdeburg-Anhalt hin, die er als »spontane Vergeltungsaktionen des Volkes« beschrieb (zitiert nach Rosenkranz 1968, S. 29), und fügte hinzu: »Der Führer habe auf seinen Vortrag entschieden, daß derartige Demonstrationen von der Partei weder vorzubereiten noch zu organisieren seien, soweit sie spontan entstünden, sei ihnen aber auch nicht entgegenzutreten« (zitiert nach Adam 1988, S. 77). Daß diese Andeutungen völlig ausreichten, die beabsichtigten Resultate zu erzielen, wurde in einem vom obersten NSDAP-Parteirichter, Walter Buch, am 13. Februar 1939 für Göring verfaßten Bericht über die »Ausschreitungen anläßlich der judengegnerischen Aktionen vom 9./10. November 1938« bestätigt. Ein aktiver Nationalsozialist ist, so Buch,

gewohnt, aus einem solchen Befehl mehr herauszulesen, als wörtlich gesagt ist, wie es auch auf der Stelle des Befehlsgebers vielfach Übung geworden ist, im Interesse der Partei – gerade wenn es sich um illegale politische Kundgebungen handelt – nicht alles zu sagen und nur anzudeuten, was er mit dem Befehl erreichen will.
So hat wohl jeder der im Rathaussaal anwesenden Parteiführer die Weisung des Pg. [Parteigenossen] Dr. Goebbels, daß die Partei diese Demonstration nicht zu organisieren habe, so aufgefaßt, daß die Partei als Organisation nicht in Erscheinung treten solle; Pg. Dr. Goebbels wird sie auch so gemeint haben, denn die politisch interessierten und darüber hinaus aktiven Kreise, die für solche Demonstrationen in Frage kommen, stehen eben in der Partei und ihren Gliederungen. Sie konnten selbstverständlich auch nur durch Dienststellen der Partei und der Gliederungen mobilisiert werden.
So hat auch eine Reihe von Unterführern die an sie mündlich oder fernmündlich gelangten, nicht immer sehr glücklich formulierten Befehle – z. B.: nicht der Jude Grünspan, das ganze Judentum trage die Schuld an dem Tod des Pg. vom Rath, das deutsche Volk nehme infolgedessen Rache am gesamten Judentum, im ganzen Reich brennten die Synagogen, jüdische Wohnungen und Geschäfte seien zu verwüsten, Leben und Eigentum der Arier müsse geschützt, ausländische Juden dafür nicht belästigt werden, die Aktion werde auf Befehl des Führers durchgeführt, die Polizei sei zurückgezogen, Pistole sei mitzubringen, bei geringstem Widerstand sei rücksichtslos von der Waffe Gebrauch zu machen, als SA-Mann müsse nun jeder wissen, was er zu tun habe usw. – so verstanden, daß nun für das Blut des Pg. vom Rath Judenblut fließen müsse, daß es jedenfalls nach dem Willen der Führung auf das Leben eines Juden nicht ankomme (zitiert nach Thalmann/Feinermann 1987, S. 86-87).

Inwieweit die Behauptung der Autoren, es habe »keine klaren zentralen Befehle und keine wirkliche Leitung gegeben«, stimmen kann, hängt zudem davon ab, wie man »klar« und »wirklich« definiert. Was den Novemberpogrom betrifft, stimmt aber – auch bei strengster Auslegung dieser Begriffe – diese Behauptung nicht. Heinrich Müller, SS-Standartenführer, Oberregierungsrat und Chef der Geheimen Staatspolizei in Berlin, erließ am 9. November um 23.55 Uhr ein geheimes Fernschreiben an alle Stapo-Stellen und Stapoleitstellen. Dieses Schreiben, das »Aktionen gegen Juden, insbesondere gegen deren Synagogen« »vorahnte«, enthielt auch sehr »klare« Befehle, u. a., daß »die Festnahme von etwa 20-30 000 Juden im Reiche« vorzubereiten sei, wobei »vor allem vermögende Juden« auszuwählen seien; sowie daß, »sollten bei den kommenden Aktionen Juden im Besitz von Waffen angetroffen werden«, »die schärfsten Maßnahmen durchzuführen« seien (zitiert nach Thalmann/Feinermann 1987, S. 83). Das gleiche gilt für das am 10. November um 1.20 Uhr vom Chef der Sicherheitspolizei und des SD (und damit von Müllers Vorgesetztem), SS-Gruppenführer Heinrich Heydrich diktierte Fernschreiben an alle Staatspolizeistellen (Rosenkranz 1968, S. 29-31). Und dies sind nur die schriftlichen Befehle: Die Anweisungen, die die SA-Führer an ihre Gauleitungen telefonisch durchgegeben hatten, beinhalteten auch sehr spezifische Befehle über die Zerstörung von Synagogen und jüdischen Geschäften (siehe Rosenkranz 1968, S. 29; Thalmann/Feinermann 1987, S. 82-83).
Es ist also nicht richtig, daß die »viele[n] Deutsche[n] und Österreicher«, die »mordeten und plünderten« und auch »mit Wohlwollen dem ganzen Treiben zu[schauten]«, dies völlig ohne »klar[e] zentral[e] Befehle und eine wirkliche Leitung« taten. Vielmehr ist wahr, daß diejenigen, die die Ausschreitungen gegen Juden in der »Reichskristallnacht« durchführten, fast ausschließlich Nazi-Organisationen angehörten und unter der politischen und organisatorischen Leitung durch deren Führer diese Zerstörungen, Plünderungen und Gewalttaten unternahmen. Die Grenzen zwischen Parteiführung, -mitgliedern und der »Masse« seien allerdings sehr schwammig: Das »diffuse Element« – d. h. die »nicht deutlich ausformuliert[e]« Ideologie des Nationalsozialismus – »machte die vollkommene Identifikation der Masse mit ›der Partei‹ möglich«. Dieses Herunterspielen der autonomen und leitenden Rolle der Nationalsozialisten beim Novemberpogrom und

die daraus folgende Amalgamierung von Partei und »Masse« ergeben sich aber notwendigerweise aus der von diesen Autoren vertretenen Analyse des ewigen Judenhasses.
Der »Antijudaismus und der moderne Antizionismus«, schreiben die Autoren, »... spiegeln ein Defizit an Zivilisation und Kultur, einen tiefen Mangel in der sich an der Aufklärung orientierenden Gesellschaft«.[6] Obwohl er »durch die Jahrtausende ... seine Gestalt und sein Gepräge geändert, seine Forderungen und seine Ideologie gewechselt« habe, sei das, was beim Antijudaismus »unverändert bleibt[,] die Tendenz zu Radikalität und Gewalt, zu dauernder Eskalation«. Der Novemberpogrom, »wie man es nicht in einem neuzeitlichen Staat, sondern nur im ›finsteren‹ Mittelalter vermuten möchte«, »erinnert an die jahrhundertealte Tradition der antijüdischen Ausschreitungen in Wien«. Seit 1390 wurden Juden in Wien verfolgt und immer wieder aus der Stadt vertrieben, bis die Bevölkerung Wiens sie 1670 aus dem sich im Werden befindlichen Ghetto jagte. »In weiterer Folge«, schreiben sie dann, »kam es bis in das 19. Jahrhundert immer wieder zu spontanen, von der Bevölkerung ohne Befehle durchgeführten Pogromen in ganz Österreich. Seit der Wirtschaftskrise in den siebziger Jahren des 19. Jahrhunderts wurde die Ideologie eines Antisemitismus wieder extrem geschürt. Die endgültige Katastrophe nahm in Österreich mit dem März 1938 ihren Lauf«.
Angesichts der wiederholten Feststellung, daß die Juden durch die Geschichte »spontanen, von der Bevölkerung ohne Befehle« ausgehenden Pogromen ausgesetzt worden waren, scheint die Vermischung von Partei und Masse in diesen Ausführungen zur »Reichskristallnacht« verständlich, ja unvermeidbar. Es erschwert jedoch den Versuch der Autoren, irgend etwas Besonderes an der Judenverfolgung im Dritten Reich zu identifizieren. »Der Novemberpogrom«, den die Autoren anderswo als einen »Rückschritt vor die Aufklärung« beschreiben, bildet für sie »einen der frühen, aber entscheidenden Schritte am Anfang jenes Weges der Diskriminierung der deutschen und österreichischen Juden, an dessen Ende die Shoah, die Endlösung, und damit der in der gesamten Weltgeschichte einzigartige bürokratisch und industriell organisierte und ökonomisch optimierte Massenmord an den

6 Um die wesentliche Argumentationslinie systematisch darzustellen, ist die Reihenfolge der Zitate verändert.

europäischen Juden stehen sollte«. Klar wird nicht, wie dieser »einzigartige bürokratisch und industriell organisierte und ökonomisch optimierte Massenmord an den europäischen Juden« mit der in dem Artikel wiederholten Betonung der »spontanen«, »ohne Befehl durchgeführten Pogrome« vereinbar ist. Wenn also die »Reichskristallnacht«, ja die »Endlösung« selbst, nur eine geänderte »Gestalt« und ein geändertes »Gepräge« darstellen, wie ist es zu erklären, daß es nicht früher dazu gekommen ist? Waren die Nazis überhaupt dazu notwendig? Die verwirrte Auffassung, die Judenverfolgungen durch die Geschichte seien mit der Ermordung von sechs Millionen europäischen Juden durch Nazideutschland fast schicksalhaft verbunden, ergibt sich aus der Argumentationskette der Autoren: Es kam »immer wieder zu spontanen ... Pogromen« [sic]; ab zirka 1873 wurde »die Ideologie eines Antisemitismus wieder extrem geschürt«; die »endgültige Katastrophe nahm ... ab dem März 1938 ihren Lauf«. Was letzten Endes völlig in diesem Artikel fehlt, ist die Überlegung, unter welchen spezifischen gesellschaftlichen Rahmenbedingungen und politischen Kontexten eine bestimmte Judenpolitik überhaupt betrieben werden kann. Denn aus einem der Form nach wechselhaften, aber im wesentlichen unveränderbaren und undifferenzierten »Antijudaismus« kann man Hitlers »Endlösung der Judenfrage« nicht einfach und ohne weiteres ableiten. Aber genau dies wird hier nahegelegt.

5.1.5 Schlußbemerkungen

Die Berichterstattung zum Novemberpogrom und die mit diesen historiographischen und quasipolitischen Einordnungskriterien zusammenhängenden Tendenzen legen nahe, darüber nachzudenken, wie abhängig die breite Bevölkerung von den Darstellungen von JournalistInnen z. B. zu der »Reichskristallnacht« ist; wie sehr in der Folge diese Intelligenz von den HistorikerInnen bezüglich ihrer detaillierten Kenntnisse über den Hintergrund, die Ereignisse und die Bedeutung des Novemberpogroms jedenfalls abhängig ist; und wie wenig HistorikerInnen selbst »objektive« Darstellungen beanspruchen können, da die Unzuverlässigkeit vieler wissenschaftlicher Geschichtsdarstellungen wächst, je weiter man sich von den Quellen selbst entfernt. Die Möglichkeiten nichtspezialisierter Menschen, sich mit den verschiedenen Darstellungen der Geschichte in den öffentlichen Medien und den Vorstellungen, die dahinter stecken, auseinanderzusetzen oder gar zu den Darstellungen, die in diesen Medien präsentiert werden, eine kritische Distanz zu gewinnen, sind entsprechend begrenzt.

5.2. Konsensuelles Gedenken: Harmonie und Ambivalenz

Reden zu einem Anlaß wie dem Novemberpogrom-Gedenken sollen vor allem Konsens in der Ablehnung des und Distanzierung zum damals Vorgefallenen aufweisen; außerdem ist zu erwarten, daß die wichtigsten Ereignisse der damaligen Zeit beschrieben werden, jedenfalls die Opfer und möglicherweise Täter genannt werden. Außerdem ist mit an Sicherheit grenzender Wahrscheinlichkeit anzunehmen, daß Appelle an Grundwerte und Moral ZuhörerInnen versichern werden, daß dies nie mehr in solcher Form auftreten kann. Tiefe moralische Empörung über die Greueltaten des 9. November 1938 dürfte – einem allgemeinen Konsens gemäß – laut werden. Innerhalb dieses sehr breiten und weitgesteckten konsensuellen Rahmens finden wir nun in unserem Material drei Varianten dieses Genres, drei sehr unterschiedliche politische Persönlichkeiten haben sich daran versucht und verschiedene Drehbücher gewählt.
Am 8. und 9. November 1988 gaben sowohl Bundespräsident Kurt Waldheim als auch Bundeskanzler Franz Vranitzky offizielle Erklärungen zum 50. Jahrestag des Novemberpogroms ab. Im Gegensatz zu seiner Rede anläßlich der Veröffentlichung des Berichts der Historikerkommission, in der Waldheim den »Waldheim-Diskurs« von 1986 fortsetzte und in der Rechtfertigungen in vielerlei Gewand sichtbar wurden, strebte er offensichtlich zu diesem Anlaß einen konsensfähigen Diskurs an. Seine Rolle als österreichischer Bundespräsident impliziert, daß er sich mehr mit den Opfern als mit den Tätern beschäftigen kann und darf, denn er muß ja danach trachten, möglichst »alle« anzusprechen und zu erreichen. Wie in den Printmedien, so fanden sich auch in den Reden der höchsten Vertreter des österreichischen Staates wenig Konfliktpunkte und Probleme bei der Darstellung des 9. und 10. November 1938. Es bestand offenbar großkoalitionäre Einigkeit in den groben Zügen der Interpretation der Ereignisse des November 1938, an-

ders als etwa beim März 1938, wo die beiden Parteilager manchmal signifikant unterschiedliche Geschichtsbilder vertraten.
Dies läßt nun mehrere Vergleichsebenen zu: einmal zwischen Reden desselben Politikers zu unterschiedlichen, aber doch implizit verbundenen Anlässen, aber in sehr entgegengesetzten Rollen (Waldheim in der Defensive im Februar 1988, nachdem der Bericht der Historikerkommission veröffentlich worden war und Rufe nach seinem Rücktritt hörbar wurden; Waldheim als Bundespräsident im November 1988); andererseits zwischen dem offiziellen Gedenken in der ehemaligen Bundesrepublik mit einer Rede von Philipp Jenninger, dem Präsidenten des Bundestages, und in Österreich, wo – wie wir meinen – die Konflikte schon vorher, seit 1986, verschoben anhand der Symbolfigur »Waldheim« und der »Skandale« in der kulturellen Szene im Sommer und Herbst 1988, ausgetragen worden waren. Und drittens können wir die Rede des Bundespräsidenten, eines Vertreters des ehemaligen christlich-sozialen Lagers, mit derjenigen des Bundeskanzlers, eines Sozialdemokraten, vergleichen.

5.2.1. Die Erklärung des österreichischen Bundespräsidenten

Waldheim nahm am 8. November schriftlich Stellung. Er veröffentlichte eine Erklärung, die an alle Tageszeitungen und Pressedienste verschickt wurde. Die *Wiener Zeitung* brachte die vollständige Erklärung auf Seite 1, unsere Analyse richtet sich nach diesem Abdruck (vgl. gesamten Text im Anhang).
Gleich in den ersten Zeilen (1 bis 7) begegnen wir einem sehr emotionalen Vokabular, das die Leiden der jüdischen Bevölkerung plastisch vor Augen führen soll. Allerdings klingt das Amtsdeutsch durch, und versachlichte Nomina beherrschen die Rhetorik: brutale Ausschreitungen (von wem?), Verwüstung und Zerstörung (durch wen?), Mißhandlung und grauenvoller Tod (durch wen, wie?). Das Subjekt taucht am Ende des Satzes und Absatzes auf: das damalige Regime, nicht weiter präzisiert. Obwohl also keineswegs das Ausmaß des Grauens anfänglich verharmlost wird, bleiben die Täter unbenannt; lediglich ein abstraktes Staatengebilde, ohne nähere Charakterisierung, trägt Schuld – was sich mit gängigen Redeformen führender Politiker der Bundesrepublik Deutschland zu diesem Anlaß deckt.

Außerdem verwendet Waldheim den Begriff »jüdische Mitbürger«, der 1988 heftig diskutiert wurde (in einer der möglichen Bedeutungen als »Bürger zweiter Klasse«) und von dem sich der Bundeskanzler eindrucksvoll im März 1988 distanziert hatte. Häufig signalisiert diese Formulierung einen bestimmten, von philosemitischen Zügen geprägten Diskurs, der v. a. die Taten und Leistungen der vielen prominenten und berühmten jüdischen Österreicher rühmt und gleichzeitig »ihr Verschwinden« bedauert. Auch in Waldheims Rede besitzt der Begriff »jüdische Mitbürger« die bekannte Signalwirkung. Denn im nächsten Absatz (8-15) schrieb Waldheim: »Die nahezu völlige Vertreibung und Vernichtung der jüdischen Bevölkerung hat in unserem Land bis heute tiefe Wunden hinterlassen. Ich erinnere in diesem Zusammenhang nur an den hervorragenden Anteil, den der jüdische Teil unserer Bevölkerung am Kultur- und Geistesleben Österreichs hatte.« Hier offenbart sich die Ambivalenz, denn Waldheim spricht vom »jüdischen Teil« »unserer Bevölkerung«, hier werden also die Juden deutlich eingeschlossen.
In diesem zweiten Absatz wird auch die »intentionalistische« Einstellung Waldheims offensichtlich: Der Novemberpogrom war der »Auftakt zur Vernichtung von Millionen jüdischer Mitmenschen«, »die ... den Tod fanden« (wie?). Auch hier fehlen die Täter, denn die jüdischen Mitmenschen haben sicherlich nicht den Tod gesucht. Außerdem scheint in dieser Darstellung alles mit dem November angefangen zu haben: Waldheim gibt keine Hinweise auf den österreichischen Antisemitismus, auf die früheren Verwüstungen in Wien, auf die Rassengesetze usw.
Nun schwingt sich Waldheim doch im dritten Absatz zu einer Nennung von Namen und Tätern auf: Es handelt sich um den Nationalsozialismus und um Verbrechen, an denen »Österreicher ihren Anteil hatten«. Selbst diese Formulierung ist aber noch immer verharmlosend, da sie die manchmal führende Rolle verschleiert, die die österreichischen AntisemitInnen nach dem »Anschluß« in der Judenverfolgung wie auch in der Planung und Umsetzung der Judenvernichtung spielten. Schnell schließt sich daran aber ein Appell an: Nie wieder darf Ähnliches geschehen. An dieser Stelle verurteilt Waldheim den »Rassenhaß« und die Intoleranz.
Nach dieser einmaligen und kurzen Nennung der Täter wendet sich Waldheim der jüngeren Geschichte und der Zukunft zu: der

Zweiten Republik und dem Konsens über Grund- und Menschenrechte. Der Nominalstil wird nun plötzlich vom »Wir-Diskurs« abgelöst, da die durchaus positive Bewertung der Nachkriegsleistungen der ÖsterreicherInnen offensichtlich weniger heikel ist und einer ähnlichen Verschleierung nicht bedarf. Und nun versucht Waldheim (27-33), sein Image wieder aufzupolieren und sich positiv als Kämpfer für Menschlichkeit und Gleichheit darzustellen: »Ich habe bei meinem Amtsantritt als Bundespräsident hiezu erklärt, daß es unser täglich erneuter Vorsatz sein muß, jeden unserer Mitbürger ... als Bruder und Schwester zu empfinden und zu behandeln« (29/30). Der philosemitische Diskurs behält also Einfluß, selbst am Schluß dieser bemühten konsensuellen, aber dennoch immer noch ambivalenten Rede. Bestimmte Tabuisierungen und Einstellungen konnte Waldheim aber selbst in dieser – sicherlich geplanten und durchdachten – Erklärung nicht vermeiden.

5.2.2. Die Ansprache des Bundeskanzlers vor dem Ministerrat

Als Bundeskanzler und Kopf einer großen Koalition aus Sozialdemokraten und Konservativen mußte Franz Vranitzky Einseitigkeit vermeiden und sich bemühen, möglichst viele HörerInnen zu erreichen. Wie schon Waldheim, vermag auch Franz Vranitzky sich in seiner Rede schwer vom Amtsdeutsch zu lösen (dieser Text entstammt in gedruckter Form der *Wiener Zeitung* vom 9. 11. 1988, vgl. vollständigen Text mit Zeilennumerierung im Anhang): »Bevor wir in die Tagesordnung des Ministerrates eintreten, möchte ich Sie einladen, mit mir des Novemberpogroms 1938 zu gedenken.« Und dann folgt ein langer Passivsatz, der die jüdische Bevölkerung u. a. als Opfer eines brutalen Vergeltungs- und Racheschlages bezeichnet. Täter sind die Regierungs- und Parteistellen, die Anordnungen erlassen haben. Nicht gesagt wird hier, wer sie ausführte. »Rache- und Vergeltungsschlag« war die damalige offizielle Begründung des Pogroms auf die Ermordung von vom Rath. Auch hier hätte man gesprochene Anführungszeichen erwarten können, etwa in Form eines davorgesetzten »sogenannten«.

Nun macht Vranitzky das Ausmaß des Pogroms deutlich, zählt zerstörte Häuser, Geschäfte und Synagogen auf, nennt die Anzahl der Toten und Verletzten. Täter tauchen wiederum nicht auf, außer im Hinblick auf die Verhaftung von 6547 Menschen durch die SA. Im Unterschied zu Waldheims Erklärung weist Vranitzky aber auf die historische Perspektive hin: Der Novemberpogrom sei »kein singuläres Ereignis«, der Boden dafür sei vielmehr schon vorbereitet gewesen. Nicht erwähnt wird aber, welche Vorbereitungen es dazu gegeben hatte: Hier wird also das großkoalitionäre Tabu gewahrt.

Im nächsten Absatz (Zeilen 25-31) umreißt Vranitzky seinen historischen Rahmen genauer: 1918-1938-1988. Und er versucht, eine Erklärung für die Ereignisse 1938 zu finden, nämlich »die tiefe Verunsicherung der Österreicher, die Zweifel an der Existenzfähigkeit dieses Staates, die wirtschaftliche und soziale Not der Menschen und die daraus erwachsenen Zukunftsängste«. Ein Disclaimer (34/35) (Dementi) soll verhindern, dies etwa als Verharmlosung werten zu können. Solche Erklärungen des sozialen und politischen Kontextes, die nicht die Geschichte des Antisemitismus in Österreich einbeziehen, müssen aber letztlich relativierenden Charakter besitzen, denn daraus erklären sich weder Judenhaß noch die Rolle des »jüdischen Sündenbocks«. Und im nächsten nominal gehaltenen Satz tauchen folgende historische Tatsachen auf: »bürgerkriegsähnliche Ereignisse« (war denn der »Februar 1934« kein Bürgerkrieg?), »Ausschaltung der Sozialdemokratie« (die Zeit des Austrofaschismus wird nicht explizit genannt), »Anschlußgedanken« (bei wem?, der Anteil gerade der Sozialdemokratie am Anschlußgedanken wird verschwiegen, wie etwa das stete Bejahen des Anschlusses durch Karl Renner) und »Vollzug des Anschlusses« (wie, durch wen?, erinnern wir uns etwa an die jubelnden Massen im März 1938). Tabuisierte Bereiche eignen sich sowohl bei Waldheim wie auch bei Vranitzky für den amtsdeutschen Stil, »es« wird also »versachlicht« und »entpersonifiziert«.

In den Zeilen 45 bis 52 erfolgt nun die Überleitung in »die Zukunft«, in die »daraus« abzuleitenden Schlußfolgerungen. Vranitzky lehnt posthume Schuldzuweisungen an ganze Generationen ab, weist also Kollektivschuld als Konzept zurück, die Schuldigen werden aber auch hier nicht genannt. Vielmehr gilt es, »zu verstehen, zu erkennen ... und daraus die Maßstäbe für unser Handeln in Gegenwart und Zukunft abzuleiten«. Das heißt, daß Vranitzky hier einerseits viele ÖsterreicherInnen entlastet, ande-

rerseits sein Konzept einer möglichen Vergangenheitsbewältigung angibt: »Wirkliche Befreiung kann nur dadurch erreicht werden, daß man versucht, die gesamte Wahrheit und alle ihre Aspekte zu erfassen.« Dem wird sicherlich niemand in dieser Allgemeinheit widersprechen, Einzelheiten und Unannehmlichkeiten werden jedoch auch weiterhin nicht explizit genannt. Daß es die »gesamte Wahrheit« in der Geschichte als solche gar nicht geben kann, wollen wir hier nur nochmals anmerken.
Nach dieser wichtigen wertenden Überleitung erfolgt die positive Selbstdarstellung. Erstmalig in erster Person Singular und dann auch im Wir-Diskurs: »Wir haben ehrlich versucht, diese Wahrheit zu erfassen und ihr ins Gesicht zu sehen« (welche Wahrheit?). Dies bezieht sich auf »die gesamte Wahrheit«, von der wir ja auch nichts Genaues erfahren haben. Alles bleibt im Dunklen der Anspielungen stecken, im Impliziten. In den Zeilen 58-62 tauchen nun die Täter auf: »schuldhafte Verstrickung vieler Österreicher, die sich mehr oder weniger freiwillig bereitgefunden haben, Handlanger- und Schergendienste für ein unmenschliches und verbrecherisches Regime zu leisten«. »Verstrickung« bedeutet implizit ein passives Verhalten, in einem Netz gefangen zu sein, sich verstrickt zu haben. Und »mehr oder weniger freiwillig« ist stark relativierend, wenn man etwa die Rolle von manchen österreichischen SSlern in den Vernichtungslagern bedenkt. In Zeile 59 wird aber die »schuldhafte Verstrickung« der »Rolle als Opfer einer militärischen Aggression« gegenübergestellt; damit werden beide Teile der Moskauer Erklärung 1943 der Alliierten explizit genannt, nämlich die Opferrolle und die Verantwortung. Vranitzky ist also in seiner öffentlichen Vergangenheitsbewältigung weiter gegangen als viele andere Vorredner, auch wenn es bei diesem einen Satz bleibt.
In den Zeilen 63-69 werden die positiven Errungenschaften der Nachkriegszeit aufgezählt und die eindeutige Ablehnung des Nationalsozialismus emphatisch unterstrichen. Positive Werte, wie Toleranz, Weltoffenheit und Tüchtigkeit, stechen hervor. Nochmals werden nun die Opfer und die Versuche der Wiedergutmachung angeführt, wobei Vranitzky ehrlich zugibt, daß jede Wiedergutmachung nur eine »teilweise« sein kann. Die Greuel der Vergangenheit sind eben durch materielle Leistungen allein nicht wettzumachen. Ambivalent bleibt in diesem Absatz (70-75) der »umfassende Opferbegriff«; dieser wird nicht weiter spezifiziert

und bietet sich daher für mancherlei Interpretation an: Kriegsopfer allgemein, Zivilopfer, politisch Verfolgte, Juden. ... Und dann folgt noch ein wichtiger Appell: »für die Werte, die uns wichtig sind, [müssen wir] tagtäglich und immer wieder aufs Neue eintreten«. Damit ist die Politikverdrossenheit vieler, sind die aufflakkernden neuen rechten Bewegungen gemeint. Diese vage Anspielung ist vielen Eingeweihten sicherlich klar. Daran schließen sich nochmals eine Mahnung und zugleich ein Ausdruck der Hoffnung auf eine positive Entwicklung an: »dann wird all das keinen Nährboden mehr finden, das diesen Staat und seine Menschen einmal in den Abgrund getrieben hat«. Vranitzky kann mit »all das« sowohl die vorher genannten sozio-politischen Bedingungen als auch das »verbrecherische Regime« gemeint haben, also für alle ein Identifikationsangebot geliefert haben. Der persuasive Wir-Diskurs charakterisiert den zweiten Teil der Rede.
Die Rede endet schließlich eindrucks- und würdevoll, im Andenken an die Opfer und Toten. Vranitzky mahnt, »das Gedenkjahr nicht mit dem 31. Dezember abzuschließen«, sondern die erarbeiteten Inhalte »in unseren Köpfen und in unseren Herzen zu bewahren«.
Trotz einiger Gemeinsamkeiten der beiden Reden (Vagheit und Tabuisierung der NS-Vergangenheit und des Beteiligtseins von ÖsterreicherInnen, Nennung von Opfern, kaum Nennung von Tätern, Nominalstil und Versachlichung bei der Beschreibung der NS-Zeit) stechen doch gewichtige Unterschiede in den Einstellungen von Waldheim und Vranitzky hervor. So wird Vranitzky konkret bei der Beschreibung der Greuel, Zahlen belegen das Ausmaß der Ausschreitungen. Fakten ergänzen also den emotionalen Wortschatz, wie ihn Waldheim ebenfalls verwendet. Auch die Geschichtsbilder unterscheiden sich, denn Vranitzky gibt einen wesentlich breiteren historischen Rahmen an und betont die Rolle der Sozialdemokratie. Beide Reden nennen positive Grund- und Menschenrechte und mahnen für die Zukunft. Hier wird Vranitzky konkreter, man dürfe mit dem Gedenken nicht am 31. Dezember 1988 aufhören. Die positive Selbstdarstellung Vranitzkys gilt der Zweiten Republik und ihren Leistungen, Waldheim allerdings hebt seine eigene Rolle hervor, bemüht sich um Verbesserung seines Image.
Wir können uns die Frage stellen, ob es überhaupt ein Politiker »richtig« machen kann? Wahrscheinlich nicht, es wird für manche

LeserInnen immer zu wenig oder zu viel, zu abstrakt oder zu konkret sein. Dies entspricht unserer Ausgangsthese (vgl. Kap. 1) der Unmöglichkeit öffentlichen Gedenkens. Die Rollen als Bundespräsident und Bundeskanzler vereinen so viele unterschiedliche Erwartungen und Ansprüche, daß der Rückzug in Vagheiten verständlich ist. Die ambivalenten Formulierungen versuchen daher gerade möglichst viele Menschen anzusprechen und möglichst wenige auszuschließen. So verständlich dies auch sein mag, so müssen wir uns trotz allem fragen, warum es so schwierig geblieben ist, sich wirklich mit den Tätern, MitwisserInnen und ZuschauerInnen auseinanderzusetzen, denn gerade das passive Zuschauen bzw. das Wegschauen bilden auch nach Auschwitz die Grundlage für viele Verletzungen der Menschenrechte (vgl. Hilberg 1992).

5.3. Die »Zeit im Bild«-Sendungen

5.3.1. Die Struktur der »Zeit im Bild«-Sendungen

Das österreichische Fernsehen hat zwei Hauptnachrichtensendungen, die sogenannte »Zeit im Bild 1« (ZiB1) im ersten und zweiten Programm um 19.30 Uhr (durchgeschaltet) und die »Zeit im Bild 2« im zweiten Programm um 22.00 Uhr (ZiB2). Während die ZiB1 eine Nachrichtensendung im herkömmlichen Sinn ist, die von zwei SprecherInnen moderiert wird – d. h. es werden im allgemeinen einzelne Nachrichten mit Lauf- und Stehbildern in einer bestimmten Reihenfolge der Wichtigkeit präsentiert –, werden in der ZiB2 sehr häufig Schwerpunktthemen in den Mittelpunkt gesetzt. Regelmäßig werden GastkommentatorInnen ins Studio eingeladen, ausführliche Live-Interviews (nicht nur Berichte) mit ORF-KorrespondentInnen via Satellitenleitung oder Gespräche mit PolitikerInnen und ExpertInnen im Studio geführt. Die ZiB1 wird abwechselnd von mehreren Teams moderiert, die ZiB2 hat einen Hauptmoderator, der den weitaus größten Teil der Sendungen gestaltet und nur in unregelmäßigen Abständen von anderen Sprechern vertreten wird. Beide Sendungen dauern jeweils etwa 20 Minuten, auf die ZiB1-Sendung folgte 1988 im zweiten Programm unmittelbar das »Kulturjournal«, in dem über kulturelle Tagesereignisse berichtet wurde.

Allein in den beiden Fernsehprogrammen des ORF wurden im Laufe des Gedenkjahres 173 themenspezifische Sendungen ausgestrahlt. Mit etwas mehr als der Hälfte (90 Sendungen) überwiegen die Dokumentationen. Fernseh- und Spielfilme nehmen mit 59 Sendungen (34,1%) den zweiten Platz ein. Darüber hinaus folgen noch

- 9 Diskussionsveranstaltungen (»Club 2«, »Nachtstudio«, etc.);
- 4 Gespräche mit Zeitzeugen;
- 4 Übertragungen von Gottesdiensten;
- 4 Übertragungen von drei offiziellen Gedenkveranstaltungen (Parlament, Hofburg, Staatsoper, Ansprache des Bundespräsidenten zum 11. März 1988);
- 2 Sendungen im Jugendmagazin »X-Large«.

Im Rahmen des Kulturjournals der Nachrichtensendung »Zeit im Bild 1« gab es darüber hinaus vom 11.3. bis 9.4. eine 30-teilige Kurzserie über Künstler, die unter dem Naziregime umgebracht wurden.

Eine Gliederung nach Monaten zeigt, daß es im März und November 1988 erwartungsgemäß zwei deutliche Höhepunkte gab, die allein mehr als ein Drittel aller Sendungen des Jahres ausmachten (60 von 173). Eine weitere Differenzierung zeigt, daß im März die Dokumentationen überwogen, im November jedoch die Zahl der Spielfilme mit 16 gegenüber 13 Dokumentationen überproportional hoch war. Der Novemberpogrom sollte offensichtlich auch emotional stärker angesprochen werden als der »Anschluß«.

Neben dem März bildete die Fernsehberichterstattung im November des Gedenkjahrs einen zweiten Höhepunkt. Insgesamt 26 Sendungen befaßten sich im engeren Sinn mit Österreichs jüngerer Geschichte rund um die nationalsozialistische Vergangenheit, also an beinahe jedem Tag gab es einen Film, eine Dokumentation oder einen Bericht in einer anderen Form zum Thema. Nicht mitgerechnet sind dabei Berichte, die sich mit Themen auseinandersetzten, die nur in einem mittelbaren Zusammenhang mit dem Gedenkjahr standen, wie die Errichtung des Mahnmals durch den Bildhauer Alfred Hrdlicka und die Uraufführung des Theaterstücks von Thomas Bernhard. Zieht man nur den engeren Zeitraum rund um den 9./10. November 1988, der Nacht des Novemberpogroms, in Betracht, so waren es in den ersten 14 Tagen des Novembers 23 Sendungen, also beinahe zwei pro Tag. An man-

chen Tagen gab es bis zu drei Sendungen im Hauptabendprogramm. Auch wenn es sich bei einem nicht unbeträchtlichen Teil um Fernsehserien handelte, so machten Dokumentationen und kritische Berichte über die Zeit des Nationalsozialismus doch mehr als die Hälfte aller Beiträge im November aus.
Rund um die Berichterstattung der beiden Hauptnachrichtensendungen lassen sich ein »Vorfeld« und ein »Nachfeld« eruieren. So wurde in der ZiB1 vom 27. Oktober (also im »Vorfeld«) über eine Ausstellung jüdischer Kunst aus Böhmen in Ferrara berichtet, im Nachfeld über die Ehrung Wiesenthals in New York (ZiB1 vom 15. 11.), die Eröffnung einer jüdischen Buchhandlung in Wien (ZiB1 vom 20. 11.) und über ein Symposium zum »Verhältnis zwischen Christen und Juden« (ZiB2 vom 28. 11.). Hier waren in der Aufbereitung der Themen durchaus Tendenzen zu einem philosemitischen Diskurs zu finden, die auf den weiteren Kontext des Gedenkjahres und auf den engeren des Novemberpogroms zurückzuführen sind. Weder in den Jahren zuvor noch danach wurde vergleichbaren Ereignissen ein solcher Stellenwert eingeräumt.

5.3.2. Das Gedenken an den Novemberpogrom in den Nachrichtensendungen

Die Berichterstattung zu den eigentlichen Gedenkveranstaltungen beschränkt sich auf den 8. und 9. (ZiB1) bzw. 8. bis 10. November (ZiB2).

5.3.2.1. ZiB1, am 8. November 1988

In der Einleitung wurde als vierte von sechs Schlagzeilen das Gedenken an den Novemberpogrom 1938 angeführt. Er wurde als »Novemberpogrom« und als »Kristallnacht, als die Tempel brannten« bezeichnet. Darüber hinaus wurde auf Erklärungen von Bundespräsident und Bundeskanzler verwiesen. Der Beitrag selbst dauerte knapp 2:30 Minuten und gliederte sich in eine kurze Einleitung des Reporters sowie direkte und indirekte Zitate von Bundespräsident Waldheim und Bundeskanzler Vranitzky.

Sprecher: Österreich gedenkt in diesen Tagen der tragischen Ereignisse des November-Pogroms 1938 gegen die jüdische Bevölkerung. In der Nacht vom 9. auf den 10. November 1938 wurden von den Nationalsozialisten über 6000 jüdische Geschäfte und Wohnungen verwüstet und zwangsrekrutiert. 49 Tempel und Bethäuser wurden zerstört. Die Nationalsozialisten fanden für diese Nacht des Todes und der Verwüstung den zynischen Namen »Reichskristallnacht« wegen der berstenden Fenster. Mindestens 30 Menschen wurden getötet, 680 haben in Panik Selbstmord begangen, 7800 wurden verhaftet, 4600 davon am darauffolgenden Tag nach Dachau deportiert. Die Ermordung eines deutschen Diplomaten in Paris durch einen Juden bot den Vorwand zu einer lang geplanten antisemitischen Hetzaktion. Bundespräsident Waldheim bezeichnete heute das Gedenken an diese Ereignisse als Auftrag zur Verhinderung von Ähnlichem aus Intoleranz oder Rassenhaß. In einer Erklärung vor dem Ministerrat sagte Bundeskanzler Vranitzky, es gehe nicht um Schuldzuweisungen an frühere Generationen, aber die wirkliche Befreiung könne nur erreicht werden, wenn die ganze Wahrheit erfaßt wird.

Vranitzky: Wir haben ehrlich versucht, diese Wahrheit zu erfassen und ihr ins Gesicht zu sehen. Wir haben gelernt, zu unterscheiden zwischen unserer Rolle als Opfer einer militärischen Aggression und der schuldhaften Verstrickung vieler Österreicher, die sich mehr oder weniger freiwillig bereitgefunden haben, Handlanger- und Schergendienste für ein unmenschliches und verbrecherisches Regime zu leisten.

Sprecher: Und der Kanzler weiter: Auch in der Demokratie müsse man immer wieder aufs Neue für die wichtigen Werte eintreten. Für Offenheit und Toleranz und für Respekt vor dem Andersdenkenden. Dann könne das, was diesen Staat und seine Menschen in den Abgrund getrieben hat, keinen Nährboden mehr finden.

Vranitzky: Verneigen wir uns daher in Ehrfurcht und in Trauer vor allen, die Opfer jener schrecklichen Zeit und ihrer schuldhaften Verirrungen geworden sind. Wir sind es ihrem Andenken schuldig, dieses Gedenkjahr nicht mit dem 31. Dezember abzuschließen, sondern wir wollen vielmehr die Botschaften und die Inhalte, die wir uns in diesem Gedenkjahr erarbeitet haben, auch für die Zukunft in unseren Köpfen und in unseren Herzen bewahren.

Der Redakteur beginnt mit einer Depersonalisierung (1), wenn er Österreich[7] als gedenkendes Subjekt verwendet, das Gedenken also als Akt der offiziellen Vertreter der Republik, aber nicht als Angelegenheit einzelner Bürger (ÖsterreicherInnen) suggeriert wird.

Der Redakteur bezeichnet den Novemberpogrom als »tragisch[e] Ereignisse« (1), als »Nacht des Todes und der Verwüstung« (6-7) und erklärt den Begriff »Reichskristallnacht« als von den Nationalsozialisten geprägten »zynischen Namen« (7). Die Verharmlosung dieses Ausdrucks wird dadurch thematisiert. Mit einer Reihe von Zahlen und Tatsachen wird das Ausmaß dieser Schreckensnacht illustriert. Einerseits wird dadurch die faktische Dimension deutlich, andererseits können Zahlen aber immer auch ein Mittel der Distanzierung und auch der Versachlichung von menschlichem Leid zu Ziffern und Nummern werden. Die abstrakte Größe in Zahlen ist oft emotional kaum mehr nachvollziehbar.

Als Täter allerdings werden einzig »Nationalsozialisten« genannt (6). Dieser Ausdruck ist zwar sehr umfassend und wenig präzise, doch sind in der gängigen Verwendung im allgemeinen Mitglieder von nationalsozialistischen Organisationen wie NSDAP, SA, SS und dergl. gemeint. Daß an diesen Ausschreitungen und vor allem an den Plünderungen auch Nicht-Parteimitglieder und – etwa in Wien – Teile der Bevölkerung mitgemacht haben, wird in der Einleitung nicht erwähnt. Auch Hinweise auf das Ausbleiben von Protesten oder ähnlichem fehlen in diesem Zusammenhang. Die Täter sind also klar eingegrenzt; Mittäter, Mitläufer und »Wegschauer«, die das gesamte Ausmaß und die Folgen des Novemberpogroms als Auftakt zur systematischen Vernichtung der Juden ausmachen, fehlen als Akteure. Auch die Behauptung, daß der Pogrom von langer Hand vorbereitet gewesen sei (12-13), ist in der zeitgeschichtlichen Literatur umstritten.

Die Ausschnitte der Ansprache des Bundeskanzlers vor dem Ministerrat stammen vom Schluß der Rede und enthielten drei Punkte, die über den konventionellen Rahmen hinausgehen. Erstens betonte Vranitzky, daß die Wahrheit nicht geteilt werden

7 Bei der inhaltlich korrekten Unterscheidung zwischen dem Staat Österreich als Opfer des »Anschlusses« und Österreichern als Tätern im NS-Regime wird diese Differenzierung z. B. immer vorgenommen.

könne (18-19), daß also auch die negativen und verbrecherischen Aspekte der eigenen Vergangenheit immer wieder aufgedeckt und in Erinnerung gerufen werden müßten, zweitens traf er wiederum eine Unterscheidung zwischen Österreich als völkerrechtlichem Opfer des nationalsozialistischen Regimes auf der einen Seite und vielen Österreichern als Tätern in diesem Regime auf der anderen Seite (21-26). Der undifferenzierte, einseitige Opfer-Status wurde also von höchster Stelle als ungenügend und unzutreffend gekennzeichnet. Dies war ein Hinweis darauf, daß auch die »offizielle Geschichtsschreibung« durch hohe Repräsentanten der Republik einigermaßen revidiert und auf eine umfassendere Grundlage gebracht werden kann. Der dritte Aspekt umfaßte schließlich die Aufforderung, die Bemühungen um eine Auseinandersetzung mit der eigenen nationalsozialistischen Vergangenheit nicht mit dem Ablauf des Gedenkjahres zu beenden, sondern als lebendige Praxis in den öffentlichen Diskurs der Republik hereinzuholen(32-38) (vgl. 5.2.2.).

5.3.2.2. ZiB1, am 9. November 1988

Die Hauptmeldung an diesem Tage war der Sieg des Republikaners George Bush im US-Präsidentschaftswahlkampf. Die Berichterstattung dazu dauerte beinahe eine Viertelstunde. Als zweite Hauptmeldung erschienen die Gedenkveranstaltungen der Republik zum Novemberpogrom vor 50 Jahren unter der Titeleinblendung »Tag des Gedenkens«. Der Sprecher leitete den Beitrag mit der Aufzählung der drei deutschsprachigen Länder BRD, DDR und Österreich (in dieser Reihenfolge) ein. Im folgenden beschränkten sich die Berichte auf Österreich, diesmal wurde eine Kurzmeldung vom Vizekanzler und Obmann der Österreichischen Volkspartei, Alois Mock, gebracht, anschließend wurden Ausschnitte aus der Rede des Nationalratspräsidenten Leopold Gratz und abschließend Ausschnitte aus einer Gedenkveranstaltung der Israelitischen Kultusgemeinde in Wien gesendet. Insgesamt dauerte der Beitrag 2 Minuten und 56 Sekunden.
In der von Mock zitierten Passage kam die Eingrenzung der damaligen Täter auf die Gruppe der Nationalsozialisten deutlich zum Vorschein (»bezeichnete Mock den Pogrom als Ausdruck der

bestialischen Gesinnung der Nationalsozialisten gegenüber jüdischen Bürgern«). Alle anderen, die mitgemacht oder weggeschaut haben, wurden in der Darstellung der Nachrichtensendung von impliziter oder expliziter Schuld dispensiert, obwohl Mock einen differenzierteren Standpunkt eingenommen hatte. So sagte er z. B., die Erinnerung an den Novemberpogrom sei auch deshalb von Bedeutung, »weil Österreich damals nicht nur Opfer war, sondern auch Österreicher zu Tätern an ihren jüdischen Mitbürgern geworden sind«.

Gratz' Ansprache vor dem Nationalrat verdient eine genauere Analyse:

39 Gratz: Willkürakte gegen die etwa 190 000 jüdischen
40 Mitbürger hatten schon im Oktober 1938 mit
41 zahlreichen Tempelschändungen begonnen. In der
42 Nacht vom 9. auf den 10. November 1938 jedoch wurden
43 alleine in Wien tausende Mitbürger erniedrigt,
44 verhaftet, verletzt und viele ermordet. Fast alle
45 Synagogen wurden zerstört. An den Ausschreitungen
46 waren, leider muß das gesagt werden, nicht nur
47 offizielle NS-Einheiten, sondern auch vom Ungeist des
48 Nationalsozialismus beherrschte schau- und sogar
49 raublustige Antisemiten beteiligt. Die tiefe Scham über
50 diese schandbaren Vorgänge und das Mitgefühl für die
51 Opfer und deren Hinterbliebene soll nicht nur privat
52 zum Ausdruck gebracht werden. Das Hohe Haus als
53 Vertreter des gesamten österreichischen Volkes wird
54 deshalb dieser Ereignisse vor 50 Jahren in einer
55 Trauerminute gedenken.

Die Einleitung, in der Gratz die Anzahl der Bethäuser und Synagogen in Österreich vor dem Novemberpogrom aufzählt (vgl. MiJ, 7. 11. 1988), wird von der Fernsehredaktion weggeschnitten. In der Ansprache selbst fallen die vielen passiven Formulierungen auf, mit denen die Täter beim Pogrom zunächst ungenannt bleiben:

(Willkürakte) hatten begonnen (2);
(Mitbürger) wurden ... erniedrigt, verhaftet, verletzt ... ermordet (4-7).

Selbst in dem Satz, wo Gratz die Täter nennt und sie auch als »Antisemiten« explizit benennt und eine Abspaltung der Tätergruppe, wie sie etwa zuvor in Mocks Aussage anklang, explizit ablehnt, findet sich eine passive Konstruktion: »waren beteiligt«.

Die Opfer dagegen werden als »Mitbürger«[8] einer zweitrangigen Kategorie zugeordnet. Auffallend und markant erscheint der Appell an die »Scham«. Damit ging Gratz über den öffentlichen Konsens reinen Gedenkens hinaus und forderte eine bestimmte Reaktion.
Die Berichterstattung zum Novemberpogrom schließt mit einem Beitrag über den Gottesdienst der Israelitischen Kultusgemeinde in Wien und einem kurzen Ausschnitt aus der Predigt des Oberrabbiners Paul Chaim Eisenberg ab.
Insgesamt ist die Berichterstattung der ZiB1 zum Novemberpogrom im Vergleich zu den Märzgedenkfeiern weniger ausführlich. Dennoch kommen der Bundeskanzler, der Nationalratspräsident und höchste geistliche Repräsentanten der jüdischen Gemeinde in einem längeren Ausschnitt ins Laufbild. Von Bundespräsident Waldheim und Vizekanzler Mock wird jedoch nur je ein Satz zitiert. Andere Veranstaltungen von Nicht-Politikern werden in der ZiB1 nicht erwähnt. Allerdings bringt das Kulturjournal vom nächsten Tag Ausschnitte aus einer Reihe von Gedenkveranstaltungen, vornehmlich aus dem Burgtheater, wo zwei Lesungen stattfanden, aber auch von einer Veranstaltungsreihe der Österreichischen Hochschülerschaft, in der u. a. auf den nach wie vor präsenten Antisemitismus unter den Studierenden eingegangen wird.

5.3.2.3. ZiB2, am 8. und 9. November 1988

Auch die Berichterstattung der zweiten Nachrichtensendung ZiB2 zu den Novemberpogrom-Gedenkveranstaltungen begann am 8. November mit einer Kurznachricht, die von einem Sprecher vorgelesen wurde. Dabei wurden die bereits in der ZiB1 gesendete Aussage von Bundespräsident Waldheim wiederholt und Teile von Vranitzkys Ansprache vor dem Ministerrat in insgesamt 32 Sekunden referierend zusammengefaßt. Die Berichterstattung des nächsten Tages war dagegen ausführlicher und ergänzte jene der ZiB1. War in dieser vor allem über die Ansprachen von National-

8 Das Lexem mag dem ersten Anschein nach solidarisierend wirken, doch beinhaltet es tatsächlich viel eher eine Distanzierung, da erstens zu fragen ist: »*Mit*bürger von wem?«, und zweitens kaum eine andere Bevölkerungsgruppe als »Mitbürger« bezeichnet wird (vgl. auch 5.2.2.1.).

ratspräsident Gratz und Oberrabbiner Eisenberg berichtet worden, so stehen in jener die Gedenkveranstaltungen der ÖVP Wien mit deren Obmann Busek und die Gedenkveranstaltung im Jüdischen Gemeindezentrum im Vordergrund der ausführlichen Berichterstattung. Wir wollen uns hier auf die Einleitung durch den Moderator der ZiB2 beschränken, da diese medienintern gestaltet wurde und zur Gänze dokumentiert ist.

56 Sprecher: Man kann die Geschichte nicht ungeschehen machen, man
57 darf sie aber nicht vergessen, und man kann sich auch 50 Jahre
58 danach, 50 Jahre nach dem November-Pogrom, für diese
59 Explosion der Unmenschlichkeit noch schämen. Nur wenige
60 Menschen haben im Dritten Reich von der unfaßbaren
61 Realität der Vernichtungslager gewußt. Aber den Anfang vom
62 Holocaust haben wohl alle miterlebt in der Nacht vom 9. zum
63 10. November 1938, als die Synagogen und die Bethäuser
64 brannten, als die Menschen auf offener Straße erschlagen
65 wurden. 50 Jahre danach wird in Deutschland und auch bei uns
66 in Österreich an dieses Pogrom erinnert. Der Nationalrat
67 begann seine heutige Sitzung mit einer Schweigeminute. In der
68 Synagoge in der Wiener Seitenstettengasse fand ein
69 Trauergottesdienst statt. Und auch am Abend wurde an vielen
70 Orten der Nacht der Unmenschlichkeit gedacht.

Der Moderator beginnt die Anmoderation des Themenblocks mit einem Dreischritt der klassischen Rhetorik und bedient sich der Modalverben, um die syntaktische Parallelkonstruktion zu realisieren: »kann nicht«, »darf nicht«, »kann (aber)« (1-4). Der Moderator greift hier eine Aussage von Nationalratspräsident Gratz auf, der am Vormittag in seiner Anprache vor dem Nationalrat von »tiefer Scham« gesprochen hatte.
In seiner Rede vor der Bundesversammlung (der gemeinsamen Sitzung der beiden Kammern) am 11. März 1988 war Gratz übrigens darauf noch ausführlicher eingegangen:

Sosehr wir daher eine kollektive Schuld eines ganzen Volkes, unseres Volkes, ablehnen, so sehr möchte ich aber auch aussprechen, daß kollektive Scham angebracht ist für das, was in unserem Land und in unserer Hauptstadt unseren jüdischen Mitbürgern angetan wurde. Sie ... wurden über Nacht ausgestoßen, erniedrigt, verfolgt und brutal ermordet. Dafür, daß so etwas in unserem Land möglich war, muß man sich und kann man sich auch dann schämen, wenn man nicht dabei war.
(Jahrbuch der Österreichischen Außenpolitik: 463; Hervorhebungen durch die VerfasserInnen)

Damit wird auch die Bedeutung klar, die der Scham zuzumessen ist: als Ersatz für die Kollektivschuld, die auch von Gratz zurückgewiesen wird. Auffallend ist in diesem Zusammenhang freilich, daß von keinen meinungsführenden Personen, seien es Wissenschaftler, Journalisten oder Politiker, diese Position (noch) vertreten wird. Diese Passage hat jedoch auch verharmlosenden Charakter, weil dem adversativen syntaktischen Aufbau entsprechend als logische Oppositionen zur (zurückgewiesenen) Kollektivschuld eher Ergänzungen des Inhalts zu erwarten gewesen wären, daß es sehr wohl individuelle Schuld (oder auf jeden Fall auch keine kollektive Unschuld) gebe. Statt dessen wird die (für die Schuldigen) abschwächende Alternative der Kollektivscham angeboten. In Gratz' Rede am 9. 11. 88 werden allerdings, wie schon erwähnt, die Täter in Form von »Antisemiten« genannt.
Der Kontext in der Anmoderation am 9. 11. 88 ist hingegen ein anderer: Das relativierende Glied der zurückgewiesenen Kollektivschuld fehlt, an seiner Stelle steht im Gegensatz dazu eine Aufforderung, die Wirkung ist daher verstärkend: die Ergänzung der kognitiven Leistung (Nicht-Vergessen) durch eine emotionale (Scham). In einem Parallelismus (C. 4-10) wird durch den Gegensatz »wenige (... haben gewußt)« (4) vs. »wohl alle ... haben miterlebt)« (7) die Berechtigung der kollektiven Scham inhaltlich eindrucksvoll unterstrichen. Mit dieser Formulierung unterläuft der Moderator außerdem die Ausfluchtmöglichkeit, daß Nichtwissen um die Vergasung von Juden in Todeslagern einem Nichtwissen von Judenverfolgung schlechthin gleichkommt.
Damit geht der Moderator über die üblichen Formen der Moderation hinaus und gestaltet den Beitrag stark persönlich. Dies wird durch andere Stellen noch unterstrichen: So spricht er von der »Explosion der Unmenschlichkeit« (4) bzw. der »Nacht der Unmenschlichkeit« (15) und betont die Ungeheuerlichkeit des Pogroms, indem er davon spricht, daß »die Menschen auf offener Straße erschlagen wurden« (9-10) Nicht von irgendwelchen abstrahierenden Zahlen ist die Rede, vielmehr verwendet der Moderator zur Bezeichnung der Opfer explizit und ausschließlich das Wort »Menschen«, das er durch den bestimmten Artikel noch generalisiert. Diesen stellt er die »Unmenschlichkeit« (4, 15) der Täter gegenüber, schafft also eine ganz anders wertende Polarisierung. Die Brutalität wird durch das Verb »erschlagen« (9) unterstrichen: Nicht distanziert, sondern unmittelbar, buchstäblich

handgreiflich, in direktem Körperkontakt wurden die Opfer umgebracht. Ausreden, Entschuldigungen, Heischen um Verständnis für »die damaligen Verhältnisse« (oder was auch immer) werden dadurch abwegig und widersinnig. Diese Formulierungen gehen über stereotype Wendungen und routinierte Formeln hinaus und lassen auch die persönliche Betroffenheit des Moderators durchschimmern. Er sprengt somit in dieser Einleitung die Grenzen konventioneller Moderationsauffassungen.

5.3.2.4. ZiB2, am 10. November 1988

Die Hauptmeldung der ZiB2 am 10. 11. war die mißlungene Rede des bundesdeutschen Bundestagspräsidenten Philipp Jenninger anläßlich einer Gedenkveranstaltung zum Novemberpogrom vor 50 Jahren (vgl. weiter unten, Kap. 6). In diesem Zusammenhang sind für uns einige Passagen gegen Ende eines Interviews mit dem ORF-Moderator in der BRD interessant, wo Vergleiche zwischen dem Umgang mit der NS-Vergangenheit in Österreich und der BRD gezogen wurden. Die gesamte Meldung dauerte 9:50 Minuten, das Interview mit dem ORF-Korrespondenten Helmut Brandstätter knapp fünf Minuten:

Sprecher: Ich will Sie nicht vor die schwierige Aufgabe stellen, den Unterschied in der Geschichtsbewältigung zwischen der Bundesrepublik Deutschland und Österreich jetzt zu qualifizieren. Aber ist nicht der heutige Vorfall ein Indiz dafür, daß man in Deutschland sich von den Taten des Dritten Reiches ausdrücklich und praktisch in jeder Rede distanzieren muß und daß bereits eine nicht ausreichende Distanzierung oder nur die Möglichkeit des Mißverständnisses bereits zum Skandal werden kann?
Brandstätter: Ja, Herr Hochner, ich bin überzeugt davon, daß die Sensibilität hier in der Bundesrepublik gegenüber all dem, was vor 50 Jahren passiert ist, was die Naziverbrechen ausmachen, daß die Sensibilität gegenüber dieser Zeit hier sehr hoch ist. Und man muß hier sehr aufpassen. Und das hat man immer wieder gesehen: Wenn kleine Provinzpolitiker hier antisemitische Äußerungen machen, dann treten sie am nächsten Tag zurück und nicht ein paar Monate später. Es gibt hier die berühmte Rede von Richard von Weizsäcker, vom Bundespräsidenten, wo er eine Art Latte gelegt hat, wo er ein Niveau gezeigt hat, (wie) er glaubt und wie auch wahrscheinlich viele Leute hier glauben, wie man sich damit auseinandersetzen muß. Nicht vergessen, nicht verdrängen. Immer wieder darauf hinweisen, was an Verbrechen geschehen ist, vor allem an Verbrechen an

den Juden. Und an diesem Niveau werden alle gemessen. Und an dem ist auch Philipp Jenninger gemessen worden. Und da ist er eben heute nicht herangekommen.
Sprecher: Ich danke Ihnen herzlichst für diesen Bericht und guten Abend.

In seinem ersten Satz unterstellt der Moderator, daß es einen Unterschied in der Art und Weise des Umgang mit der NS-Vergangenheit zwischen den beiden Staaten gebe. In dieser Präsupposition ist auch implizit die Wertung enthalten, daß die BRD ehrlicher und aufrichtiger Vergangenheitsaufarbeitung geleistet habe und daß Österreich sich davor großteils durch die verkürzende These des »ersten Opfers des NS-Regimes« über weite Strecken gedrückt habe. Trotz dieser Implikationen wirkt der folgende Satz zumindest ambivalent: Durch die relativierende Formulierung »praktisch in jeder Rede« sowie »bereits«, die Wahl des Modalverbs »müssen« und die abwertende Bezeichnung der Konsequenzen mit der Bezeichnung »zum Skandal werden« wird zunächst die Lesart nahegelegt, daß diese bundesdeutschen Verhaltensweisen Überreaktionen und daher den Gegebenheiten nicht angemessen seien. Daß der Moderator andere Intentionen verfolgte, kann nur erschlossen werden, bedarf also zusätzlicher Anstrengung. Ein erster Hinweis darauf ist, wie bereits erwähnt, der Einleitungssatz mit seinen Präsuppositionen. Wäre Hochner der Meinung, Österreich hätte sich genau so intensiv oder sogar ausführlicher als die Bundesrepublik mit seiner NS-Vergangenheit auseinandergesetzt, hätte er diesen Satz so nicht formulieren können. Zweitens spricht auch die Reaktion Brandstätters für eine andere Interpretation, indem er den Zwang zum Rücktritt auch von weniger prominenten Politikern anführt, wenn sie antisemitische Äußerungen machen. Hier wird deutlich, daß der Zwang, der in Hochners Formulierung durch das Modalverb »müssen« angesprochen wird, nicht negativ (etwa durch die oben angedeutete primäre Lesart der Überzogenheit oder auch durch das »Ausland« zustande gekommen), sondern durchaus positiv bewertet wird: Der innenpolitische Druck ist so groß, daß derartige Äußerungen nicht toleriert werden. Und in diese Richtung kann Hochners Frage eben auch interpretiert werden (zweite Lesart): Der Zwang zur Distanzierung von Nationalsozialismus und Antisemitismus ist moralisch einwandfrei, die Skandalisierung im anderen Fall positiv zu werten. Allerdings kann der innenpolitische Druck auch

eine Reaktion auf kritische Stimmen aus dem Ausland sein. Die Lesarten sind kaum eindeutig zu trennen.
In diesem Zusammenhang geht Brandstätter auch auf den angesprochenen Unterschied zwischen Deutschland und Österreich ein, wo sogar Spitzenpolitiker nicht zurücktreten (vgl. etwa Äußerungen des damaligen ÖVP-Generalsekretärs Michael Graff im Präsidentschaftswahlkampf 1986 oder den berüchtigten antisemitischen Brief eines Lokalpolitikers[9] an den Präsidenten des WJC, Bronfman, im selben Zeitraum; Wodak et al. 1990, S. 194-209; de Cillia/Mitten/Wodak 1987). Allerdings gerät er in der Kürze auch in die Gefahr, ein die Bundesrepublik beschönigendes Bild assoziativ zu vermitteln.

9 Carl Hödl, Vizebürgermeister von Linz. Vergleiche die Analyse des Briefes in Mitten/Wodak (1993).

6. »Irgendwie mußte das ja mal endlich gesagt werden.«[1]

Die Jenninger-Rede zum 50. Jahrestag der Reichspogromnacht von 1938

In seinen »Studien über die Deutschen« schrieb der Philosoph Norbert Elias über die Jahrzehnte nach der NS-Herrschaft:

> Aber die psychische Verarbeitung des Geschehenen ist für viele Deutsche nicht einfach. Generationen kommen und gehen. Sie müssen sich immer von neuem mit der Tatsache auseinandersetzen, daß das Wir-Bild der Deutschen durch die Erinnerung an die Exzesse der Nazis beschmutzt ist und daß andere, daß vielleicht sogar ihr eigenes Gewissen ihnen anlastet, was Hitler und die Seinen getan haben. Vielleicht sollte man aus dieser Erfahrung die Konsequenz ziehen, daß die Wahrnehmung der eigenen Person als eines ganz auf sich gestellten Individuums falsch ist. Man ist immer, ob man es will oder nicht, ein Mitglied von Gruppen. Die Sprache, die man spricht, ist eine Gruppensprache. Man ist mitverantwortlich, wird mitverantwortlich gemacht für das, was die Gruppe tut. (Elias 1989, S. 25)

Im Folgenden geht es um das Wir-Bild der Deutschen, wie es in zeitlich konzentrierter Form um den 9. November 1988 öffentlich wurde, und um die Sprache, die Gruppensprache, in der sich ein politischer Habitus zeigte, der in unvorhersehbarer Unmittelbarkeit zu einem Skandal in der politischen Kultur der Bundesrepublik Deutschland führte.

Am 9./10. November 1988 jährte sich zum fünfzigsten Male der Jahrestag des reichsweiten Pogroms von 1938, der »Reichskristallnacht«, wie sie von Deutschen nicht nur während des Nationalsozialismus genannt wurde. Zahlreiche Gedenkveranstaltungen in der Bundesrepublik und auch in der Deutschen Demokratischen Republik waren geplant und wurden durchgeführt. Zahlreiche Verlage brachten aus diesem Anlaß Bücher heraus, Zeitschriften und Zeitungen widmeten sich dem Thema. Es hatte in der Geschichte Nachkriegsdeutschlands nie eine derart umfassende und medienorientierte Würdigung jenes organisierten Pogroms von

1 So eine spontane Reaktion auf Jenningers Rücktritt in seinem baden-württembergischen Wahlkreis. Zitiert nach Süddeutscher Rundfunk, Südfunk aktuell, 11. 11. 1988.

1938 gegeben. Den Höhepunkt aller Veranstaltungen sollte eine Feierstunde im Bundestag bilden. Aus dem geplanten Höhepunkt wurde jedoch ein Tiefpunkt, ein Skandal, es zeigte sich das Dilemma des deutschen Umgangs mit der eigenen Geschichte. Betrachten wir zunächst die Vorgeschichte der Gedenkveranstaltung im Deutschen Bundestag, um dann das Ereignis selbst zu beschreiben, Rede und Reaktionen zu analysieren und schließlich einige Schlußfolgerungen über Sprache und historisches Bewußtsein in der deutschen politischen Kultur zu ziehen. Die Grundlage bilden veröffentlichte Materialien und Sendungen in Fernsehen und Hörfunk sowie Presseveröffentlichungen vor und nach dem 9. November 1988.[2]

6.1. »Ich schäme mich für diese Unfähigkeit«

So schrieb der Berliner FDP-Abgeordnete Wolfgang Lüder Ende Oktober 1988 an Heinz Galinski, den 1992 verstorbenen Vorsitzenden des Zentralrats der Juden in Deutschland (*Frankfurter Allgemeine Zeitung* [*FAZ*], 29. 10. 1988). Dieser war ausgeladen worden – bevor er überhaupt eingeladen worden war, eine Rede in der Feierstunde im Deutschen Bundestag zu halten. Der Ältestenrat des Bundestages und Bundestagspräsident Philipp Jenninger, Mitglied der CDU, hatten sich dagegen ausgesprochen, indem ein entsprechender Antrag des Vertreters der Grünen per Geschäftsordnung gar nicht erst verhandelt worden war. Die Presse berichtete, Jenninger habe mit seinem Rücktritt gedroht, etliche Artikel deuteten Druck aus der CDU/CSU-Fraktion an. Andere Politiker, wie Wolfgang Lüder (FDP), reagierten mit Empörung darüber, daß dem Vorsitzenden des Zentralrats der Juden in Deutschland kein »Rederecht vor dem deutschen Parlament« gewährt wurde (so Wolfgang Lüder, *FAZ*, 29. 10. 1988). »Aus verschiede-

2 Für die materialreiche Unterstützung bei der Arbeit an diesem Kapitel ist Hildegard Buschmann vom SDR in Stuttgart zu danken. Durch ihre Hilfe ist der Zugang zur Fernsehaufzeichnung der Sitzung des Bundestages und zu zahlreichen Hörfunksendungen erst ermöglicht worden. Für eine Übersicht der Publikationen in den wichtigsten Zeitungen und Zeitschriften ist darüber hinaus Axel Kühnlenz, Frankfurt, zu danken. Zitate werden im folgenden mit Verweis auf eine Quelle angegeben, auch wenn sie in verschiedenen Zeitungen veröffentlicht wurden.

nen Gründen konnten oder wollten die CDU/CSU und die SPD jedoch einer Einladung an Galinski nicht zustimmen« (*FAZ*, 29. 10. 1988). Über diese »verschiedenen Gründe« kann man im nachhinein nur spekulieren. Im Ergebnis entschied Jenninger, als einziger eine Rede im Bundestag zu halten. Am Tag zuvor sollte eine Gedenkfeier des Zentralrats der Juden in Deutschland stattfinden, auf der Heinz Galinski und Bundeskanzler Helmut Kohl reden sollten. Verfahrensfragen waren etliche Tage wichtiger als der politisch-moralische Gehalt des Datums. »Kein Rederecht für Galinski« schrieb die *Süddeutsche Zeitung* und gab die vermeintliche Ursache an: »Formale Begründung sei gewesen, es handle sich um eine Feierstunde im Parlament und nicht um eine Sitzung des Bundestags« (*Süddeutsche Zeitung* [*SZ*], 29. 10. 1988). Warum dies die Rede eines Repräsentanten der Juden in Deutschland, der nicht Parlamentsmitglied war, ausgeschlossen hätte, blieb allerdings unklar. Ein Kommentator schrieb, »daß jetzt Spekulationen angestellt werden, konservative Kräfte der Union wollten den Auftritt Galinskis verhindern« (*SZ*, 31. 10./1. 11. 1988). »Peinlich und schädlich« erschienen jetzt in den Augen des amtierenden Präsidenten des Bundestags, Westphal (SPD), nicht etwa derartige Hintergrundaktivitäten oder das politische Versagen des Ältestenrats, sondern »die von den Grünen zu verantwortende öffentliche Diskussion« (*Frankfurter Rundschau* [*FR*], 29. 10. 1988). Vom eigentlichen Problem, wer denn nun die Rede halten sollte und wofür der Redner im Hinblick auf die politische Kultur der Bundesrepublik stehen sollte, wurde definitiv abgelenkt. Von jüdischer Seite wurde dann auch Kritik laut an dem geplanten Auftreten von Kanzler Kohl bei der Gedenkveranstaltung des Zentralrats, was dann in Teilen der Presse wiederum beklagt wurde. Heinz Galinski schließlich hatte in einem Hörfunk-Interview deutlich gemacht, daß er den Politikern »mangelndes Geschichtsbewußtsein« vorwerfe (*Der Tagesspiegel*, 2. 11. 1988). Die *Tageszeitung* resümierte: »Der Bundeskanzler wird in der Frankfurter Synagoge reden, der Vorsitzende der deutschen Juden wird im Bundestag schweigen« (*Tageszeitung* [*TAZ*], 7. 11. 1988).

Eine eigentlich selbstverständlich scheinende politische Angelegenheit, eine Gedenkstunde, war zum Politikum geworden. Parteiinteressen, Mehrheitsverhältnisse und persönliche Ambitionen hatten sich zu einem öffentlichen Hindernis verflochten, hinter

dem die Bedeutung des Gedenkens an die Reichspogromnacht fast schon nicht mehr sichtbar war. Eine erste Verlagerung aus dem Kontext des aktuellen historischen Bewußtseins und der NS-Vergangenheit war damit erfolgt: zum einen durch den Parteienstreit um die zu haltende Rede; zum zweiten durch den offensichtlichen Gegensatz der Bonner Spitzen zur Repräsentanz der Juden in Deutschland. Die Sprache der Unterstellungen, politischen Peinlichkeiten und moralischen Unfähigkeit hatte wenige Tage Konjunktur. Das wäre an sich nichts sonderlich Bedeutsames, wenn der Anlaß nicht die Form und der Inhalt staatlichen Gedenkens jenes einschneidenden Datums der deutschen Judenverfolgung gewesen wäre.
Staatliches Gedenken bedeutet – wie wir meinen – öffentlichkeitswirksames Herausstellen von Inhalten historischen Bewußtseins, die von einem Konsens der politischen Kultur und ihrer Hauptträger unterstützt werden. Formal schien es unstrittig, daß dies selbstverständlich im Hinblick auf den 9./10. November 1988 zu geschehen habe. Nach den Debatten über Bitburg, dem auf Versöhnung zwischen den ehemaligen Kriegsgegnern zielenden Treffen von Bundeskanzler Kohl und US-Präsident Reagan auf dem Soldaten- und SS-Friedhof Bitburg aus Anlaß der vierzigsten Wiederkehr des Kriegsendes 1985 und nach dem Historikerstreit, der sich um den Stellenwert der staatlich organisierten und gesellschaftlich getragenen Judenverfolgung gerankt hatte, wäre gemäß der historischen Relevanz des Datums eine besondere Sensibilität eigentlich zu erwarten gewesen.[3] Bitburg und Historiker-Streit sind zentrale Bausteine in der Entwicklung des Vergangenheits-Diskurses der deutschen politischen Kultur der 80er Jahre. Ihnen folgte im Sinne der Zentralität kollektiver Wahrnehmung und geistiger Auseinandersetzung die Affäre um die Jenninger-Rede. Rein äußerlich stellte sich jedoch das Bewußtsein einer Kontinuität mit der Problematik von Bitburg und des Historikerstreits nicht her, wurde nicht erklärter Gegenstand. Verweise auf diese beiden Ereignisse erfolgten erst in den Medien nach der Rede und nicht in der vorhergehenden kontroversen Debatte.
Wie makaber es um das historische Bewußtsein wenige Tage und

3 Zu Bitburg vgl. Hartmann (1986) sowie Habermas (1985); aus der reichhaltigen Literatur zum Historiker-Streit vgl. Historikerstreit (1987) sowie Wehler (1988).

Stunden vor der Gedenkveranstaltung in Wirklichkeit bestellt war, illustrierte ausgerechnet die *Frankfurter Allgemeine*, als sie vorab den Verlauf der Feierstunde beschrieb, in der die Schauspielerin Ida Ehre Paul Celans »Todesfuge« vortragen und der Kantor der jüdischen Gemeinde sowie die Bachgemeinschaft in Bonn zwei jiddische Lieder singen sollten. »Noch einmal«, schrieb die Zeitung, »erklingt eine Sprache, die, wie keine andere in der Welt, für das Zusammenleben von Juden und Christen in Deutschland spricht, das Jiddische ...« (*FAZ*, 8. 11. 1988). Offensichtlich war dem *FAZ*-Redakteur entgangen, daß Juden in Deutschland im 19. und 20. Jahrhundert, soweit sie nicht aus Osteuropa nach Deutschland kamen, Deutsch sprachen. Was im folgenden zu zeigen sein wird, ist gerade das genaue Gegenteil einer Sprache, die für das Zusammenleben von Juden und Christen in Deutschland spricht. Aber auch dieser historische Lapsus bestätigte nur die in der ganzen Diskussion spürbare Distanz zum wirklichen historischen Geschehen vor 50 Jahren. Lakonisch hieß es im selben Artikel zwei Tage vor der Veranstaltung im Bundestag: »Jenninger spricht als einziger. Es wird keine Alltagsrede sein«. Fernsehzuschauern und Hörfunkhörern wurde eine Rede präsentiert, die im wahrsten Sinne des Wortes eine deutsche Alltagsrede war. Mit sprachlichen, mit rhetorischen Mitteln bestätigte sie die politisch-kulturelle Distanz nicht allein zum Geschehen von 1938, sondern darüber hinaus zu den heute in Deutschland lebenden Juden, und illustrierte förmlich die deutschen Probleme mit der Erinnerung (Friedländer 1986, S. 27 f.).

6.2. Die »Alltagsrede«

Am Vormittag des 10. 11. 1988 fand die Gedenkfeier im Plenarsaal des Bundestages statt. Ida Ehre las Celans »Todesfuge«. Jeder wußte, schließlich war es für eine breitere Öffentlichkeit zuvor in den Medien betont worden, eine jüdische Schauspielerin las hier die Zeilen »Der Tod ist ein Meister aus Deutschland«. Es schien dem Anlaß angemessen. Im Publikum saßen die Vertreter der Regierung, der Bundeskanzler, der Bundespräsident, die Abgeordneten des Bundestages, Repräsentanten der großen Religionsgemeinschaften, darunter Heinz Galinski, der Botschafter des Staates Israel. Nach Ida Ehre erhob sich der neben ihr sitzende

Präsident des Bundestages, Philipp Jenninger, nach dem Bundespräsidenten der zweithöchste Repräsentant der Bundesrepublik Deutschland, und begann seine Rede mit den Worten:

Meine Damen und Herren.
Die Juden in Deutschland und in aller Welt gedenken heute der Ereignisse vor 50 Jahren. Auch wir Deutschen erinnern uns an das, was sich vor einem halben Jahrhundert in unserem Land zutrug, und es ist gut, daß wir dies in beiden Staaten auf deutschem Boden tun. Denn unsere Geschichte läßt sich nicht aufspalten in Gutes und Böses, und die Verantwortung für das Vergangene kann nicht verteilt werden nach den geographischen Willkürlichkeiten der Nachkriegsordnung.[4]

Nach diesem eher »geschäftsmäßigen« Beginn, kühl bis unterkühlt sachlich, ändert sich, wie die FAZ berichtete, auch im weiteren Verlauf »die Tonlage seiner Rede [nicht mehr] ... Er scheint die ganze Zeit neben seinem Text zu stehen«. Allerdings ist bereits jetzt ein Grundproblem der Rede offensichtlich; denn warum kann *Gutes und Böses* nicht grundlegend voneinander geschieden werden, geht es doch bei einer geschichtlichen Betrachtung gerade um unterschiedliche Entwicklungs- und Traditionslinien. Nun begrüßt Jenninger die Gäste der Gedenkveranstaltung, erwähnt die Gedenkfeier in der Frankfurter Synagoge, auf der Galinski und Bundeskanzler Kohl gesprochen hatten, und betont dann, daß die Veranstaltung des Bundestages stattfinde,

weil nicht die Opfer, sondern wir, in deren Mitte die Verbrechen geschahen, erinnern und Rechenschaft ablegen müssen; weil wir Deutschen uns klar werden wollen über das Verständnis unserer Geschichte und über Lehren für die politische Gestaltung unserer Gegenwart und Zukunft.

Hier unterbricht ihn ein Zwischenruf: »Es ist doch alles gelogen«. Jenninger erwidert: »Ich bitte die Würde der Veranstaltung nicht zu stören.« Einzelne Abgeordnete erheben sich von ihren Plätzen. Warum? Bereits nach den ersten Sätzen tritt der grundlegende Widerspruch dieser Rede hervor: der Widerspruch zwischen geschriebenem Text und gesprochenem Wort. Die kalte Sprache parlamentarischer Sacherörterungen entzieht sich dem historischen Anlaß. Guter Wille des Redners, den auch im nachhinein niemand bezweifelt, scheitert an der Ungeheuerlichkeit des geschichtlichen Ereignisses, die auch einige rhetorische Fähigkeit erfordert hätte. Jenninger, dies sei vorab festgehalten, scheitert

4 Die folgenden Zitate der Rede nach *FAZ*, 11. 11. 1988.

aber auch an einem zweiten Sachverhalt. Er ignoriert die vorhandenen Spannungen, die im Vorfeld der Veranstaltung die Gemüter erhitzt hatten. Seine Rede war bereits umstritten, bevor er überhaupt einen Satz vorgelesen hatte. Die Formulierung, daß »nicht die Opfer sondern wir ... erinnern und Rechenschaft ablegen müssen«, so richtig sie dem eigentlichen Sinn nach ist, wird auch anders verstanden, nämlich als zusätzliche Ohrfeige für Heinz Galinski, der sich als Jude, so kann es scheinen, anmaßte, die Deutschen in ihrer Erinnerung stören zu wollen. Das rhetorische Elend dieser Rede wird mit den ersten Sätzen deutlich und nicht erst, worauf die Presse in den folgenden Tagen ausführlich eingeht, mit der fehlenden Kenntlichmachung von Zitaten im weiteren Verlauf der Ausführungen.[5]
Die Perspektive der Rede macht Jenninger mit folgendem Absatz deutlich, er wählt die Perspektive der Täter, was wiederum auf dem rechten Flügel der CDU/CSU mit versteinerten Gesichtern beantwortet wird: »Die Opfer, die Juden überall auf der Welt, wissen nur zu genau, was der November 1938 für ihren künftigen Leidensweg zu bedeuten hatte. – Wissen wir es auch?« Er beschreibt den NS-Terror und verfängt sich dabei mit aller ihm zu Gebote stehenden Vehemenz in einer sprachlichen Falle nach der anderen. Beispielsweise sagt er gleich zu Beginn dieser Beschreibung:

Was sich heute vor 50 Jahren mitten in Deutschland abspielte, das hatte es seit dem Mittelalter in keinem zivilisierten Land mehr gegeben. Und, schlimmer noch: bei den Ausschreitungen handelte es sich nicht etwa um die Äußerungen eines wie immer motivierten spontanen Volkszorns, sondern um eine von der Staatsführung erdachte, angestiftete und geförderte Aktion.

Das soll argumentierend erneut die NS-Propaganda von 1938 widerlegen, nach der spontaner Volkszorn dem Attentat auf vom Rath in Paris gefolgt sei. Im rhetorischen Überschwang und durch die Einfügung *nicht etwa* wird allerdings – betonungslos gelesen – eine Interpretation möglich, nach der spontaner Volkszorn irgendwie eine Alternative zur Politik der Staatsführung gewesen sein könnte. Liest man den Text und ist man durch historisches Wissen prädisponiert, schließt sich eine derartige Interpretation

5 Dieser Sachverhalt entgeht Heringer (1990) in seiner Analyse der Rede völlig.

fast von selbst aus. In der Redeform sachlicher Fachkompetenz und emotionsloser Berichterstattung allerdings scheint hier eine Gegenüberstellung zu erfolgen, die der negativen Politik der Staatsführung etwas entgegensetzt, was von dieser abgehoben interpretiert werden kann. Damit nicht genug, heißt es: »eines wie immer motivierten spontanen Volkszorns« und nicht: »eines wie auch immer«. Darüber hinaus ist im amtlichen Text die Formulierung »spontaner Volkszorn« nicht hier, sondern erst einige Redezeit später in Anführungszeichen gesetzt. Vielleicht nur eine Unachtsamkeit. Die Medienkritik in den folgenden Tagen verweist immer wieder auf die Tatsache, daß Jenninger beim Sprechen die ausführlichen Zitate nicht deutlich gemacht habe (vgl. weiter unten). Dies ist jedoch nur eines der Probleme; zu viele Begriffe und Formulierungen sind überhaupt nicht als Zitate kenntlich gemacht. Anders gesagt, zentrale Sprachmuster des Dritten Reiches, ideologische Versatzstücke des nationalsozialistischen antijüdischen Diskurses, scheinen vermeintlich Teil der deutschen Gegenwartssprache zu sein. Dies wird vor allem immer dann deutlich, wenn Nazi-Größen beschrieben werden oder etwa Hitlers Werdegang dargestellt wird. Ohne jegliche Abhebung durch Anführungszeichen, Kursiv-Setzung oder dergleichen steht folgender Satz in der Rede: »Das Elend der Kindheit, die Demütigungen der Jugend, die ruinierten Träume des gescheiterten Künstlers, die Deklassierung des stellungs- und obdachlosen Herumtreibers und die Obsessionen des sexuell Gestörten – das alles fand in Hitler ein Ventil: seinen unermeßlichen und niemals endenden Haß auf die Juden«. Psychologisierende Deutungsmuster, die den deutschen Vernichtungs-Antisemitismus mit Hitler Persönlichkeitsstruktur erklären, werden unkritisch deskriptiv gesetzt. Die verabsolutierende Schuldzuweisung an den Täter Hitler schwingt so trotz gegenteiliger Darlegungen thematisch mit.
In den darauf folgenden Abschnitten weist Jenninger den Begriff »Reichskristallnacht« als »unangemessen« zurück und fügt hinzu:

Doch gab er die damals herrschende Stimmungs- und Gefühlslage ziemlich zutreffend wieder: eine Mischung aus Verlegenheit, Ironie und Verharmlosung; vor allem aber war er Ausdruck peinlichen Berührtseins und der Ambivalenz des eigenen Empfindens angesichts der offen zutageliegenden Verantwortung der Partei- und Staatsführung.

Abgesehen davon, wie der Begriff entstanden sein mag, sein Gebrauch auch in offiziellen Schriftstücken des NS-Staates läßt die

Reduktion auf Verlegenheit, Ironie und Verharmlosung nicht zu (vgl. Brackmann/Birkenhauer 1988, S. 177; Benz 1990, S. 162 f.). Indem der Text die Mehrheit der Bevölkerung der Partei- und Staatsführung – eine Formulierung, die eigentlich eher im Hinblick auf die Geschichte der DDR üblich ist – gegenüberstellt, enthebt er sich der Notwendigkeit, die Frage nach der kollektiven Verantwortung zu stellen. Die folgenden Ausführungen münden in jenen Absatz, der lange vor Ende der Rede den politischen Eklat fehlender Distanzierung und mangelnder Eindeutigkeit offenbarte:

Für das Schicksal der deutschen und der europäischen Juden noch verhängnisvoller als die Untaten und Verbrechen Hitlers waren vielleicht seine Erfolge. Die Jahre von 1933 bis 1938 sind selbst aus der distanzierten Rückschau und in Kenntnis des Folgenden noch heute ein Faszinosum insofern, als es in der Geschichte kaum eine Parallele zu dem politischen Triumphzug Hitlers während jener ersten Jahre gibt.

Beim »heutigen Faszinosum« zucken viele im Saal zusammen – betretene Gesichter sind zu sehen. Es folgen lange Minuten der Beschreibung, der Schilderung von Hitlers Triumphzug, es fehlt die notwendige Distanzierung, es fehlt aber auch die ebenso minutiöse Darstellung des Terrors, der Verbrechen, des Weges in die Konzentrations- und Vernichtungslager und letztlich in den Krieg. Bei so vielen Erfolgen Hitlers verlassen die nächsten Abgeordneten die Gedenkfeier. Die vermeintlich rationale Erklärung des geschichtlich Geschehenen scheint den Charakter einer merkwürdig abstrusen Rechtfertigung anzunehmen. Als ob es nicht auch anders hätte kommen können. Nach Jenninger scheint dies jedoch unmöglich gewesen zu sein, denn »die meisten Deutschen – und zwar aus allen Schichten – dürften 1938 überzeugt gewesen sein, in Hitler den größten Staatsmann unserer Geschichte erblikken zu sollen«. Wenn dem so war, wieso hätten sie dann am 9./10. 11. 1938 aufstehen sollen gegen den Pogrom? Indirekt wird hier dem deutschen Volk nachträglich bescheinigt, es habe gar nichts tun können, weil es ja bereits von Erfolg zu Erfolg hinter dem Führer stand. Wie kann man dann von Verantwortung sprechen, diese moralisch einfordern? » ... alle die staunenerregenden Erfolge Hitlers waren insgesamt und jeder für sich eine nachträgliche Ohrfeige für das Weimarer System«. Soll der Zuhörer hier noch heute über Hitler staunen oder lieber über Jenninger, der

hier einfach erneut das Nazi-Vokabular vom »Weimarer System« übernimmt. Tage später schreibt der *Stern* darüber: »die Propaganda der Nazis als historische Wahrheit des Jahres 1988« und bezeichnet die Rede als »Rechtfertigungsmärchen der Mitläuferwelt« (*Stern*, Nr. 47, 17. 11. 1988).
In der Rede macht sich ein verquaster historischer Determinismus breit, nach dem alles so kommen mußte, wie es kam. Dennoch erlaubt das konjunktivische »dürften« hier ein kurzes Verharren. Aber nur kurz, denn die Rede von »unserer Geschichte« erschlägt rückwirkend jeden Zweifel. Hat Jenninger hier Kanzler-Reden »von dieser unserer Geschichte« mißverstanden? Es ist die Form der indirekten Rede, die jede grammatikalische Komplizierung umgeht, ein vollkommenes anti-konjunktivisches Elend. Er wählt die einfache Form einer Schilderung in der Form der Gegenwart und der einfachen Vergangenheit und illustriert damit die Resistenz der NS-Sprachtrümmer im heutigen deutschen Bewußtsein.

... Hitlers Erfolge diskreditierten nachträglich vor allem das parlamentarisch verfaßte, freiheitliche System, die Demokratie von Weimar selbst. ... Man genoß vielleicht in einzelnen Lebensbereichen weniger individuelle Freiheiten; aber es ging einem persönlich doch besser als zuvor, und das Reich war doch unbezweifelbar wieder groß, ja größer und mächtiger als je zuvor.

An die Stelle der in einer Gedenkrede notwendigen Intensität von Wertung, Bestürzung, Empörung tritt schulmeisterlicher Positivismus. Selbst die Chance einer dem konservativen Geschichtsbild entsprechenden Würdigung des Widerstands wird vom Redner verschenkt. SD und Gestapo tauchen kurz auf und verschwinden angesichts der nahezu überwältigenden Begeisterung des Volkes. Durch diesen semantischen Positivismus schleichen sich klammheimlich die Stereotype des Alltags deutscher politischer Kultur ein. Die ideologische Segmentierung des gesellschaftlichen Bewußtseins, nach der nur noch die arischen Untertanen nach ihrer Meinung retrospektiv befragt und die in den Konzentrationslagern und Gestapo-Höllen Einsitzenden übersehen werden, führt zu einem rhetorischen Modell, das der gesamten konservativen Geschichtsbetrachtung eigen ist: ›Otto Normalverbraucher‹ als mißbrauchter Hitler-Untertan. Nirgends wird dies in der Rede deutlicher als in den folgenden Aussagen:

Und was die Juden anging: hatten sie sich nicht in der Vergangenheit doch eine Rolle angemaßt, die ihnen nicht zukam? Mußten sie nicht endlich einmal Einschränkungen in Kauf nehmen? Hatten sie es nicht vielleicht sogar verdient, in ihre Schranken gewiesen zu werden? Und vor allem: entsprach die Propaganda – abgesehen von wilden, nicht ernst zu nehmenden Übertreibungen – nicht doch in wesentlichen Punkten eigenen Mutmaßungen und Überzeugungen.

In einem anderen Kontext wäre dies eine treffende Beschreibung des Zusammenfallens von staatlich gelenktem und normativ besetztem mit tradiertem gesellschaftlichen Antisemitismus. Hier aber hätte einleitend und dann wertend eine andere Form gewählt werden müssen, um jegliche Interpretation, die in den Juden die Ursachen für den Antisemitismus sucht, zu vermeiden. Damit begibt sich der Redner in eine unüberschaubare Sackgasse. Er verwechselt das Reden über antisemitische Vorurteile und deren Wirkung mit der nicht nur 1938 vorhandenen Alltagssicht von Juden. Die rhetorische Schwäche erweist sich als ideologische Stärke, indem ein bestimmtes Geschichtsbild relativ unverhüllt zutage tritt. Die Empörung darüber auf konservativer Seite betrifft das Fehlen artikulierter Betroffenheit, nicht so sehr die ideologische Botschaft. Nicht zufällig konzentriert sich die Kritik der folgenden Tage auf einzelne Formulierungen und die Art des Vortragens. Dem Geschichtsbild entsprechende Inhalte der Rede werden denn auch in der Berichterstattung betont, zitiert und mit der Bemerkung versehen: »Die Abgeordneten, die aus Protest den Plenarsaal verlassen haben, können aber auch nicht jene Passagen hören, mit denen er allen Aspekten der deutschen Geschichte gerecht zu werden versucht« (*FAZ*, 11.11.1988). Das betrifft den Hinweis auf die Verantwortung der Christen, der im Redetext sofort folgt: »Um so dankbarer sind wir, daß die christlichen Konfessionen und die Juden seit dem Ende des Krieges zum Dialog gefunden haben und ihn offen miteinander führen«. Dies entspricht der kurzschlüssigen Orientierung seit Ende der 40er Jahre, wonach die Kirchen und die Juden zum Dialog finden sollen, da es doch – und nicht erst seit Auschwitz – um den Dialog von Deutschen und Juden ginge. Dies ist die einzige Stelle, in der etwas zum heutigen Verhältnis von Deutschen und Juden gesagt wird – wenn man davon absieht, daß Hans Jonas und Renate Harpprecht kurz zitiert werden, und wenn man davon absieht, daß – allerdings an entscheidenden Stellen – das Prinzip der Tole-

ranz hervorgehoben wird. Doch selbst das ist ungenügend. Schließlich kreist die Debatte um das Verhältnis von Deutschen und Juden seit 1945 um die Problematik des Begriffes Toleranz. Etwas zu tolerieren, bedeutet ja nicht notwendigerweise, es auch zu akzeptieren. Genau darum geht es aber im Verhältnis Deutscher zu Juden nach Auschwitz. Wie wenig dieses Problem erkannt wird, belegt der ziemlich hilflose Verweis auf den christlich-jüdischen Dialog. Charakteristisch für das präsentierte Geschichtsbild ist auch die Formulierung: »seit dem Ende des Krieges«. Es ist eine der gängigen Sprachwendungen, mit der – dabei allerdings das historisch Einzigartige und Spezifische des organisierten Massenmords an den Juden Europas verfälschend – die Judenverfolgung einfach unter den Krieg subsumiert wird.
Der Text enthält jedoch auch Passagen, die differenziertere Sichtweisen der deutschen Geschichte ermöglichen. Deren akademische Trockenheit und gliederungsmäßiger Aufbau bewirken allerdings Relativierung. Zum Beispiel wird bei der Beurteilung des aggressiven deutschen Nationalbewußtseins betont, dieses habe sich gegen »Minderheiten wie Katholiken, Sozialisten und Juden« gerichtet. Diese Aufzählung ist zwar problematisch, deutet aber einen weiter zu fassenden gesellschaftlichen Kontext an. Jenninger erwähnt dann hier auch kurz, daß »manche Historiker ... deshalb auch beklagt« hätten, »daß es in der deutschen Geschichte an einer Revolution oder wenigstens an einer allgemeinen evolutionären Hinwendung zur Demokratie, zu den individuellen Menschenrechten gefehlt habe«.
Das Spezifische der nationalistischen Aggressivität gegen den jüdischen Bevölkerungsteil im Unterschied zu anderen Gruppen nennt er nicht, sondern geht sofort über zur Industrialisierung und zum »Unbehagen an der Moderne überhaupt«:

Und gerade in diesem Umwälzungsprozeß, der von vielen Menschen als bedrohlich empfunden wurde, spielten die Juden eine ganz herausgehobene, oftmals glänzende Rolle: in der Industrie, im Bankwesen und Geschäftsleben, unter Ärzten und Rechtsanwälten, im gesamten kulturellen Bereich wie in den modernen Naturwissenschaften. – Das weckte Neid und Inferioritätskomplexe, und die Zuwanderung von Juden aus dem Osten wurde mit äußerstem Mißfallen beobachtet. Der Kapitalismus und die Großstädte mit ihren unvermeidlichen Begleitumständen – das erschien ebenso ›undeutsch‹ wie das prominente Engagement von Juden in liberalen und sozialistischen Gruppierungen.

Unfreiwillig verfällt Jenninger hier in das gängige Stereotyp von der herausragenden Rolle der Juden – über Katholiken und Sozialisten spricht er nicht mehr. Er nimmt das Vorurteil, nach dem Moderne und jüdischer Kultureinfluß identisch seien, als Beschreibung eines gesellschaftlichen Sachverhalts und verkennt, daß traditionelle antisemitische Inhalte im Kontext der Anti-Moderne nur aktualisiert werden (Vorurteile über die wirtschaftliche, geistige Macht der Juden etc.). Aber auch eine andere Interpretation ist hier erforderlich. Der konservativ geprägte Philosemitismus der politischen Kultur der Bundesrepublik betont durchgehend den großen Beitrag der Juden zu deutscher Wissenschaft, Wirtschaft und Kultur. Was im traditionellen Antisemitismus rein negativ besetzt war, wird in das positive Gegenteil verdreht. So erscheint die rückwirkende Anwendung dieses Stereotyps unauflösbar in der Beschreibung des antimodernistischen Antisemitismus und bestätigt scheinbar die Richtigkeit des antisemitischen Diskurses. Werden philosemitische Argumentationen zur Erklärung geschichtlicher Entwicklungen herangezogen, so scheitern diese mit unausbleiblicher Notwendigkeit an der rationalen Haltlosigkeit des philosemitischen Habitus (Stern 1991, S. 341 ff.). Treffen antisemitischer und philosemitischer Diskurs in der Beschreibung chronologischer historischer Abfolgen des Verhältnisses zu Juden aufeinander, so wirkt der Philosemitismus nicht etwa als Abwehr antisemitischer Stereotype, sondern als deren Bestätigung. Die Reflexion dieses Sachverhalts ist von einer Politikerrede nicht zu erwarten, die ihm innewohnenden Widersprüche sind aber möglicherweise von den protestierenden Zuhörern gespürt worden.

Die Rede folgt der Entwicklung des deutschen Antisemitismus, erwähnt die Flut antisemitischer Schriften, Richard Wagner, Heinrich von Treitschke, »die das antijüdische Ressentiment salonfähig machten. Die Juden wurden zu gesellschaftlich erlaubten Haßobjekten«. Darwin wird erwähnt: »Hier war endlich das Rüstzeug, um dem Geraune von der jüdischen Weltverschwörung ein wissenschaftliches Mäntelchen umzuhängen; hier das Gesunde, Starke, Nützliche, dort das Krankhafte, Minderwertige, Schädliche, die jüdische ›Verwesung‹, das ›Ungeziefer‹, von dem es sich durch ›Ausmerzung‹ zu befreien galt«. Abgesehen von der verquasten Formulierung »gesellschaftlich erlaubte Haßobjekte«, suggeriert die Wortwahl »erlaubte« ein gesamtgesellschaftliches

Verhalten, dem nicht zu entgehen war. Man denke jedoch nur an die Flut von Artikeln gegen den Antisemitismus von seiten der Sozialdemokratie. Noch problematischer sind die dem Verweis auf die wissenschaftliche Legitimierung des Antisemitismus folgenden Aussagen, in denen es ein Geheimnis des Autors bleibt, warum und wo die Anführungszeichen gesetzt sind. Gelesen, ohne die Kenntlichmachung selbst der wenigen distanzierenden Anführungszeichen, erhält der Satz den Charakter einer allgemeinen sachorientierten Aussage, einer Bürokratensprache. Wieder fehlt ein relativierender Konjunktiv, eine Eingrenzung darauf, wer mit welchen Mitteln derartige Auffassungen vertrat. Die Übergänge zwischen vor-nationalsozialistischem, rassistischem Antisemitismus und dem ideologischen Konglomerat von Hitler verwischen sich ebenfalls, obwohl die Rede im folgenden Absatz Hitlers antisemitische Schwerpunkte aufzählt und damit schließt: »kurz, sie waren die eigentlichen Drahtzieher und Verursacher allen militärischen, politischen, wirtschaftlichen und sozialen Unglücks, das Deutschland heimgesucht hatte«. Erneut die durchgängige Problematik, nicht: »sie wurden dafür gehalten«, sondern: »sie waren«. Für die in der Rede vorgenommene retroaktive Faktualisierung ideologischer, vorurteilsbeladener geistiger Sachverhalte sprechen weitere, nicht als Zitate gekennzeichnete Formulierungen in dieser Richtung: »Die Geschichte reduzierte sich auf einen Kampf der Rassen ... Die Rettung für das deutsche Volk und die endgültige Niederwerfung des Menschheitsverderbers konnten nur in der Erlösung der Welt vom jüdischen Blut als dem bösen Prinzip der Geschichte liegen«.

Erst einige Sätze später hebt ein Gedankenstrich dieses Referat des Wörterbuchs des Unmenschen auf, und es folgt eine Wertung dieser »an Idiotie grenzenden Vorstellungen ...«. Doch Jenninger verläßt den gewählten Sprachstil nicht mehr; die nicht kenntlich gemachte indirekte Form des Referats geht weiter, Ideologisches wird zu Faktischem. Die Zuhörer blicken immer betretener, weitere verlassen den Plenarsaal. Die Rede geht auf den Überfall auf die Sowjetunion ein, auf die Konzeption vom »Lebensraum«, auf das Massenmorden: »Den unschuldigen Opfern wird selbst der Scharfrichter verweigert ...«. Erneut vermischt sich der *lapsus linguae* mit dem gedanklichen Fehlschluß. Ja, haben denn, gespenstische Vorstellung, die in die Gaskammern Getriebenen nach einem Scharfrichter zur Individualisierung des Mordes gerufen? Die

Formulierung ist ungeheuerlich, sie ist peinlich. Ebenso mißlingt die Frage nach dem Sinn des damals Geschehenen durch einen Verweis auf Dostojewski und die mit folgenden Worten eingeleitete monotone Wiedergabe eines Augenzeugenberichts von 1942 der – wie es heißt – »... politischen Verbrechen des 20. Jahrhunderts«.
Es folgen ein langes Zitat über das Massenmorden und danach der lakonische Satz: »Und hören wir jetzt den Reichsführer SS aus seiner Rede vor SS-Gruppenführern in Posen im Oktober 1943«. Nach dem Zitat endlich eine Wertung:

> Wir sind ohnmächtig angesichts dieser Sätze, wie wir ohnmächtig sind angesichts des millionenfachen Untergangs. Zahlen und Worte helfen nicht weiter. Das menschliche Leid ist nicht rückholbar; und jeder einzelne, der zum Opfer wurde, war für die Seinen unersetzlich. So bleibt ein Rest, an dem alle Versuche scheitern, zu erklären und zu begreifen.

Der letzte Satz wiederum steht in der Tradition jener Nachkriegs-»Bewältigung der Vergangenheit«, die die Möglichkeit einer rationalen Erklärung bestreitet, Phänomene beschreibt, Ursachen und Beweggründe hingegen ins Irrationale verlagert. Jenninger geht an dieser Stelle unmittelbar über zur Beschreibung der Situation der Deutschen nach 1945: »Die Niederlage war total, die Kapitulation bedingungslos. Alle Anstrengungen und Opfer waren sinnlos gewesen«. Dieser Satz in seiner blendenden Rationalität entzieht sich fast schon der Kritik. Wären denn etwa Anstrengungen und Opfer sinnvoll gewesen, wenn es einen Sieg gegeben hätte? Es scheint, als ob der Redner hier gar nicht merkt, was er eigentlich sagt. Aber erneut ist zu betonen, daß die Formulierung von der Sinnlosigkeit nach 1945 weit verbreitet war, sie bezog sich jedoch generell auf die militärische Niederlage, das damit verbundene Chaos. Hier wird hingegen sogar suggeriert, daß Anstrengungen und Opfer auch eine positive Seite hätten haben können. Das allerdings ist im Hinblick auf unsere heutige Kenntnis vom Nationalsozialismus und über das Deutschland des Dritten Reiches völlig auszuschließen. Die Sprache des nachnationalsozialistischen Alltags holt den Redner partiell selbst dort ein, wo er wertend das Zitierte einordnen will. »1945«, hebt er hervor, waren

> alle Werte, an die man geglaubt hatte, alle Tugenden und Autoritäten ... kompromittiert. Die Abkehr von Hitler erfolgte beinahe blitzartig; die zwölf Jahre des ›Tausendjährigen Reiches‹ erschienen bald wie ein Spuk.

> Darin äußerte sich gewiß nicht nur die vollständige Desillusionierung hinsichtlich der Methoden und Ziele des Nationalsozialismus, sondern auch die Abwehr von Trauer und Schuld, der Widerwille gegen eine schonungslose Auseinandersetzung mit der Vergangenheit. Die rasche Identifizierung mit den westlichen Siegern förderte die Überzeugung, letzten Endes – ebenso wie andere Völker – von den NS-Herrschern nur mißbraucht, ›besetzt‹ und schließlich befreit worden zu sein. Auch dies gehörte zu den Grundlagen, auf denen eine ungeheure Wiederaufbauleistung das von der Welt ungläubig bestaunte deutsche Wirtschaftswunder hervorbrachte. ... Vielleicht konnte das deutsche Volk in der heillosen Lage des Jahres 1945 gar nicht anders reagieren.

Damit ist relativ unverblümt eine der wesentlichen geistig-kulturellen Stützen der deutschen Nachkriegsgesellschaft auf den Punkt gebracht. Die wirtschaftliche Aufbauleistung, das Wirtschaftswunder tritt an die Stelle einer politisch-kulturellen und moralischen Bearbeitung der individuellen und kollektiven Verstrickung in die Verbrechen des Deutschen Reiches. Die Währungsreform und die wirtschaftliche Nutzenorientierung ersetzen die Erinnerung und die selbstkritische Auseinandersetzung mit dem Antisemitismus und dem Massenmorden. Nach solcher Art Selbstgerechtigkeit verpufft dann auch der folgende Redeabschnitt, in dem Jenninger betont, daß die deutsche Bevölkerung von den Verbrechen gewußt hatte.

> Heute stellen sich für uns alle Fragen im vollen Wissen um Auschwitz. ... Wahr ist aber auch, daß jedermann um die Nürnberger Gesetze wußte, daß alle sehen konnten, was heute vor 50 Jahren in Deutschland geschah, und daß die Deportationen in aller Öffentlichkeit vonstatten gingen. Und wahr ist, daß das millionenfache Verbrechen aus den Taten vieler einzelner bestand, daß das Wirken der Einsatzgruppen nicht nur in der Heimat Gegenstand im Flüsterton geführter Gespräche war.

Zuvor hatte Jenninger betont, daß selbst nach 1945 das deutsche Volk »gar nicht anders reagieren« konnte. Galt, so konnte man die folgenden Ausführungen verstehen, das nicht auch für die Zeit vor 1945? Daß Absicht und Wirkung aufgrund der mangelhaften Repräsentation und des zugrundeliegenden Geschichtsbildes auseinanderklaffen, macht auch folgender Absatz deutlich, den der Redner bedauerlicherweise nicht verlas. Darin heißt es: »Warum leistete niemand Widerstand gegen den Völkermord? ... Die Juden standen am Ende allein. Ihr Schicksal stieß auf Blindheit und Herzenskälte«. Dem folgt sofort eine Form der Relativierung der

Schuldfrage, deren eigentümliche Verquastheit sich wie ein roter Faden durch die Geschichte Nachkriegsdeutschlands zieht: »Viele Deutsche ließen sich vom Nationalsozialismus blenden und verführen. Viele ermöglichten durch ihre Gleichgültigkeit die Verbrechen. Viele wurden selbst zu Verbrechern. Die Frage der Schuld und ihrer Verdrängung muß jeder für sich selbst beantworten«. Das Wörtchen »viele« öffnet den Interpretationen einen breiten Spielraum. Nicht zufällig mündet der Gedanke in die völlige Individualisierung der Verantwortung, sie stellt sich jetzt nur noch als subjektives Problem. Die Perspektive der Täter offenbart sich trotz aller materialreichen Darstellung gegen Ende der Rede als die von lediglich vielen, ihr moralischer Impetus als schlichte Selbstbefragung. Es gibt hier keine gesellschaftliche Instanz mehr, vor der Schuld und Verantwortung zu bestehen haben. Dennoch muß in der Logik der Rede ein Verantwortungsbewußtsein artikuliert werden. Es taucht in zweierlei Hinsicht auf. Zum einen: »An Auschwitz werden sich die Menschen bis an das Ende der Zeiten als einen Teil unserer, der deutschen Geschichte erinnern«. Und drei Absätze später wird das zum anderen mehr oder weniger folgendermaßen relativiert: »Meine Damen und Herren, die Erinnerung wachzuhalten und die Vergangenheit als Teil unserer Identität als Deutsche anzunehmen – dies allein verheißt uns Älteren wie den Jüngeren Befreiung von der Last der Geschichte«.
Es folgen dann abschließend allgemeine Bemerkungen über die notwendige Zukunftsverantwortung und die »schleichende Umweltzerstörung«, kein Wort über Antisemitismus, Rassismus oder über das heutige Verhältnis von Deutschen und Juden. Man war halt wieder beim damals aktuellen deutschen Thema: Umwelt. Man hat bei der Lektüre das Gefühl, daß diese Art des Erinnerns als ein wesentlicher Baustein gedacht war, um die *Befreiung von der Last der Geschichte* in die Tat umzusetzen. – Die Hand drückt ihm anschließend nur Ida Ehre. Sie hatte die ganze Zeit mit gesenktem Kopf neben dem Redner gesessen. Wie es später hieß, konnte Willy Brandt nur mit Mühe davon abgehalten werden, sich den protestierenden und den Saal verlassenden Abgeordneten anzuschließen.

6.3. Die Reaktionen

Etwa 40 Abgeordnete der SPD, der Grünen und der FDP hatten während der Rede den Saal verlassen, Unruhe war im Parkett spürbar. Erregte Debatten füllten die Korridore und Fraktionszimmer. Die Fraktion der Grünen verlangte noch am selben Tag den Rücktritt Jenningers, dessen Rede »trostlos und beschämend« (*FAZ*, 11. 11. 1988) gewesen sei. Er habe »die Chance, Trauerarbeit zu leisten, trostlos vertan« (*Die Welt*, 11. 11. 1988). Die SPD-Fraktion stellte Jenninger, vertreten durch ihren Vorsitzenden Vogel, brieflich indirekt die Frage, ob er im Amt bleiben könne und wolle. Kritisiert wurde vor allem das Fehlen »gedanklicher und sprachlicher Einfühlung und Sorgfalt«, da die Rede für das ganze Parlament und »unser Volk« gehalten worden sei (*FAZ*, 11. 11. 1988). Aus dem Fraktionsvorstand der FDP hieß es, die Rede könne auch bei »genauer Lektüre den Eindruck hervorrufen, als sollen vergangene Ereignisse gerechtfertigt oder teilweise gerechtfertigt werden« (*TAZ*, 11. 11. 1988). In der Nachmittagssitzung des Bundestages war es allerdings lediglich Otto Schily, der Vertreter der Grünen, der Jenninger die Überlegung nahelegte, ob er »den Anforderungen seines Amtes« gewachsen sei (*Stuttgarter Zeitung*, 11. 11. 1988). An anderer Stelle wurde befürchtet, daß die jetzt zu erwartende Kritik aus dem Ausland ein »gefundenes Fressen« für viele Nachbarn Deutschlands sein werde (*Stuttgarter Zeitung*, 11. 11. 1988). Damit war der verbreitete Tenor der Reaktionen vorgegeben: die Inhalte vom Redner zu trennen und den Schwerpunkt auf das mangelnde Geschichtsverständnis und die Gefühle der Scham und Trauer zu legen, jeglicher Kritik aber mit zumindest großer Skepsis gegenüberzutreten. Noch am 11. 11. gab es in der Presse dann in der Tat ausländische Reaktionen, allen voran aus Israel. Von seiten der israelischen Regierung wurde erklärt: »Wir haben Dr. Jenninger jahrelang als den Mann gekannt, der an der Spitze vieler freundschaftlicher Israel-Delegationen stand. Die Art der Interpretation der Naziära und die Beschreibung ihres historischen Hintergrundes in seiner Rede sind für jeden Juden unannehmbar. Es war eine jämmerliche Rede, was auch immer ihre ursprünglichen Absichten gewesen sein mögen« (*FR*, 11. 11. 1988; andere Übersetzung der Erklärung in *Tagesspiegel*, 11. 11. 1988). Seine ursprünglichen Absichten legte Jenninger noch am Abend seines Rücktritts im Fernsehen dar: »Ich habe ganz konkret versucht, die Frage zu beantworten, auszuarbeiten, wie ist das damals geworden, das Umfeld, die geschichtliche Entwicklung« (dpa, 11.11.1988).

Über einem Bild betroffener und unruhiger Abgeordneter schreibt die *FAZ* zu dieser Absicht: »Der Versuch, Erfahrungen und Erwartungen, Denkweisen und Klischeevorstellungen der Deutschen vor fünfzig Jahren zum Sprechen zu bringen, ohne sie mit der Warnfarbe entsprechender Distanzierungsformeln zu versehen, geriet zur Peinlichkeit«. Doch bereits am 11.11. wurde im Kommentar der *Frankfurter Allgemeinen Zeitung* auf der ersten Seite eine andere Haltung sichtbar. Unter dem Titel »Ringsum Peinlichkeit« hieß es:

> Daß die Gedenkstunde im Bundestag von den Grünen verlassen wurde, ist beinahe normal. Aber eine nicht kleine Zahl von SPD-Abgeordneten und einige FDP-Leute haben sich der unwürdigen Aktion angeschlossen, die Führung der SPD-Fraktion nicht. Das ist beruhigend, denn es zeigt, daß sich die demokratischen Parteien im Bundestag bei besonderen Anlässen einig wissen. Da spielt es keine Rolle, ob die Gedenkrede für manche ›fortschrittlichen‹ Gemüter etwas zu deutlich auf die Ursachen des Nationalsozialismus einging. Man kann solche Betrachtungen ›Volkshochschule‹ nennen. Aber das ist kein Anlaß, demonstrativ eine Gedenkstunde zu verlassen, so als ob Jenninger ... deutsche Schuld geleugnet hätte. ... Ob dieser 10. November der richtige Tag war, die bekannten Ursachen zu erwähnen, die zur Entstehung des Systems beigetragen haben, das die Mehrheit des Volkes so nicht gewollt, aber schließlich unter dem Zwang der Tyrannei geduldet hat, ist eine Frage der Geschicklichkeit (*FAZ*, 11.11.1988).[6]

Die *Süddeutsche Zeitung* schrieb: »Tragik liegt im Versagen des Philipp Jenninger« und: »Bundestagspräsident verfing sich im Nazi-Vokabular«, sowie »Sein Versuch, in einer Rede die Stimmung jener Zeit wiederzugeben, mißlang«. Zitiert werden Vertreter aller Parteien: »Heinz Schwarz, einer vom rechten Unionsrand: ›Sein Fehler war, daß er Hitlers Terminologie zu lang, zu breit und zu oft zitiert hat‹«. Die *SZ* wird dann aber auch deutlich, was die Kritik an Jenninger aus seiner eigenen Partei, der CDU/CSU, anbelangt. Bei der Vorbereitung habe Jenninger eine Rede wie die Weizsäckers zum 8. Mai 1985 halten wollen:

6 Vgl. dazu auch ähnliche Argumentationen in den Leitartikeln der österreichischen Zeitung *Die Presse* zu den Märzgedenkfeiern.

Jenninger hatte Angst. Er fürchtete den Zorn aus den Reihen der Unionsrechten. Sie knurren seit langem über von Weizsäckers Mai-Rede, fordern einen ideologischen Gegenschlag. Vor dieser Fronde der Rechtsaußen wollte Jenninger nicht zurückweichen. Für sie schrieb er unbequemste Sätze hinein ... (*SZ*, 11. 11. 1988).

Am Abend wurde Jenninger in der ARD-Sendung »Bericht aus Bonn« befragt und sagte:

»Ich bedauere es sehr, daß ich auch manche Gefühle damit verletzt habe. Man muß daraus lernen. Nicht alles darf man beim Namen nennen in Deutschland«. Er habe nicht gedacht, daß die Darlegung von Fakten »nicht überall Zuspruch finden wird, daß vor allem Mißverständnisse auftauchen können, wenn man die Dinge beim Namen nennt«. Jenninger schloß nicht aus, daß er nun auch »Stammtischbeifall« bekommen werde. Wichtig sei jedoch, »daß man das sagt, was ist: die Wahrheit«.

Damit war einen Tag nach der Rede der Widerspruch benannt. Der vermeintliche Diskurs des Faktischen stolperte nicht allein über die Interpretation und Wertung dieser Fakten, sondern führte auch zu einer Überhöhung des deskriptiven Gehalts der Rede und mündete in eine Denunziation der Kritiker, denen unterstellt wurde, sie seien gegen die Fakten, mithin die »Wahrheit«. Daß es darum ging, daß Jenninger »Argumentationen und Wortgebilde aus Goebbels' und Hitlers Haßtiraden in seine Rede« eingefügt hatte, ohne Gespür dafür, daß bestimmte Sprachbilder »vielleicht in einem historischen Seminar in Gänsefüßchen niederschreibbar, niemals in einer Feierstunde zur Pogromnacht im Bundestag aussprechbar sind« (*SZ*, 11. 11. 1988), verschwand in Jenningers Rechtfertigung hinter dem großen Wort von der historischen Wahrheit.
Die CDU verlautbarte wenig, machte aber kritische Bedenken zur Person deutlich. Denn die oben angedeutete ausländische Dimension ließ sich auf einen einfachen Nenner bringen: »Bundeskanzler Kohl ist ... daran interessiert, daß Jenninger bis Freitag die Konsequenzen zieht. Der Kanzler reist am Samstag in die USA, wo er sich mit Simon Wiesenthal, dem Leiter des Jüdischen Dokumentationszentrums in Wien, trifft. Kohl wird am Montag bei einer Ehrung für Wiesenthal, der im Dezember 80 Jahre alt wird, die Festrede halten. In New York will er das jüdische Leo-Baeck-Institut besuchen. Mit Blick auf seine Reise wolle der Kanzler

nicht, heißt es, daß der Skandal weitere Kreise ziehe« (*SZ*, 11. 11. 1988). Es gab also zwei durchaus unterschiedliche Diskurse. Zum einen wurden internationale Reaktionen sowohl publiziert als auch langfristig befürchtet, wie sie bei der Erklärung der israelischen Regierung deutlich geworden waren, was sich aber im Ergebnis auf Kanzler-Erwägungen über eine USA-Reise mit jüdischem Schwerpunkt reduzieren ließ. So wie in der ganzen Geschichte der Bundesrepublik zeigte sich auch hier, daß jeglicher, Juden oder jüdische Themen im weitesten Sinne betreffende, Diskurs eine außenpolitische, internationale Dimension hatte (Stern 1991 b). In Jenningers Rücktrittserklärung heißt es in der Logik dieses Diskurses denn auch: »Während meiner ganzen politischen Laufbahn ... habe ich mich in besonderer Weise für die Aussöhnung mit den Juden und für den Staat Israel engagiert« (*FR*, 12. 11. 1988). Damit dies auch niemandem entginge, publizierte *Die Welt* am 12. 11. ein Foto von Jenninger gemeinsam mit dem Jerusalemer Bürgermeister Teddy Kollek (Wodak 1988, S. 117 ff.).

In diesem Kontext ist die Art und Weise der Repräsentation und des Zitierens jüdischer Reaktionen auf die Jenninger-Rede und seinen Rücktritt beispielhaft für das anhaltend komplizierte deutsch-jüdische Verhältnis. Zum einen werden Stimmen gesucht und gefunden, deren Tenor darauf hinausläuft, daß die Rede so schlimm ja nicht gewesen sei. In diesem Sinne werden Simon Wiesenthal und ein israelischer Journalist, sowie der Stellvertreter von Heinz Galinski im Direktorium des Zentralrats der Juden in Deutschland, Michael Fürst, zitiert (*FAZ*, *FR*, 11. 11. 1988; *SZ*, 15. 11. 1988). Dagegen allerdings steht das vernichtende Urteil von Heinz Galinski: »Die ganze Rede war, von einigen Passagen abgesehen, ein Fehlschlag.« Im Unterschied zu vielen anderen kritischen Stimmen formuliert Galinski allerdings auch, was er von der Rede erwartete hätte, nämlich, wie der Redner

> die Rückkehr von Juden in die Bundesrepublik wertet, was Juden damals getan haben für dieses Land. Wenn er nur einige Namen aufgezählt hätte, ein Wort verloren hätte über das, was heute die jüdische Gemeinschaft wieder darstellt, welchen Aufbau sie wieder genommen hat, welchen inneren Anteil sie nahm am Wiederaufbau der Demokratie, all das hätte ein Zeichen sein können. All das ist nicht geschehen (*Stuttgarter Zeitung*, 15. 11. 1988).

Was statt dessen in den dem Eklat folgenden Tagen geschah, waren Schändungen jüdischer Friedhöfe und der Rücktritt von Galinskis Stellvertreter Fürst (*Der Tagesspiegel*, 15. 11. 1988). Allerdings folgte dem in den nächsten Wochen keine Debatte über den Stellenwert des Antisemitismus im Zentrum der politischen Kultur der Bundesrepublik.
Der zweite Diskurs betraf die unterschiedlichen Wertungen von Parteien, Medien und denjenigen Persönlichkeiten, die sich in der Folge öffentlich äußerten. Noch am Abend des 10. 11. war für die Fernsehzuschauer ein relativ überschaubares Bild vorhanden. Zunächst schien, da die Kritik mit den Grünen, also Linksaußen, begonnen hatte, die politische Absicht – so konnte man verstehen –, einen CDU-Politiker zu stürzen, offensichtlich. Doch dies war sekundär angesichts der inhaltlichen Problematik, daß jetzt über alle Bildschirme geflimmert war, daß hier einer in Bonn nach eigenem Verständnis die Wahrheit über die Vergangenheit gesagt hatte und deswegen nun gehen mußte. Denn vergessen wir nicht, die übergroße Mehrheit der Bundesbürger hatte nicht die Rede gehört, sondern war über »Abendschau«, »Tagesthemen« und andere Magazine wie »Bericht aus Bonn« mit dem Eklat konfrontiert worden. Es lag kein Medientag zwischen der Rede und den Reaktionen einschließlich Jenningers Rücktritt. Für die Masse der Bundesbürger, so sie diese Angelegenheit überhaupt verfolgten, waren Reaktionen, Proteste und Konsequenzen zentral, nicht aber die einzelnen Inhalte der Rede oder gar Differenzierungen von Rhetorik, Tonfall, Wertung und Emotion. Dies sollte in den folgenden Tagen durch Reaktionen aus der Bevölkerung mehr als deutlich werden. Es schien bald, als ob hier endlich Schluß gemacht worden sei mit den ewigen Betroffenheitsreden über das Schicksal der Juden, mit den ewigen Schuldvorwürfen und projüdischen Bekenntnissen. Die Rede wurde, ohne daß ihre Inhalte überhaupt näher beachtet wurden, zur Repräsentation des alltäglichen Verhältnisses zur Vergangenheit. »Im Bundestag häuften sich Telegramme und Anrufe prominenter und einfacher Bürger, in denen Jenninger gebeten wurde, nicht zurückzutreten« (*Westdeutsche Allgemeine Zeitung*, 12. 11. 1988). Die Ähnlichkeiten zur österreichischen Affäre Waldheim sind auffallend.
Zwei Jahre später, am 9. Juni 1990, meldete *Die Welt*: »Wiedergutmachung für den eiligen Sturz eines verdienstvollen Politikers. Philipp Jenninger wird Botschafter in Wien«. Eine kurze Skizze

der ganzen Affäre folgt in dem Artikel und mündet in den schönen Satz: »Und plötzlich geriet Jenninger in die Rolle des Märtyrers ...« (*Die Welt*, 9.6.1990). Dem ist eigentlich nichts mehr hinzuzufügen.

6.4. Die Ambivalenz der Vergangenheitsdiskurse

Vorgeschichte, Ereignis und Nachgeschichte zeigen, daß sich aus Anlaß des 10. 11. 1988 eine Reihe von Diskursen verzahnen, überlappen, widersprechen, die alle die Auseinandersetzung mit der Vergangenheit und deren Repräsentation betreffen. Im Hinblick auf das einleitende Zitat von Norbert Elias präsentiert die Rede einen vielschichtigen Wir-Diskurs. Da ist zum einen das Wir der Deutschen im allgemeinen, das Wir der Deutschen in den Perioden vor, während und nach dem Nationalsozialismus, das Wir der Täter, das Wir der Mitläufer und vor allem das Wir des konsensfähigen Schamgefühls (»wir, in deren Mitte die Verbrechen geschahen«). Das Problem dieser sich überlappenden Wir-Diskurse in der Rede und in den folgenden Reaktionen liegt darin, daß die Juden ständig als »die anderen« bestimmt werden (»wir Deutschen« und »die Opfer«, »die Juden überall auf der Welt«); denn viel stärker als die deutschen Juden schließen diese Wir-Diskurse die NS-Verbrecher mit ein, relativieren diesen Kontext aber auch (»wir, in deren Mitte«, »viele«). Gleich in den ersten Sätzen der Rede werden die Juden den Deutschen gegenübergestellt. Daraus gibt es für den Redner dann kein Entrinnen mehr. Die folgenden Ausführungen sind bestimmt durch umständliches Erklärenwollen einerseits und den Blick auf konsensuelles Einverständnis andererseits. Der Wir-Diskurs hat damit ständig die Tendenz, von einem Erklärungs-Diskurs in einen Rechtfertigungs-Diskurs umzukippen (Wodak et al. 1990, S. 51 f.).
Der nach Form und Inhalt zwischen Seminarpapier und Stammtisch-Räsonnement schwankende Erklärungs-Diskurs verselbständigt sich im Verlauf der Rede zu einem möglicherweise sogar unbewußten Rechtfertigungsdiskurs.[7] Die Muster der Erklärungen arbeiten mit Stereotypen und Begriffen, die der heutigen gesellschaftlichen und politischen Wirklichkeit entlehnt sind

7 Darauf weisen Potter/Wetherell (1987, S. 34) hin.

(»Partei- und Staatsführung«, »Vollbeschäftigung«, »Wohlstand«). Dadurch wird die geschichtliche Erfahrung im Nationalsozialismus nicht nur relativiert, sondern quasi in der Geschichte des aktuellen Alltags der 80er Jahre nachvollziehbar (»noch heute ein Faszinosum«). Hierbei schlägt der Rechtfertigungsdiskurs um in einen ideologischen Diskurs heutigen Politikverständnisses mit eindeutig konservativer Ausrichtung. Das bestimmt dann die historisch verkürzende Darlegung des Antisemitismus bis zum Massenmord, in der, bis auf eine kurze Erwähnung des christlichen Antijudaismus, die Sündenbockkonzeption bestimmend ist. Durch die philosemitisch besetzte Skizzierung der Rolle und des Einflusses der Juden, also den philosemitischen Diskurs, schimmert in der Kürze der Rede für nicht wenige Zuhörer eine unausgesprochene Bestätigung des volkstümlichen antisemitischen Diskurses durch (»spielten die Juden eine ganz herausgehobene, oftmals glänzende Rolle: in der Industrie, im Bankwesen und Geschäftsleben, unter Ärzten und Rechtsanwälten, im gesamten kulturellen Bereich wie in den modernen Naturwissenschaften«).

»Unter rhetorischen Floskeln, hinter bestem Willen und lauterer Gesinnung schimmern unübersehbar Denkfiguren rechten Spießertums, Weltbilder einer im Kern kaum belehrbaren Stammtischbrüderschaft« (*Der Spiegel*, Nr. 46, 14. 11. 1988). Die Reaktionen in der Öffentlichkeit, Kommentare, Leserbriefe, Interviews und auch Analysen von Rede und Eklat folgen im wesentlichen diesem Muster, wobei der Eindruck entsteht, daß sehr oft generationsspezifisch verstanden oder mißverstanden wird. In nicht wenigen Reaktionen wird die Rede zu einer Art ideologischem Supermarkt, in dem identifikationsheischend der jeweils passende Vergangenheitsdiskurs aus den Regalen der deutschen politischen Kultur geholt wird.

Dieser Zusammenhang legt eine Reihe von Schlußfolgerungen nahe:

Erstens: Die Rede und ihre Auswirkungen können nicht allein vom geschriebenen Text und dessen rhetorischer Repräsentation her betrachtet werden. Unterhalb dieser offensichtlichen Ebenen existiert eine weitere Ebene, die zur Analyse herangezogen werden muß und die erst eine umfassende Wertung ergibt. Und dies ist der strukturelle Kontext, in den der 50. Jahrestag der Reichspogromnacht eingebettet ist. Die Journalisten und Kommentato-

ren, die hier schlicht von der Unfähigkeit zur »Trauerarbeit« sprechen, personalisieren einen komplizierten nach-nationalsozialistischen politisch-kulturellen Sachverhalt. Es ging weder um eine solche Trauerarbeit noch um die Integrität Philipp Jenningers. »Jenningers Rede ist ein Symptom«, schrieb die *Frankfurter Rundschau*. »Da der von Konservativen so herbeigesehnte Schlußstrich nicht so einfach zu ziehen ist, hat statt der berühmten Trauerarbeit die Arbeit an der Relativierung eingesetzt. Auch Jenninger hat mit seinen Worten nichts anderes getan« (*FR*, 12.11.1988). Die Rede aus diesem Anlaß und anders gehalten, so Walter Jens, hätte einen Ort neben der Rede von Weizsäcker zum 8. Mai finden können: »Er tat es nicht, weil er jene Juden vergaß, durch deren Ermordung sich die Nichtjuden in Theresienstadt und Auschwitz um ihr Vaterland brachten: ihr eigenes und das der ›anderen‹ ...« (*Die Zeit*, 18.11.1988). Vorsichtiger kritisierte der Historiker Wolfgang Mommsen die Rede, in der »auf ein relativ konventionelles Geschichtsbild ein neues demokratisches Verständnis der Rolle Deutschlands einfach draufgesetzt ist« (*Die Welt*, 21.11.1988).
Zweitens: Die Auswahl aus dem rhetorischen Repertoire, die jeweilige Repräsentation von Geschichtsbewußtsein hat darüber hinaus eine ideologische Ebene. Jenninger sprach für das Hohe Haus, stellvertretend für die Deutschen, aber er sprach auch als Mitglied der CDU. Betrachtet man das Geschichtsbild, die historische Repräsentation in dieser Rede, so sind folgende Akzente erkennbar: Die Herrschaft des Nationalsozialismus in Deutschland wird weitestgehend auf Hitler und sein Gefolge reduziert, wobei psychologisierend und personalisierend argumentiert wird. Demgegenüber steht eine große Mehrheit der Deutschen, die durch Wohlstand und Erfolge verblendet, dem Führer folgte. Die Tradition des Antisemitismus wird verkürzend dargestellt. Das Wegschieben kollektiver Verantwortung und individueller Schuld, wie es nach 1945 geschah, wird durch die Betonung der Wiederaufbauleistung und mit jenem der Rede eigentümlichen Determinismus entschuldigt, demgemäß »vielleicht« das »deutsche Volk in der heillosen Lage des Jahre 1945 gar nicht anders reagieren« konnte. Das erinnert natürlich an den konservativen Konsens der Adenauer-Ära, erst mal Gras über alles wachsen zu lassen und die ehemaligen NSDAP-Mitglieder und Mitläufer in das Nachkriegsdeutschland zu integrieren. Die *Frankfurter Rundschau* formu-

lierte denn auch pointiert bereits am 11.11.: »... jetzt festigt sich erneut der Verdacht, Konservative täten sich eben ungeheuer schwer, bei diesem Kapitel der deutschen Geschichte der ganzen Wahrheit ins Auge zu blicken« (*FR*, 11.11.1988). Das trifft zweifelsohne auch auf diejenigen konservativen Kreise zu, für die Jenningers »binnenkritischer Diskurs der Tätergesellschaft« (Niethammer 1989, S. 44) viel zu weitgehend war. Das waren solche Kreise, die Richard von Weizsäcker ungern weiter im Präsidentenamt sahen, nachdem dieser sich am 8. Mai 1985 kritisch geäußert hatte und von dem Gestus der Versöhnungsreden der Vergangenheit abgewichen war. Eine weitere Rede mit dem Geruch der »Nestbeschmutzung« schien für diese Konservativen untragbar.
Drittens: Bestürzung, Betroffenheit und Empörung über die Rede, wie sie von Medien und der Schicht politischer Mandatsträger in der Folge artikuliert wurden, deckten sich nicht notwendigerweise mit »Volkes Stimme«. Wolfgang Mommsen betonte in diesem Zusammenhang: »Ein großer Graben liegt zwischen dem, was das wissenschaftlich kontrollierte Geschichtsbild über diese Zeit sagt, und dem, was viele Leute im Lande im Grunde noch denken.... Und man kann vom Normalbürger ja nun nicht erwarten, daß er sich ständig mit diesen Dingen beschäftigt und demgemäß diese unbewußten oder halbbewußten Prämissen seines Geschichtsbewußtseins aktiv verändert« (*Die Welt*, 21.11.1988).[8] Es handelt sich hier um den Widerspruch zwischen jenen Elementen der politischen Kultur auf der einen Seite, die als konsensbildend gelten, sofern es um eindeutige öffentlich-moralische Bekenntnisse im Sinne einer Ablehnung der Verbrechen des Dritten Reiches geht, und den Elementen der politischen Kultur auf der anderen Seite, die breitenwirksam, wenngleich oftmals nicht öffentlich, die historische Erinnerung relativieren und das Verbrecherische des Dritten Reiches und seiner Judenverfolgung minimalisieren.[9] In diesem Sinne gibt es kein einheitliches deutsches Geschichtsbewußtsein, gibt es weder auf der Seite wissenschaftlicher Repräsentation noch auf der Seite der alltäglichen Geschichtsreflexion des »Normalbürgers« einen Sieg.

8 Mit der Metapher der Mozartkugel (vgl. Kap. 1.) läßt sich diese Haltung des Normalbürgers nicht zuletzt aufgrund seiner Informationsmöglichkeiten auch erkenntnistheoretisch begründen.
9 Eine ähnliche Funktion hatte die »Waldheim-Affäre« seit 1986 in Österreich (vgl. Wodak et al. 1990).

Jenninger scheiterte unter anderem am Widerspruch zwischen der nicht-öffentlichen Ablehnung kollektiver Erinnerung der NS-Verbrechen und der individuellen Verstrickung in diese, indem er den Eindruck erwecken konnte, daß er dem unbelehrbaren Alltagsbewußtsein das Wort redete, dem »Faszinosum« selbst erlag. Anders gesagt, er scheiterte an dem problematischen Diskurs zwischen öffentlich-normativen Bekenntnissen und halböffentlichen sowie privaten Umdeutungen und Relativierungen des Geschehenen, wie sie für die deutsche politische Kultur kennzeichnend sind. Die gehörte Rede konnte in diesem Diskurs eine vermeintliche Bestätigung vorurteilsbeladener Meinungsfragmente sein: Irgendwie mußte das ja endlich mal gesagt werden.
Viertens: Die von Jenninger gewählte akademische Form des direkten Zitierens hätte eines gewandten Rhetorikers bedurft. Der beabsichtigte Duktus der Distanz durch die Art des Zitierens wurde sowohl durch die Auswahl der Zitate als auch durch die jeweils einleitenden Sätze relativiert, »die Schlupfwespen-Perspektive« nicht »durch die distanzierende Sicht des redenden Subjekts« konterkariert (Walter Jens in: *Die Zeit*, Nr. 47, 18. 11. 1988). Statt verarbeitende Distanz, Ablehnung herzustellen, suggerierte der Redner faktisch Verständnis für den antijüdischen Konsens der Deutschen vor 1945. Etwas zu erklären, kann zweierlei bedeuten, nämlich Verständnis für die damaligen antisemitischen Anfälligkeiten beim Zuhörer zu erzeugen, was den konsensfähigen antisemitischen Diskurs der Stammtische charakterisiert, oder rationale und emotionale Ablehnung durch die Erklärung dessen zu bewirken, was war. Jenninger wollte vermutlich letzteres, seine Art des Vortragens und der Inhalt der Rede bewirkten ersteres. Er repräsentierte den Widerspruch von offizieller »Versöhnungskultur« und verbreiteten Denkhaltungen über das Dritte Reich, ließ den »Gestus der verfolgten Unschuld« durchscheinen (Detlev Claussen in: *Der Tagesspiegel*, 15. 11. 1988).
Diese Wirkung wurde wesentlich durch den leidenschaftslos unterkühlten Habitus des Vortragenden, den Aufbau, die Vermittlungsschritte in der logischen Abfolge des Textes, die Sprache und die Wortwahl bewirkt. Im Sinne der klassischen Rhetorik handelt es sich hier um einen mißglückten Versuch. Der Sprachwissenschaftler Ernst Leisi wies darauf hin, daß die Rede durch vier wesentliche rhetorische Fehler charakterisiert ist: die Perspektive

des Redners, seine Wortwahl, der Eindruck einer gewissen Empathie, »eines Sich-Hineinfühlens und -Hineinversetzens in die Nationalsozialisten« und die rhetorische Form der erlebten Rede, die sowohl direkte als auch indirekte Rede umgeht (Leisi 1989). Es war diese »höhere Grammatik«, an der Jenninger scheiterte, aber sie war es nicht allein.

Die widersprüchlichen ideologischen Elemente der deutschen Auseinandersetzungen mit der Vergangenheit, nämlich Verantwortung gleichzeitig sowohl gemäß öffentlicher Normsetzungen und internationaler Erwartungen herauszustellen als auch gemäß dem Paradigmenwechsel im deutschen historischen Bewußtsein wegzuschieben, mußten bei einem derartigen Anlaß als politisch-kulturelles Paradox deutlich sichtbar werden.[10] Das sprachliche Handeln in diesem Vergangenheits-Diskurs scheiterte letztlich an dem ungenügenden vergangenheitsbezogenen gesellschaftlichen Handeln in der Geschichte Nachkriegsdeutschlands und dessen Widerschein in der Sprache der Gegenwart (vgl. Dörner 1991, Ehlich 1989, Wodak 1989 a). Beim Versuch, die Vergangenheit erinnernd zu überwinden, verfing der Redner sich selbst in den längst nicht kraftlosen Fallstricken der Sprache der Vergangenheit.

10 Vgl. für eine theoretische Analyse dieses Sachverhalts Billig (1991).

7. Zusammenfassung: Das Gedenkjahr 1988 im öffentlichen und halböffentlichen Diskurs in Österreich

Grundsätzlich gingen wir in unseren Analysen von der These aus, daß es »*die* zu bewältigende nationalsozialistische Vergangenheit« nicht geben kann. Vielmehr – und daher entwickelten wir die Metapher der »Mozartkugel« – rekonstruieren unterschiedliche ExpertInnen und Laien verschiedene, ihren Interessen entsprechende Vergangenheiten und Vergangenheitsdiskurse mit je eigenen Werten und Argumentationen. Je mächtiger und einflußreicher die Personen sind, desto eher hat dieser Diskurs die Chance, zu »der relevanten« Vergangenheit zu werden.
Vor diesem Hintergrund ergibt sich zwangsläufig, daß staatliche Gedenkveranstaltungen »einer« Vergangenheit nicht möglich sind. Denn unsere zweite grundlegende These lautet, daß staatliches Gedenken breite, konsensfähige Geschichtsbilder betonen muß, die möglichst von vielen BürgerInnen akzeptiert werden können. Dies hat zur Folge, daß entweder verschiedene Vergangenheitsdiskurse aufeinanderprallen oder daß ein sehr vager »allumfassender« Diskurs entsteht, der konfliktreiche Auffassungen zu integrieren vermag.
In diesem Buch beschränkten wir uns auf die Vergangenheitsbewältigungen und deren Diskurse bei den Eliten, den PolitikerInnen und in den Medien. Ob und wie diese Diskurse rezipiert wurden, können wir nicht beantworten; daß die Eliten jedoch sicherlich meinungsprägend sind, steht außer Frage. Der Vergleich mit einem von vielen bundesdeutschen Gedenken, das zur selben Zeit – November 1988 – stattfand, konnte vor allem noch deutlicher belegen, wie kontext-, geschichts- und interessengebunden solche Feiern ablaufen müssen. Alle unsere Texte sind nur in ihrem historischen und im unmittelbaren Kontext verständlich. Vor- und Nachfeld wurden, wenn möglich, miteinbezogen. Daher, so meinen wir, mußten und konnten die Gedenkfeiern in Österreich und in der Bundesrepublik Deutschland anders, und zwar qualitativ anders, verlaufen.
So begannen die offenen und vehementen Auseinandersetzungen

mit Österreichs nationalsozialistischer Vergangenheit nicht erst im Jahr 1988, sondern bereits zwei Jahre früher, als im März des Jahres 1986 bekannt wurde, daß der Präsidentschaftskandidat Kurt Waldheim in seiner Autobiographie wesentliche Teile seines Kriegsdienstes auf dem Balkan während des Zweiten Weltkrieges unerwähnt gelassen hatte. Im Zuge des Präsidentschaftswahlkampfes (März-Juni 1986) wurde dieser läßliche Umgang mit der Wahrheit und Waldheims Leugnen bzw. nur stückweises Zugeben von immer wieder neuen Fakten von Kritikern heftig angegriffen und als untragbar bezeichnet. Hier prallten zum ersten Mal in jüngerer Zeit zwei grundverschiedene Geschichtsbilder in der Diskussion aufeinander, die in groben Zügen folgendermaßen gekennzeichnet werden können: Auf der einen Seite fanden sich jene, die in der Tradition der Zweiten Republik Österreich als ausschließliches Opfer der nationalsozialistischen Eroberungspolitik sahen und im Grunde die Beschäftigung mit dieser Vergangenheit als abgeschlossen und nicht zielführend betrachten. Die andere Seite bezeichnete diese Einstellung als »Lebenslüge der Zweiten Republik« und wies darauf hin, daß unter den nationalsozialistischen Tätern und Führern überproportional viele Österreicher beteiligt gewesen waren und auch über Mitmachen, Mitläufertum und Wegschauen während der NS-Herrschaft in Österreich nie ausreichend in der Öffentlichkeit (PolitikerInnen, Medien, in Schulbüchern) reflektiert worden war.
Die Waldheim-Affäre stand und steht weiterhin symbolisch für einen Teil dieser Auseinandersetzung, die sich auch in das Gedenkjahr 1988 hineinzog, da im Februar der von Waldheim erbetene Bericht einer internationalen Historikerkommission fertiggestellt und der österreichischen Bundesregierung als Auftraggeberin überreicht worden war (vgl. Kap. 2). Die bereits vorher vollzogene Spaltung in die zwei oben beschriebenen Gruppen, die sich vor allem und am augenscheinlichsten im öffentlichen Diskurs der Medien und in den Parteien spiegelte, setzte sich fort: Der Historikerbericht konnte – entgegen manchen Erwartungen – nicht für eine gewisse Beruhigung der Diskussion sorgen; im Gegenteil wurden die Diskussionen nach einer kurzen Schockphase unmittelbar nach der Übergabe am 8. Februar 1988 immer heftiger, insbesondere um einen eventuellen Rücktritt des Bundespräsidenten, den dieser schließlich in einer Fernsehrede dezidiert und endgültig ausschloß. Der herannahende »Stichtag« für die März-

gedenkfeiern ließ die Frage, ob Waldheim vor der Bundesversammlung sprechen sollte oder nicht, beinahe eskalieren – einige Abgeordnete hatten angekündigt, im Fall einer Rede den Saal zu verlassen –, als Waldheim von sich aus verzichtete und statt dessen eine Fernsehansprache hielt. So war bis zuletzt eine Funktion staatlichen Gedenkens, nämlich einen staatstragenden Konsens über bestimmte Inhalte historischen Bewußtseins öffentlichkeitswirksam herauszustreichen, gefährdet. In öffentlichen Reden der höchsten Repräsentanten des Staates und der Parteien wurde dann allerdings doch die doppelte Rolle von Österreich als erstem Opfer der NS-Politik und von vielen Österreichern als Tätern im »Dritten Reich« betont.[1] In der BRD gab es naturgemäß kein Anschlußgedenken. Allerdings fanden sich bei einem ähnlich heiklen Ereignis, dem Gedenken an den NS-Pogrom im November 1938, auf den ersten Blick erstaunliche Parallelen. Sowohl die Märzgedenkfeiern in Österreich als auch die Veranstaltungen zum 50. Jahrestag des Novemberpogroms in der BRD waren jeweils die ersten öffentlichen Gedenktage zur jeweiligen NS-Vergangenheit der beiden Länder nach einer längeren Periode.[2] Insofern können auch zwischen diesen beiden Veranstaltungen strukturelle Vergleiche angestellt werden. Der Frage, warum sich in Österreich die Präsentation nach außen von derjenigen der BRD unterschied, werden wir unten nachgehen.

In den Zeitungen und dem halböffentlichen Diskurs sah die Sachlage etwas anders aus: Zwar bemühten sich die Parteizeitungen um eine einigermaßen sachlich korrekte und wenig verzerrende Darstellung der historischen Ereignisse, die zum »Anschluß« führten (vgl. Kap. 3.1.), konnten aber einige parteipolitisch »wunde Punkte«, die in erster Linie aus der Geschichte der Ersten Republik resultieren, nicht überwinden. Vor allem die Frage, wie die Parteien zum »Anschluß« standen (den alle Parteien zunächst befürworteten) und ob der autoritäre Ständestaat ein Wegbereiter für den oder ein Bollwerk gegen den Nationalsozialismus war, wurde antagonistisch diskutiert. In der unabhängigen Presse spie-

1 Vgl. dazu etwa die Publikation der Reden vor der Bundesversammlung im *Jahrbuch der Österreichischen Außenpolitik* (1989).

2 Die letzten ähnlich prominenten Gedenkveranstaltungen fanden 1985 anläßlich des 40jährigen Jubiläums des Endes des Zweiten Weltkrieges in Österreich und Deutschland und anläßlich des dreißigjährigen Jubiläums des Staatsvertrages in Österreich statt.

gelten sich die in der Waldheim-Affäre eingenommenen Positionen in den Einstellungen zu den Gedenkfeiern wider: Während die »waldheimgegnerischen« Medien den Sinn und die Bedeutung der Gedenkfeiern hervorhoben, standen ihnen die *Neue Kronenzeitung* und *Die Presse* indifferent bis ablehnend gegenüber und setzten in den Kommentaren bzw. Leitartikeln den Wir-Diskurs in Zusammenhang mit der Symbolfigur Waldheim fort.[3] Die parteipolitisch motivierte Argumentation und Präsentation eines konservativen (ÖVP-nahen) Geschichtsbildes war dabei in der *Presse* etwa deutlicher und einseitiger als selbst in den Parteiblättern: Aufrechnungen mit stalinistischen Greueln und Kriegsverbrechen der Alliierten, Schuldzuweisungen an »die anderen«, Opfer-Täter-Umkehr (die Aggressoren als Opfer des Krieges, die Juden als Verursacher von Antisemitismus) und Abwehr von Reflexion waren häufig verwendete Strategien, die in einzelnen Fällen weiterhin mit antisemitischen Vorurteilen argumentierten.

In einer Fernsehdiskussion über die letzten Tage Österreichs vor dem »Anschluß«, die wir als Beispiel des halböffentlichen Diskurses herangezogen haben, traten noch weitere Geschichtsbilder zutage, die teilweise in einem engen Zusammenhang mit den oben genannten stehen. Die DiskutantInnen hatten den »Anschluß« aus unterschiedlicher Perspektive alle persönlich erlebt. In der Diskussion überwogen Argumente, die mit überlieferten Geschichtsbildern zur Ersten Republik bzw. zur Monarchie in Verbindung standen. So wurde die Frage gestellt, ob es überhaupt einen Austrofaschismus gegeben hätte oder ob dieser nicht die letzte Bastion gegen die drohende Annexion durch NS-Deutschland gewesen sei; das Schuschnigg-Regime wurde letztlich ohne nennenswerten Widerspruch als direkter Vorgänger der Demokratie der Zweiten Republik interpretiert, die Wehrmacht als »hochanständig« (im Unterschied zu den Verbänden der SS) dargestellt und der »Geist der Lagerstraße« als Basis für künftiges Handeln beschworen. Andere Opfer des nationalsozialistischen Regimes (vor allem die Juden) wurden nicht erwähnt, obwohl eine Jüdin und ein Jude unter den DiskutantInnen waren, im Gegen-

3 In diesem Wir-Diskurs wurde die In-group der (aufrechten) Österreicher gegen »die anderen« (das Ausland, die Juden, die ausländische Presse, die »Linken« etc.) in positiver Weise abgegrenzt. Feindbilder konnten so geschaffen bzw. weiter tradiert werden (vgl. auch Wodak et al. 1990).

teil, deren Vertreibung wurde als feige »Flucht vor dem Feinde« hingestellt. Unter starker Lenkung und Manipulation des Diskussionsleiters wurde der Gegendiskurs (die sozialdemokratische bzw. kommunistische Sicht) unterbunden. Aufrechnungen (»Hitler vs. Stalin«), Verharmlosungen (der Rolle der Wehrmacht bzw. von Teilen von ihr) und Tabuisierungen von NS-belasteten Themen waren die häufigsten Argumentationsstrategien der in dieser Fernsehdiskussion dominanten konservativen (z. T. revisionistischen) Geschichtsbilder und im Umgang mit dem Thema »Anschluß«.

Im Streit um die Errichtung eines Mahnmals »gegen Krieg und Faschismus«[4] (Kap. 4) kamen weniger unterschiedliche Geschichtsbilder zum Tragen als vielmehr eine Verschiebung von der politischen auf die Ebene der Kultur. Die Polemik, die im Gedenkjahr von der *NKZ* begonnen wurde, hatte die Funktion, auf einem unbedenklich erscheinenden Feld jenen Diskurs verschärft fortzusetzen, der »die Vergangenheit ruhen lassen« wollte. Die Parteinahmen der Zeitungen sahen ähnlich wie bereits bei der Übergabe des »Historikerberichtes« aus, ein weiteres Indiz für die *Stellvertreterfunktion* der Auseinandersetzung. Die Polemik entwickelte sich auch zu einer parteipolitischen Auseinandersetzung zwischen SPÖ und der Grünen Alternative auf der Seite der Befürworter und der ÖVP und FPÖ auf der Seite der Gegner, ein Konsens im Sinne öffentlichen Gedenkens war in diesem Falle nicht gegeben, allerdings wurde der Streit vordergründig um »sachliche« Fragen wie Standortwahl und Bestimmung des ausführenden Künstlers geführt, nicht so sehr um die Inhalte des Gedenkens und Erinnerns an die NS-Kriegsverbrechen. Die Verschiebung hatte demnach Ventilfunktion und konnte relativ gefahrlos für die Auseinandersetzung zwischen unterschiedlichen Geschichtsauffassungen genutzt werden. Nicht umsonst wurde vom Herausgeber der *Presse*, Otto Schulmeister, der »Kulturkampf« als Kampf um die politische Macht bezeichnet.

4 Dieser offizielle, von Hrdlicka gewählte Titel vertritt das Geschichtsbild, daß auch der Ständestaat (1934-38) ein faschistisches Regime war, und widerspricht somit einer in weiten ÖVP-Kreisen verbreiteten Auffassung, die etwa auch im Club 2 über den »Anschluß« hauptsächlich vertreten wurde. Möglicherweise ist in dieser Auffassung auch ein zugrundeliegender »wunder« Punkt bei der parteipolitischen Auseinandersetzung zu sehen.

Das öffentliche Gedenken zum Novemberpogrom 1938, wie es sich in den Reden der Repräsentanten des Staates darstellte, verlief ohne Konflikte an der Oberfläche. Parteipolitische Unterschiede traten zugunsten einer gemeinsamen Betonung, daß sich »Derartiges« nie mehr wiederholen dürfe, in den Hintergrund. Allerdings fanden sich auch trotz dieses Konsenses bei einer genaueren Analyse weiterhin Ambivalenzen. Anders als bei der Rede des deutschen Bundestagspräsidenten Jenninger wurden jedoch nie Kontextregeln dergestalt verletzt, daß der Anlaß zu einer »Themaverfehlung«, indem primär eine Empathie mit den Tätern gesucht wurde, nicht aber von den Opfern die Rede war, verkommen wäre. Auch die Reaktionen bzw. die Berichterstattung der Medien waren mit wenigen Ausnahmen bemüht, eine auch historiographisch haltbare Darstellung der Novemberpogromereignisse zu vermitteln. Die dabei zugrundeliegenden wissenschaftlichen Zugänge dürften allerdings in den meisten Fällen wenig reflektiert oder hinterfragt worden sein, so daß in manchen Fällen Verharmlosungen und Verzerrungen daraus resultierten (vgl. Kap. 5.1.).

Kontinuitäten und Brüche bestimmten also das Gedenkjahr 1988, Kontinuitäten eines Rechtfertigungsdiskurses, der bereits seit 1986 zu verzeichnen ist und ein Geschichtsbild vertritt, in dem Österreich ausschließlich als erstes Opfer NS-Deutschlands gesehen wird und die »zweite Wahrheit«, d.h. Österreich als mitbeteiligt am Krieg an der Seite Hitlerdeutschlands, weitgehend verschwiegen und verharmlost wird: Geschichtsumdeutungen und Mythologisierungen, um Österreich in seiner neuen Identität zu stärken. Dieses Geschichtsbild wurde sowohl von Parteienvertretern (z.B. auch und vor allem von Waldheim), aber auch von verschiedenen Zeitungen und Zeitschriften vertreten. Brüche ergaben sich in der Präsentation der unterschiedlichen und z.T. inkompatiblen Geschichtsbilder, Brüche, die sowohl durch die Parteien symbolisiert sind als auch durch die Einstellungen zur »Vergangenheitsbewältigung« bzw. zu Beschäftigung mit und Nachdenken über Österreichs nationalsozialistische Vergangenheit. Diese beiden Ebenen überschnitten sich, deckten sich aber natürlich nicht vollständig. Anders als in der BRD kam es jedoch bei den zentralen Gedenkveranstaltungen zum »Anschluß« im März und zu den Novemberpogromgedenken einige Monate später zu keinen Eklats oder Skandalen – und dies, obwohl im

allgemeinen das Klischee besteht, daß die Bundesrepublik mit der Reflexion ihrer NS-Vergangenheit ernsthafter, zielstrebiger und konsequenter umgegangen sei als Österreich. Der Gegendiskurs schien in der Tat in der BRD stärker und öffentlich präsenter zu sein. Außerdem hatte Österreich »seinen Skandal« bereits 1986 mit der Kandidatur Waldheims für die Präsidentschaft, so daß das Jahr 1988 sicher auch den Versuch darstellte, das beschädigte Image in den Augen der Weltöffentlichkeit zu reparieren.
Eine weitere, allerdings wesentliche Erklärungsmöglichkeit bietet die Abfolge der Ereignisse. So wurde kurze Zeit vor den Märzveranstaltungen der Historikerbericht zu Waldheims Kriegsvergangenheit auf dem Balkan fertiggestellt und veröffentlicht, und vor den Novemberpogromgedenkveranstaltungen war eine Reihe von »kulturpolitischen Skandalen« wie die Errichtung eines Mahnmales oder die Uraufführung des Theaterstücks »Heldenplatz« von Thomas Bernhard zu verzeichnen.
Anläßlich dieser jeweiligen »Vorereignisse« konnte die Wucht des Zusammenpralls unterschiedlicher Geschichtsbilder als auch Parteieninteressen kanalisiert werden. Nicht zufällig waren deshalb die Auseinandersetzungen sowohl der Parteien als auch der Medien in diesen Bereichen besonders emotional und kontroversiell. Diese Kanalisierung oder Verschiebung hatte zur Folge, daß angesichts der »offiziellen« Gedenkveranstaltungen der *Konsens* der staatstragenden Parteien bzw. Kräfte relativ geschlossen und eindrucksvoll herausgestrichen werden konnte. Zusätzlich kam mit Franz Vranitzky, der, quasi als Vertreter des diskreditierten Bundespräsidenten, die obersten Repräsentationspflichten wahrnahm, auch ein Politiker zu Wort, der das Gedenken für mehr als eine Pflichtveranstaltung ansah.[5] Allenthalben wurde deshalb auch von der »Würde« der Gedenkveranstaltungen[6] gesprochen und geschrieben. Der *Kurier* stellte sogar Anerkennung aus dem Aus-

5 Dies zeigte sich z. B. daran, daß er ein Mahnmal in Lackendorf im Burgenland, dem Heimatort seiner Mutter, besuchte. Dort hatte es ein Auffanglager für Zigeuner gegeben, in dem ca. 4000 Zigeuner festgehalten wurden, bevor sie in Vernichtungslager deportiert wurden. Nur einige Hundert hatten überlebt. Dieses Faktums wurde zum ersten Mal öffentlich gedacht. Aber auch Vranitzkys öffentliche Betonung, daß Österreicher Opfer und Täter gewesen seien, daß es sehr wohl eine Individualschuld gebe, deuten in diese Richtung.
6 Vgl. etwa *Die Presse*, 12. 3. 1988, S. 1.

land fest.[7] Ein Ziel derartiger offizieller Ereignisse, die Betonung gemeinsamer, nicht in Frage gestellter zentraler Auffassungen zur Geschichte eines Landes, konnte zu diesen beiden Daten teilweise erreicht werden.
In der Presse ließen sich beinahe dieselben Verlaufswellen auffinden, mit dem einen wesentlichen Unterschied, daß der Konsens zu den Märzgedenkfeierlichkeiten weit geringer war als im November. Der Waldheim-Diskurs zog sich stärker in die Berichterstattung als in die öffentlichen Reden hinein, seine Symbolhaftigkeit sorgte weiterhin für unterschiedliche Einstellungen zu den Gedenkfeiern insgesamt. Dazu kam allerdings auch, daß die unmittelbare Vorgeschichte des »Anschlusses« insgesamt kontroversieller in der Interpretation ist als die von allen Seiten verurteilten Novemberpogrome des Jahres 1938. Erwähnenswert bleibt trotzdem, daß jene sich als unabhängig bezeichnenden Medien, die sich besonders für Waldheim engagierten, nämlich die *Neue Kronenzeitung* und *Die Presse*, auch am heftigsten (viel stärker als die Parteizeitungen selbst) Zweifel an der Sinnhaftigkeit der Gedenkveranstaltungen hegten und entweder für ein Verschweigen bzw. Ignorieren (*NKZ*) oder für eine ersatzweise Zuwendung zur Zukunft (*Presse*) plädierten. Die eigentlichen Konflikte spielten sich auch hier im »Vorfeld« (Historikerbericht bzw. Mahnmal und »Heldenplatz-Inszenierung«) ab. Bei allen herausgearbeiteten Differenzierungen, Abschwächungen und Relativierungen bleibt so aufgrund der Verschiebungen der Konflikte doch das vordergründige Bild eines mit vielen Anstrengungen über die Runden gebrachten »Gedenkjahres«, in dem zwar Skandale ausgeblieben waren, in dem aber dennoch ambivalente Zwischentöne und vereinzelte Mißtöne hörbar wurden.
Vergleicht man nun Jenningers Rede mit solchen österreichischer Repräsentanten (Kap. 6), so zeigt sich, daß einzelne Aspekte des Philosemitismus etwa in Waldheims Erklärung zu den Novembergpogromgedenken vorkamen, daß sowohl Mock als auch Waldheim (im Unterschied zu Vranitzky) in ihren Ansprachen zum »Anschluß«-Gedenken Schwerpunkte auf die Leistungen des Wiederaufbaus setzten und daß bei beinahe allen Politikern zu-

7 »Schweizer Presse zu Gedenken: ›Österreich hat sein Plansoll erfüllt ...‹«, *Kurier*, 15. 3., S. 2; »Viel Lob für unsere Gedenkfeierlichkeiten. Aber Kritik an Waldheim köchelt weiter.«, *Kurier*, 16. 3., S. 2.

mindest Ansätze von Individualisierung der Schuld zu finden waren. Allerdings wurde von keinem Spitzenrepräsentanten die Schuldfrage derart personalisiert, daß *de facto* nur mehr Hitler und seine engsten Mitarbeiter als Täter in Frage kamen. Demzufolge wurden auch das Mitläufertum und die angebliche Zwangsläufigkeit der Entwicklung nicht als Entschuldigung und Erklärung herangezogen. Auch hier wurde der Wunsch vieler Österreicher nach dem »Anschluß« und das Wissen etwa um den Novemberpogrom hervorgehoben bzw. Warnungen vor ähnlichen Entwicklungen in der Gegenwart ausgesprochen. Insbesondere Bundeskanzler Vranitzky stellte diesen Bezug zur Gegenwart in seiner Rede am 11. März vor der Bundesversammlung, aber auch anläßlich des Novemberpogromgedenkens ganz deutlich her. Auch Kontextverfehlungen von derart gravierendem Ausmaß wie bei Jenninger wurden von Österreichs Repräsentanten 1988 nicht begangen.

In den österreichischen Medien, besonders in den konservativen, finden sich jedoch, über das gesamte Gedenkjahr verteilt, immer wieder ähnliche Gedankengänge und Versatzstücke des »konservativen« Geschichtsbildes, wie es in Kap. 6 gezeichnet wurde. Die Personalisierung auf Hitler findet sich etwa in der Darstellung des »Anschlusses« in der *Neuen Freien Zeitung*, dem Parteiblatt der Freiheitlichen Partei Österreichs, das Verhältnis von Juden und Christen (diesmal vor allem Katholiken) wird ausführlich in der monierten Art und Weise etwa in der *Furche* ausgebreitet und argumentativ verwendet. Philosemitische Äußerungen finden sich in den Darstellungen der *Presse* zu den Novemberpogromereignissen. Eine bedenkliche Wortwahl, die an den NS-Jargon erinnert, kommt kurz in Waldheims Erklärung zum Novemberpogromgedenken vor, allerdings bei weitem nicht in dem Ausmaß und in der Mißverständlichkeit wie bei Jenninger, oder etwa in einem Leitartikel des *Neuen Volksblatts*, dem Parteiblatt der ÖVP, vom 9. November 1988. Ähnlich wie bei Jenninger ist auch hier den Autoren nicht unbedingt Sympathie gegenüber nationalsozialistischem Gedankengut zu unterstellen, vielmehr ist es eher ein Zeichen von Unreflektiertheit und Unsensibilität gegenüber einem besonders heiklen Kapitel deutscher und österreichischer Geschichte.

Jenningers Rechtfertigungsstrategien erinnern stark an jene Waldheims während des Präsidentschaftswahlkampfes (vgl. Wodak et al. 1990) und nach der Übergabe des Historikerberichtes (vgl. auch Menz 1991), ebenso die Elemente des Wir-Diskurses da wie dort. Auch Waldheims Verhalten kann, wie Jenningers Rede, in bestimmten Phasen als verfehlte Einbettung in einen vorgegebenen strukturellen Kontext interpretiert werden: Aussagen zum nationalsozialistischen Regime, zur Wehrmacht und zum Kriegsdienst erhalten einen anderen Stellenwert, wenn sie von Waldheim als Präsidentschaftskandidat oder als Präsident, als wenn sie von der Privatperson Waldheim gemacht werden. Besonders auffallend waren dabei Waldheims Äußerungen 1986 darüber, daß er in der Wehrmacht »nur seine Pflicht getan« habe, ohne mitzudenken, ob man im Dienst eines verbrecherischen Regimes überhaupt von Pflicht sprechen kann. Auch Waldheim hat, wie Jenninger, dem »Stammtisch« Argumente geliefert, die einer partiellen Rechtfertigung (und nicht Erklärung) damaligen Verhaltens gleichkamen und Reflexion darüber als unnötig erscheinen ließen. Die Folgen und Wirkungen des Gedenkjahres 1988 werden wir erst in der Zukunft spüren können. Es bleibt zu hoffen, daß Ambivalenzen, Brüche und Konflikte auch positive Effekte zeitigen, nämlich als Signale, daß es noch vieles zu diskutieren und zu bearbeiten gibt.

Anhang

Bundespräsident Waldheim veröffentlichte am 8. November eine schriftliche Erklärung zum 50. Jahrestag des Novemberpogroms 1938, die an die Zeitungsredaktionen verschickt wurde. Die *Wiener Zeitung* brachte die gesamte Erklärung auf Seite 1:

1. Erklärung von Bundespräsident Dr. Kurt Waldheim zum 50. Jahrestag des Novemberpogroms 1938

1 Zu den schmerzlichsten Ereignissen, deren wir im heurigen Jahr
2 gedenken, gehören die brutalen Ausschreitungen gegen unsere jü-
3 dischen Mitbürger in der Nacht vom 9. auf den 10. November 1938.
4 Die Verwüstung und Zerstörung von Synagogen, Bethäusern und
5 privatem Eigentum sowie die Mißhandlung und der grauenvolle
6 Tod zahlreicher Menschen zeigten das damalige Regime in seiner
7 ganzen Brutalität.
8 Dieser Pogrom bildete aber nur den Auftakt für die Vernichtung
9 von Millionen jüdischer Mitmenschen in ganz Europa, die in den
10 darauffolgenden Jahren unter erschütternden Umständen den Tod
11 fanden. Die nahezu völlige Vertreibung und Vernichtung der jüdi-
12 schen Bevölkerung hat in unserem Land bis heute tiefe Wunden
13 hinterlassen. Ich erinnere in diesem Zusammenhang nur an den
14 hervorragenden Anteil, den der jüdische Teil unserer Bevölkerung
15 am Kultur- und Geistesleben Österreichs hatte.
16 Das Gedenken an diesen Pogrom und das Leiden der Juden in der
17 Ära des Nationalsozialismus muß uns Mahnung und Auftrag sein:
18 Mahnung, über die damaligen Verbrechen, an denen Österreicher
19 ihren Anteil hatten, nicht den Mantel des Schweigens zu breiten,
20 und Auftrag zu verhindern, daß jemals wieder aus Intoleranz oder
21 Rassenhaß ähnliches geschehen kann.
22 Im nach dem Krieg wiedererstandenen Österreich gehört die volle
23 Achtung der Menschenrechte zu den fundamentalen Errungen-
24 schaften und Grundsätzen. Dies zeigt, daß wir aus dieser tragischen
25 Zeit gelernt und Konsequenzen gezogen haben.
26 Im Kampf für die Menschenrechte und gegen den Antisemitismus
27 dürfen wir jedoch nicht innehalten. Ich habe bei meinem Amtsan-
28 tritt als Bundespräsident hierzu erklärt, daß es unser täglich erneu-
29 ter Vorsatz sein muß, jeden unserer Mitbürger – welcher Rasse,
30 welchen Glaubens und welcher Gesinnung auch immer – als Bruder

31 und Schwester zu empfinden und zu behandeln. Ich erachte dieses
32 Eintreten für die Menschlichkeit als eine der vornehmlichsten Auf-
33 gaben meiner Amtsführung. Das heutige Gedenken soll uns allen
34 ein Anlaß sein, uns wieder vermehrt dieser Grundwerte der
35 menschlichen Gemeinschaft zu besinnen.
(*Wiener Zeitung*, 9.11.1988, S.1)

2. Rede von Bundeskanzler Dr. Franz Vranitzky zum 50. Jahrestag des Novemberpogroms 1938

Anläßlich des bevorstehenden Jahrestages der sogenannten »Reichskristallnacht« gedachte Bundeskanzler Dr. Franz Vranitzky am 8. November in folgender Rede vor dem Ministerrat der blutigen Novemberpogrome vor 50 Jahren:

1 Bevor wir in die Tagesordnung des Ministerrates eintreten, möchte
2 ich Sie einladen, mit mir des Novemberpogroms 1938 zu gedenken,
3 der sich morgen zum 50. Mal jährt. In dieser Nacht vom 9. auf den
4 10. November 1938 wurde die jüdische Bevölkerung Opfer eines
5 gewaltigen und brutalen Rache- und Vergeltungsschlags und auf
6 Anordnung der damaligen Regierungs- und Parteistellen als Frei-
7 wild für Haß, Zerstörung und Erniedrigung preisgegeben.
8 Die Opferbilanz dieses Pogroms belief sich allein in Wien auf tau-
9 sende zerstörte Geschäfte und Wohnungen, 42 meist durch Brände
10 vollkommen zerstörte Synagogen und Bethäuser sowie mindestens
11 27 getötete und 88 schwerverletzte Juden, nicht zu sprechen von
12 den schweren persönlichen und religiösen Demütigungen, die viele
13 Betroffene in den Verzweiflungsakt des Selbstmordes trieben. In
14 Wien allein wurden bei der gleichzeitig von der Gestapo durch-
15 geführten »Judenaktion« 6547 Menschen verhaftet. Nicht viel an-
16 ders, wenngleich etwas schwächer, verlief der Pogrom in den ande-
17 ren österreichischen Bundesländern.
18 Wir müssen uns meiner Meinung nach aber davor hüten, diese
19 Nacht des Schreckens sozusagen als singuläres Ereignis zu sehen,
20 dessen wir heute – aus der gesicherten Perspektive des 50jährigen
21 Abstands und der soliden demokratischen Basis unseres Staatswe-
22 sens – mit Abscheu und Verachtung gedenken. Zuviel war in den
23 Jahren vorher schon geschehen, und der Boden für diesen vorläufi-
24 gen Höhepunkt der Judenverfolgung war bereits vorbereitet.
25 Wir begehen in diesen Tagen auch noch einen Gedenktag anderer
26 Art, den ich nicht unerwähnt lassen möchte und der mir für den
27 Versuch einer Aufarbeitung alles dessen, was in den dreißiger
28 Jahren geschehen ist, sehr wichtig erscheint. Es sind nunmehr 70

Jahre, seit im November 1918 die Donaumonarchie endgültig zerfiel und die Basis für unser Staatswesen in seiner heutigen Form, in der Republik Österreich, gelegt wurde.
Ich habe in vielen Veranstaltungen zum Gedenkjahr 1988 immer wieder den Standpunkt vertreten, daß die Gedenkkette 1918-1938-1988 notwendig und logisch ist. Ich sage das nicht, um die katastrophalen Ereignisse in irgendeiner Form zu beschönigen oder in ihrer einschneidenden Bedeutung zu relativieren. Ich bin vielmehr davon überzeugt, daß auch die tiefe Verunsicherung der Österreicher, die Zweifel an der Existenzfähigkeit dieses Staates, die wirtschaftliche und soziale Not der Menschen und die daraus erwachsenden Zukunftsängste verstanden werden müssen. Ohne das müßte auch unser Verständnis der bürgerkriegsähnlichen Entwicklungen, der politischen Ausschaltung der Sozialdemokratie, des Anschlußgedankens und schließlich des Vollzugs des Anschlusses selber mit all seinen Auswirkungen lückenhaft bleiben.
Es kommt in diesem Gedenken, wie bei jedem ähnlichen Anlaß, nicht darauf an, posthume Schuldzuweisungen vorzunehmen und den Stab über frühere Generationen zu brechen, sondern es kommt darauf an zu verstehen, zu erkennen, die richtigen Schlußfolgerungen zu ziehen und daraus die Maßstäbe für unser Handeln in Gegenwart und in Zukunft abzuleiten. Wirkliche Befreiung kann nur dadurch erreicht werden, daß man versucht, die gesamte Wahrheit und alle ihre Aspekte zu erfassen.
Im Rückblick auf die vielen Veranstaltungen dieses Jahres, die der historischen und moralischen Aufarbeitung dieser Epoche gewidmet waren, aber auch im Rückblick auf die nunmehr 43 Jahre der Zweiten Republik glaube ich sagen zu können: Wir haben ehrlich versucht, diese Wahrheit zu erfassen und ihr ins Gesicht zu sehen. Wir haben gelernt, zu unterscheiden zwischen unserer Rolle als Opfer einer militärischen Aggression und der schuldhaften Verstrickung vieler Österreicher, die sich mehr oder weniger freiwillig bereitgefunden haben, Handlanger- und Schergendienste für ein unmenschliches und verbrecherisches Regime zu leisten.
Auch vieles andere haben wir in diesen Jahren seit Kriegsende erreicht. Wir haben aus der Zerstörung einen blühenden Staat aufgebaut, einen Staat, der sich in strikter Ablehnung des Nationalsozialismus zur Demokratie, zur Freiheit und Gerechtigkeit, zum Respekt vor der Würde des Menschen bekennt. In diesem Staat sind seither zwei Generationen von Menschen mit Toleranz, Weltoffenheit und Tüchtigkeit herangewachsen.
Wir haben versucht, an den Opfern dieser Zeit – und dabei habe ich einen sehr umfassenden Opferbegriff vor Augen – wieder gut zu machen, was ihnen an Ungerechtigkeit, an Gewalt und Erniedri-

73 gung widerfahren ist, wobei uns allen bewußt sein muß, daß eine
74 Wiedergutmachung durch Sachleistungen, so gut gemeint sie auch
75 ist, immer nur eine teilweise sein kann.
76 Gleichzeitig muß uns aber bewußt sein, daß auch in der Demokra-
77 tie nichts für immer und ewig errungen ist, und daß wir für die
78 Werte, die uns wichtig sind, tagtäglich und immer wieder aufs Neue
79 eintreten müssen.
80 Das bedeutet das Eintreten für Offenheit und Toleranz, Respekt
81 vor dem Andersdenkenden, Sinn für Gerechtigkeit und Fairneß,
82 positives und weltoffenes Denken: dann wird all das keinen Nähr-
83 boden mehr finden, das diesen Staat und seine Menschen einmal in
84 den Abgrund getrieben hat.
85 Verneigen wir uns daher in Ehrfurcht und Trauer vor allen, die
86 Opfer jener schrecklichen Zeit und ihrer schuldhaften Verirrungen
87 geworden sind. Wir sind es ihrem Andenken schuldig, dieses Ge-
88 denkjahr nicht mit dem 31. Dezember abzuschließen, sondern wir
89 wollen vielmehr die Botschaften und die Inhalte, die wir uns in die-
90 sem Gedenkjahr erarbeitet haben, auch für die Zukunft in unseren
91 Köpfen und in unseren Herzen bewahren.
(*Wiener Zeitung*, 9. 11. 1988, S. 1).

Literatur

Adam, Uwe Dietrich (1972), *Judenpolitik im Dritten Reich*, Düsseldorf.

– (1988), »Wie spontan war der Pogrom?«, in: Pehle (1988), S. 74-93.

Bartov, Omer (1985), *The Eastern Front 1941-1945. German Troops and the Barbarisation of Warfare*, Basingstoke.

– (1987), »Historians on the Eastern Front. Andreas Hillgruber and Germany's Tragedy«, in: *Tel Aviver Jahrbuch für deutsche Geschichte*, XVI, S. 325-345.

Bauer, Yehuda (1978), *The Holocaust in Historical Perspective*, Seattle.

Beckermann, Ruth (1989), *Unzugehörig. Österreicher und Juden nach 1945*, Wien.

Benz, Wolfgang (1990) (Hg.), *Legenden, Lügen, Vorurteile. Ein Lexikon zur Zeitgeschichte*, München.

Bericht (1988) siehe Kurz et al. (1988).

Billig, Michael (1991), *Ideology and Opinions. Studies in Rhetorical Psychology*, London.

Bluhm, William T. (1973), *Building an Austrian Nation. The Political Integration of a Western State*, New Haven.

Botz, Gerhard (1987), »The Jews of Vienna from the Anschluss to the Holocaust«, in: Ivar Oxaal/Michael Pollak/Gerhard Botz (1987) (Hg.), *Jews, Antisemitism and Culture in Vienna*, London/New York, S. 185-204.

– (1988), *Nationalsozialismus in Wien. Machtübernahme und Herrschaftssicherung 1938/39*, 3. Aufl., Buchloe.

– (1990), »Die Ausgliederung der Juden aus der Gesellschaft. Das Ende des Wiener Judentums unter der NS-Herrschaft 1938-1943«, in: Botz, Gerhard/Ivar Oxaal/Michael Pollak (Hg.), *Eine zerstörte Kultur. Jüdisches Leben und Antisemitismus in Wien seit dem 19. Jahrhundert*, Buchloe, S. 285-311.

Brackmann, Karl-Heinz/Renate Birkenhauer (1988), *NS-Deutsch. »Selbstverständliche« Begriffe und Schlagwörter aus der Zeit des Nationalsozialismus*, Straelen.

Brook-Shepherd, Gordon (1963), *Anschluß. The Rape of Austria*, London.

Broszat, Martin (1977), »Hitler und die Genesis der ›Endlösung‹: Aus Anlaß der Thesen von David Irving«, in: *Vierteljahreshefte für Zeitgeschichte* 25/1977, S. 739-775.

Browning, Christopher (1980), »Zur Genesis der Endlösung: Eine Antwort auf Martin Broszat«, in: *Vierteljahreshefte für Zeitgeschichte* 29/1980, S. 97-109.

– (1992), *Ordinary Men. Reserve Police Batallion 101 and the Final Solution in Poland*, New York.

Carsten, Francis L. (1978), *Faschismus in Österreich. Von Schönerer zu Hitler*, München.
de Cillia, Rudolf/Richard Mitten/Ruth Wodak (1987), »Von der Kunst, antisemitisch zu sein«, in: *Katalog zur Ausstellung: Heilige Gemeinde Wien. Die Sammlung Max Berger im historischen Museum der Stadt Wien*, Wien.
Claussen, Detlev (1987) (Hg.), *Vom Judenhaß zum Antisemitismus*, Darmstadt.
Cronin, Audrey Kurth (1986), *Great Power Politics and the Struggle over Austria, 1945-1955*, Ithaca/London.
Das Rot-Weiß-Rot-Buch. Darstellungen, Dokumente und Nachweise zur Vorgeschichte und Geschichte der Okkupation Österreichs. Erster Teil nach amtlichen Quellen (1946), Wien.
Davidowicz, Lucy S. (1981), *The Holocaust and the Historians*, Cambridge, Massachusetts.
Domarus, M. (1973), (Hg.), *Hitler. Reden 1932 bis 1945*, Wiesbaden.
Dörner, Andreas (1991), »Politische Sprache – Instrument und Institution der Politik«, in: *Aus Politik und Zeitgeschichte*, B 17/91, 19.4.1991, S. 3-11.
Dunn, John (1978), »Practicing History and Social Science on ›Realist Assumptions‹«, in: Kookway, Christopher/Philip Pettit (1978) (Hg.), *Action and Interpretation: Studies in the Philosophy of the Social Sciences*, Cambridge, S. 145-75.
Edelman, Murray (1975), *Language and Politics*, New York.
Edmondson, C. Earl (1978), *The Heimwehr and Austrian Politics, 1918-1936*, Athens, Georgia.
Ehlich, Konrad (1989), »Über den Faschismus sprechen – Analyse und Diskurs«, in: Ehlich, Konrad (Hg.), *Sprache im Faschismus*, Frankfurt am Main, S. 7-34.
– /Jochen Rehbein (1976), »Halbinterpretative Arbeitstranskriptionen (HIAT)«, in: *Linguistische Berichte* 45, S. 21-41.
Elias, Norbert (1989), *Studien über die Deutschen. Machtkämpfe und Habitusentwicklung im 19. und 20. Jahrhundert*, Frankfurt am Main.
Fellner, Fritz (1972), »Die außenpolitische und völkerrechtliche Situation Österreichs 1938. Die Wiederherstellung Österreichs als Kriegsziele der Alliierten«, in: Weinzierl/Skalnik (1972), S. 53-90.
– (1988), »Der Novemberpogrom 1938. Bemerkungen zur Forschung«, in: *Zeitgeschichte* 16 (1988), S. 35-57.
Fischer, Heinz (1977) (Hg.), *Das politische System Österreichs*, 2. Aufl., Wien.
Fleming, Gerald (1984), *Hitler and the Final Solution*, Berkeley.
Friedländer, Saul (1986), »Some German Struggles with Memory«, in: Hartmann, Geoffrey (Hg.), *Bitburg in Moral and Political Perspective*, Bloomington, S. 27-42.

Furet, François (1983) (Hg.), *Allemagne nazie et le génocide juif*, Paris.
Graml, Herman (1988), »Zur Genesis der ›Endlösung‹«, in: Pehle (1988), S. 160-175.
– (1956), *Der 9. November 1938*, Bonn.
Gruber, H. (1991), *Antisemitismus im Mediendiskurs. Die Affäre »Waldheim« in der Tagespresse*, Wiesbaden.
Gulick, Charles (1948), *Austria from Habsburg to Hitler*, Berkeley, CA.
Habermas, Jürgen (1985), »Entsorgung der Vergangenheit«, in: ders., *Die neue Unübersichtlichkeit. Kleine politische Schriften V*, Frankfurt am Main, S. 261-268.
Heldenplatz. Eine Dokumentation (1989), herausgegeben vom Burgtheater Wien, Wien.
Heringer, Hans Jürgen (1990), *»Ich gebe Ihnen mein Ehrenwort«. Politik – Sprache – Moral*, München.
Herzstein, Robert (1988), *Waldheim. The Missing Years*, London.
Hilberg, Raul (1992), *Täter, Opfer, Zuschauer. Die Vernichtung der Juden 1933-1945*, Frankfurt am Main.
Historikerstreit (1987). Die Dokumentation der Kontroverse um die Einzigartigkeit der nationalsozialistischen Judenvernichtung, München.
Jäckel, Eberhard/Jürgen Rohwer (1985) (Hg.), *Der Mord an den Juden im Zweiten Weltkrieg. Entschlußbildung und Verwirklichung*, Stuttgart.
Jahrbuch der Österreichischen Außenpolitik. Außenpolitischer Bericht 1988, Wien 1989.
Johnson, Lonnie R. (1988), »Die österreichische Nation, die Moskauer Deklaration und die völkerrechtliche Argumentation. Bemerkungen zur Problematik der Interpretation der NS-Zeit in Österreich«, in: Ganglmair, Siegwald (Hg.), *Jahrbuch 1988 des Dokumentationsarchivs des österreichischen Widerstandes*, Wien, S. 40-51.
Kershaw, Ian (1989), *The Nazi Dictatorship. Problems and Perspectives of Interpretation*, 2. Aufl., New York.
Keyserlingk, Robert H. (1988), *Austria in World War II. An Anglo-American Dilemma*, Kingston/Montreal.
Kochen, Lionel (1957), *Pogrom-November 10 1938*, London.
Kurz, Hans Rudolf/James L. Collins/Gerald Fleming/Manfred Messerschmidt/Jean Vanwelkenhuyzen/Yehuda Wallach/Hagen Fleischer (1988), Der Bericht der internationalen Historikerkommission 8. Februar 1988, Sonderbeilage zum *profil* No. 7, 15. Februar 1988.
Lalouschek, J. (1985), *›Streits nur schön‹. Sprachliche Formen der Beziehungsgestaltung in Fernsehdiskussionen*, Diplomarbeit, Wien.
Laschet, Armin/Heinz Malangré (1989) (Hg.), *Philipp Jenninger. Rede und Reaktionen*, Aachen/Koblenz.
Lauber, Heinz (1981), *Judenpogrom »Reichskristallnacht«. November 1938 in Großdeutschland. Daten, Fakten, Dokumente, Quellentexte, Thesen und Bewertungen*, Gerlingen.

Leisi, Ernst (1989), »Der Misserfolg von Philipp Jenningers Rede. Versuch einer sprachwissenschaftlichen Erklärung«, in: *Neue Zürcher Zeitung*, 12. 1. 1989.
Low, Alfred D. (1985), *The Anschluss Movement 1931-1938 and the Great Powers*, New York.
Luza, Radomir (1975), *Austro-German Relations in the Anschluss Era, 1938-1945*, Princeton.
Manoschek, Walter (1993), »*›Serbien ist judenfrei!‹*«, München.
Marrus, Michael R. (1987), *The Holocaust in History*, New York.
Maser, Werner (1989), *Adolf Hitler. Legende, Mythos, Wirklichkeit*, 12. Aufl., München-Esslingen.
Mason, Tim (1981), »Intention and Explanation: A Current Controversy about the Interpretation of National Socialism«, in: Hirschfeld, Gerhard/Lothar Kettenacker, (1981) (Hg.), *Der Führerstaat: Mythos und Realität*, Stuttgart, S. 21-40.
Menz, Florian (1991), Der »Historikerbericht« und das Gedenkjahr 1988, *Wiener Linguistische Gazette*, Beiheft 9.
Messerschmidt, Manfred (1969), *Die Wehrmacht im NS-Staat: Zeit der Indoktrination*, Hamburg.
– /Fritz Wüllner (1987), *Die Wehrmachtjustiz im Dienste des Nationalsozialismus: Zerstörung einer Legende*, Baden-Baden.
Mitten, Richard (1987), »Die Vergangenheit bewältigen?«, Manuskript, Wien.
– (1992), *The Politics of Antisemitic Prejudice. The Waldheim Phenomenon in Austria*, Boulder/Colorado.
– /Ruth Wodak (1993), »On the Discourse of Racism and Prejudice«, in: Wodak, Ruth (Hg.), *Discourse, Prejudice and Racism. Folia Linguistica* (Sondernummer) (in Druck).
Mommsen, Hans (1983), »Die Realisierung des Utopischen: Die ›Endlösung der Judenfrage‹ im ›Dritten Reich‹«, in: *Geschichte und Gesellschaft* 9/1983, S. 381-420.
Niethammer, Lutz (1989), »Jenninger. Vorzeitiges Exposé zur Erforschung eines ungewöhnlich schnellen Rücktritts«, in: *Babylon* 5, 1989, S. 44.
Nowak, Peter (1983), »Der objektive Diskussionsleiter«, in: *Wiener Linguistische Gazette* 31-32, S. 107-120.
Nowotny, Katinka (1989), *Gedenkereignisse 1988*, Diplomarbeit, Wien.
Pehle, Walter H. (1988) (Hg.), *Der Judenpogrom 1938. Von der ›Reichskristallnacht‹ zum Völkermord*, Frankfurt am Main.
Pelinka, A. (1977), »Struktur und Funktion der politischen Parteien«, in: Fischer, Heinz (1977), S. 31-54.
– (1985), *Windstille. Klagen über Österreich*. Wien.
Potter, Jonathan/Margaret Wetherell (1987), *Discourse and Social Psychology. Beyond Attitudes and Behaviour*, London.

profil-Dokumentation, Beilage zu Heft Nr. 7 vom 15. Februar 1988, herausgegeben von Ernst Schmiederer.
Rathkolb, Oliver (1986), »NS-Problem und politische Restauration: Vorgeschichte und Etablierung des VdU«, in: Meissl, Sebastian/Klaus-Dieter Mulley/Oliver Rathkolb (Hg.), *Verdrängte Schuld – verfehlte Sühne. Entnazifizierung in Österreich, 1945-1955*, Wien, S. 73-99.
Rauchensteiner, Manfred (1987), *Die Zwei. Die Große Koalition in Österreich 1945-1966*, Wien.
Reimann, Viktor (1980), *Die dritte Kraft in Österreich*, Wien.
Rosenkranz, Herbert (1968), *»Reichskristallnacht«. 9. November 1938 in Österreich*, Wien/Frankfurt/Zürich.
Safrian, Hans/Hans Witek (1988) (Hg.), *Und keiner war dabei. Dokumente des alltäglichen Antisemitismus in Wien 1938*, Wien.
Schausberger, Norbert (1978), *Der Griff nach Österreich: Der Anschluß*, Wien.
Schleunes, Karl A. (1970), *The Twisted Road to Auschwitz: Nazi Policy toward the Jews 1933-1939*, Urbana/Illinois.
Schmidl, Erwin A. (1988), *März 38. Der deutsche Einmarsch in Österreich*, 2. Aufl., Wien.
Schultheis, Herbert (1985), *Die Reichskristallnacht in Deutschland. Nach Augenzeugenberichten*, Bad Neustadt a. d. Saale.
Skalnik, Kurt (1972), »Parteien«, in: Weinzierl/Skalnik (1972), S. 197-228.
Skinner, Quentin (1978), *The Foundations of Modern Political Thought*, 2 Bde., Cambridge.
Sorel Georges (1950), *Reflections on Violence*, herausgegeben von Edward Shils, aus dem Französischen ins Englische übersetzt von T. E. Hulme und J. Roth, Glencoe/Illinois.
Stäuber, Robert (1974), *Der Verband der Unabhängigen (VdU) und die Freiheitliche Partei Österreichs (FPÖ)*, St. Gallen.
Stern, Frank (1991), *Im Anfang war Auschwitz*, Gerlingen.
– (1991 b), »The ›Jewish Question‹ in the ›German Question‹, 1945-1990. Reflections in the Light of November 9th, 1989«, in: *New German Critique* 52, 1991, S. 155-165.
Taylor, Simon (1985), *Prelude to Genocide: Nazi Ideology and the Struggl for Power*, London.
Thalmann, Rita/Emmanuel Feinermann (1987), *Die Kristallnacht*, Frankfurt am Main.
Tully, James (1989) (Hg.), *Meaning and Context. Quentin Skinner and His Critics*, Cambridge.
Van Dijk, Teun A. (1980), *Textwissenschaft. Eine interdisziplinäre Einführung*, München.
– (1990), *Racism and the Press*, London.
Wandruszka, Adam (1954), »Österreichs politische Struktur. Die Entwicklung der Parteien und politischen Bewegungen«, in: Benedikt,

Heinrich (Hg.), *Geschichte der Republik Österreich*, München, S. 289-485.
Wehler, Hans-Ulrich (1988), *Entsorgung der deutschen Vergangenheit? Ein polemischer Essay zum »Historikerstreit«*, München.
Weinzierl, Erika (1969), *Zu wenig Gerechte. Österreicher und die Judenverfolgung 1938-1945*, Graz.
– /Kurt Skalnik (1972) (Hg.), *Österreich. Die Zweite Republik*, 2 Bde., Graz.
Wodak, Ruth (1983) (Hg.), »›Hier darf jeder alles‹«, *Wiener Linguistische Gazette*, Sondernummer, 31-32.
– (1988), »Wie über Juden geredet wird. Textlinguistische Analyse öffentlichen Sprachgebrauchs in den Medien im Österreich des Jahres 1986«, in: *Journal für Sozialforschung* 28/1/88, S. 117-137.
– (1989 a), »The Power of Political Jargon. A Club 2 Discussion«, in: dies. (1989 c), S. 137-165.
– (1989 b), »The Irrationality of Power«, in: Anderson, Peter (Hg.), *Communication Yearbook*, Los Angeles, S. 76-94.
– (1989 c) (Hg.), *Language, Power and Ideology*, Amsterdam.
– /Walter Kissling (1990), »›Die meisten KZler zeigten sich für jede Hilfeleistung sehr dankbar‹« – Schulbuch und Schulbuchdiskussion als Paradigma politischer Kommunikation in Österreich«, in: *Austriaca. Cahiers universitaires d'information sur l'Autriche*, Nr. 31, S. 87-105.
– /Peter Nowak/Johanna Pelikan/Helmut Gruber/Rudolf de Cillia/Richard Mitten (1990), *»Wir sind alle unschuldige Täter«. Diskurshistorische Studien zum Nachkriegsantisemitismus*, Frankfurt am Main.

Inhaltsübersicht

3. März 1988: Das »parteiische« Gedenken

4. Kampfschauplatz Kultur

5. Zum Gedenken ohne Bedenken:
Die »Reichskristallnacht« im Gedenkjahr

Hinweise zu Autorin und Autoren

Ruth Wodak, Dr. phil., Universitätsprofessorin für Angewandte Sprachwissenschaft am Institut für Sprachwissenschaft der Universität Wien. Wichtigste Bereiche in Forschung und Lehre: Soziolinguistik, Frauenforschung, Diskursanalyse, Sprache und Politik (Vorurteilsforschung), Institutionelle Kommunikation. Veröffentlichungen u. a.: *Das Sprachverhalten von Angeklagten bei Gericht*, Kronberg/Ts. 1975: Scriptor; *Das Wort in der Gruppe*, Wien 1981: Verlag der Akademie der Wissenschaften; *Hilflose Nähe. Mütter und Töchter erzählen*, Wien 1984: Bundesverlag; *Language, Power and Ideology*, Amsterdam 1989: Benjamins; (zusammen mit Peter Nowak, Johanna Pelikan, Helmut Gruber, Rudolf de Cillia und Richard Mitten) *Wir sind alle unschuldige Täter. Diskurshistorische Studien zum Nachkriegsantisemitismus*, Frankfurt/Main 1990: Suhrkamp (stw 881). Zahlreiche Aufsätze zu den o. g. Themen.

Florian Menz, Dr. phil., Universitätsassistent am Institut für Sprachwissenschaft, Universität Wien. Forschungsschwerpunkte: Institutionelle Kommunikation; Kommunikation und Massenmedien; Sprache und Ideologie. Mitbegründer und Geschäftsführer von »Kontext – Institut für Kommunikations- und Textanalysen«. Autor von *Der geheime Dialog. Medizinische Ausbildung und institutionalisierte Verschleierung in der Arzt-Patient Kommunikation*, Bern 1991: Peter Lang; (zusammen mit Johanna Lalouschek und Wolfgang Dressler) *Der Kampf geht weiter. Der publizistische Abwehrkampf in Kärntner Zeitungen seit 1918*, Klagenfurt 1989: Drava. Zahlreiche Aufsätze zu den o. g. Themen.

Richard Mitten, Dr. phil., Lektor am Institut für Zeitgeschichte, Universität Wien. Wissenschaftlicher Direktor des Zentrums für Internationale und Interdisziplinäre Studien, Universität Wien. Wissenschaftlicher Mitarbeiter bei der Fernsehdokumentation »Kurt Waldheim: A Commission of Enquiry« (1988, Thames Television-Home Box Office Production). Veröffentlichungen: *The Politics of Antisemitic Prejudice. The Waldheim Phenomenon in Austria*, Boulder/CO 1992: Westview Press. Zahlreiche Aufsätze zu Themen der österreichischen Zeitgeschichte.

Frank Stern, Dr. phil., Lecturer für Neuere Geschichte mit dem Schwerpunkt Deutschland nach 1945 an der Universität Tel Aviv, Mitarbeiter am Institut für Deutsche Geschichte, Universität Tel Aviv. Mitherausgeber des *Tel Aviver Jahrbuchs für deutsche Geschichte*. Forschungsschwerpunkte: Deutsche Zeitgeschichte; Antisemitismus und Philosemitismus in Deutschland; amerikanische Besatzungspolitik. Veröffentlichungen: *Im*

Anfang war Auschwitz. Antisemitismus und Philosemitismus im deutschen Nachkrieg, Gerlingen 1992: Bleicher Verlag; *The Whitewashing of the Yellow Badge*, London 1991: Pergamon. Zahlreiche Aufsätze zu den o.g. Themen.